〈世界史〉の哲学 1　古代篇

ōsawa masachi
大澤真幸

講談社文芸文庫

まえがき

〈世界史〉の哲学は、歴史を謎の集積として、問うても問うても消えない謎の集蔵体として、したがって一種のミステリーとして読み解く作業である。この試みの学問的・思想的な主題については、第1章でていねいに論じているので、ここでは、歴史がミステリーであるということの意味について、かんたんに述べておきたい。歴史をミステリーとして読むということは、単純に、歴史の中には原因や「犯人」がよくわかっていない出来事がたくさんあったので、それらを解明してみよう、という趣旨ではない。

よく知られているように、ヴァルター・ベンヤミンは、パウル・クレーの絵画「新しい天使」に触発されて「歴史の天使」というイメージについて語っている。ベンヤミンによると、歴史の天使は顔を過去に向けていて、他の人が出来事のなめらかな連続しか見ないところに、破局（不連続）だけを見る。歴史の天使の眼から見ると、歴史はなめらかな連続どころか、瓦礫の山によってごつごつとしている。歴史は謎の集積だというのは、この意味、連続のように見えているところが瓦礫の山とも見なしうる、ということである。ある物は瓦礫として捨てられ、別の物は歴史の連鎖の中にきっちりと組み込まれているとすれば、それはどうしてなのか、謎になる。

それならば、なぜ、歴史の天使には瓦礫が見えたのか。ベンヤミンが、瓦礫のことを「死者」、忘れられた死者とも言い換えていることが鍵である。

一般に、歴史を見るということは、最後の審判のような位置に立って――つまり事後の観点から――出来事の連なりを見るということである。このとき、次々と生ずる出来事は、どうしても「なるべくしてなった過程」として、必然的な連鎖に彩られた物語のようなものとして、たち現われてくることになる。（歴史の天使以外の）他の人々には、出来事のなめらかな連続が見えている、というのはこの意味である。それぞれの出来事が起きたことには、相応の原因や理由があったとして、説明し尽くされ、謎は消える。

だが、歴史の生成過程の渦中にあっては、ほんとうは、「なるべくしてなった」出来事の滑らかな連続とはまったく違い、その度に、開かれた道の中で、どちらにいくべきか迷い、定まらず、それでも思い切って選択することの反復だったはずである。つまり、歴史の個々の瞬間は、開放性の深淵の中で、余儀なく選択することの反復だっただろう。しかし、歴史は、最後の審判の位置からの事後的な回顧という形式でしか見いだせない以上は、このような歴史の中の自由決定や偶然性の要素は消え去ってしまう。

どうしたらよいのか。どうしたら、歴史の中の自由や開放性が発見されるのか。現在の位置において、さながら最後の審判の神のようにして過去を判断し、断罪している視点そのものを、別のものへと置き換えるしかない。その置き換えられた視点こそが、歴史の天使である。最後の審判の視点そのものが変更されたとき、その置きかえられた視点——歴史の天使の視点——には、今までに見えていた出来事の連鎖とは異なる連鎖がありえたことが、つまり今までの連鎖の中では忘れられ、瓦礫のように扱われていた死者たちの連なりが、見えてくるはずだ。

このように歴史を見るということは、歴史への問いが現在の関心や希望によって満たされているということでもある。歴史にとっての「最後の審判」は、われわれの現在の地平に所属しているからである。ただし、これは、われわれの現在の興味によって過去を勝手に解釈し、ときに創作さえするという意味ではない。過去のその時点において確かに存在してはいるのだが、現在の視点を媒介にしなければ見出せないことを発掘すること、これがここで目指されているのである。

繰り返せば、滑らかな連鎖として捉えられていた歴史を、謎に満ちたミステリーと見なすということは、現在の地平に属している「最後の審判」の視点そのものを抜本的に置き換えることである。つまり、それは、われわれの現在の圧倒的な刷新なくして、不可能だ。だから、ベンヤミンは、歴史の中で捨てられた死者を救済することが革命でもある、と述べたのである。歴史の探究は、現在や将来には何の影響もない、過去の事実への好奇心に基づく実証的な研究のようなものではなく、われわれの現在の世界観そのものの変容をともなうアクチュアルな作業なのだ。

われわれは、普通、解放や変革への希望を、未来への予言という形式で表明する。しかし、その予言が反対方向に向けられ、過去の出来事の連鎖の中に多様な謎が発見されたとき、つまり未来を予言するように、過去の謎が発見され、救済されるとき、革命的と形容してもよいような現在の社会の変容が可能になるだろう。歴史の天使とは、後ろ向きの予言者、過去へと眼を向けた予言者である。その後ろ向きの予言者の眼には、歴史は瓦礫の山であり、解いても解いても消えない謎に満ちたミステリーとして映るのである。

＊

それゆえ、「〈世界史〉の哲学」と題するシリーズの最初の巻を、二〇一一年に出版するのは、絶好のタイミングであると言いたい。三月一一日に日本の東北地方の太平洋岸を襲った未曾有の大津波と、それが引き起こした悲惨な原発事故は、世界史的な意義のある革命への予兆にならなくてはいけないからだ。

別の言い方をすれば、私はいま心から、『群像』誌上の「〈世界史〉の哲学」という連載を、二〇〇九年の初頭に開始しておいてよかった、と思っている。地震と原発事故が起きた後に泥縄式にこうした仕事に着手することはできない。すでに始めていたからこそ、今も続けられるのである。

＊

シリーズの最初の巻「古代篇」では、〈世界史〉の中のミステリー中のミステリー、イエス・キリストの殺害が、中心的な主題となる。もし、〈世界史〉の中で、われわれの現在に最も大きな影響を残した、たった一つの出来事を選ぶことが求められれば、誰もが、迷うことなく、イエス・キリストの十字架上の死を挙げることになるだろう。

どうして、イエス・キリストは殺されたのか？　どうして、たった一人の男の死が、これほどまでに深く、広い帰結をもたらすことになったのか？　われわれの現在を、社会学的な基礎において捉えるならば、それは「近代社会」として規定されることになる。近代化とは、細部を削ぎ落として言ってしまえば、西洋出自の概念や制度がグローバル・スタンダードになった時代である。その「西洋」の文明的なアイデンティティは、キリスト教にこそある。とすれば、キリストの死の残響は、二千年後の現在でも、まったく衰えることなく届いていることになる。キリストの死は、どうして、これほどの衝撃力をもったのだろうか？

イエス・キリストは、わけのわからない罪状によって処刑された。その死は、今日のわれわれのあり方を深く規定している。必ずしもクリスチャンではないものも含めて、その死の影響の下にある。どうしてこんなことになったのか？　ふしぎである。

大澤真幸

二〇二一年八月一一日

目次

第1章　普遍性をめぐる問い

1　ホメーロスの魅力という謎

マルクスは、『経済学批判序説』の中で、ホメーロスの叙事詩が今なおわれわれにとって魅力的で、芸術的な愉しみの源泉となっているのはなぜなのか、という問いを立てている。ここで問われていることは、普遍性の謎、つまり普遍的な妥当性、普遍的な訴求力ということの謎である。マルクスの時代とホメーロスが生きた時代を隔てているのは、およそ二六〇〇年という時間である。これほど大きな時間幅によって分かたれているのに、いやそれだけでなく、歴史的なコンテクストが質的にも大きく異なっているのに、「現在のわれわれ」でも、ホメーロスの『イーリアス』や『オデュッセイアー』を読めば、心躍る思いがする。ホメーロスの芸術的価値のこうした（準）普遍性は、不思議なことではないか？　マルクスは、次のように述べている。

　けれども困難は、ギリシャの芸術や叙事詩がある社会的な発展形態とむすびついていることを理解する点にあるのではない。困難は、それらのものがわれわれに対してなお芸術的なたのしみをあたえ、しかもある点では規範としての、到達できない模範としての意義をもっているということを理解する点にある。[*1]

　これは、ホメーロスや古代ギリシアの芸術に限った謎ではない。たとえば、シェイクスピアとわれわれは、約四〇〇年の時間によって隔てられているし、さらに地理的にも文化的にもまったく異なるコンテクストを背景としているが、それでも、われわれは、『ハムレット』や『ロミオとジュリエット』を観ると、ふるえるような感動を覚えるのである。あるいは、われわれは、一〇〇〇年も前に書かれたとされている『源氏物語』の中の数々の恋に、深くため息をつくことにもなるのである。こうした諸作品の（準）普遍的な価値は、どこから来るのか？　それは、何に由来するのか？

　この謎に対する、ダメな説明、間違った説明は、ホメーロスが描いた人間とわれわれとの間に何か共通のもの、類似したものがあり、それが感動を引き起こしている、といった類の議論である。われわれと『イーリアス』、われわれと『ハムレット』、われわれと『源氏』とを貫く一般性に原因を求める推論は、謎の深さに拮抗できない、誤った説明である。試しに、たとえばホメーロスが描いた人物たちとわれわれとの間の共通点だけを抽出して、提示してみればよい。それは実にたいくつな一般命題の集合にしかならないだろう。強い感動を呼ぶには、それらの諸作品が描き出す、特異的な出来事、特殊な物語がどうしても必要である。それらの出来事や物語は、特定の歴史的・社会的コンテクストに深く埋め込まれており、そうした歴史的・社会的コンテクストは、われわれが内属する社会的コンテクストとは似ても似つかない。だが、それでも、われわれは、作品が描く出来事や物語を愉しみ、感動するのである。

実際、個々の作品は、それが創られた時代の社会的文脈に細部まで規定されている。たとえば、『源氏物語』を綿密に解釈するためには、平安時代の貴族の男女関係においては、男が妻や恋人である女のもとに夜、訪問するのが一般的であったということ、男が三夜連続して女のもとに通えば、その男は女に結婚したいという意志を表明したことになること等々の無数の慣習を知っていなくてはならない。当時としては常識に属していたはずのこれらの知識の大半は、今日の一般の読者の常識知の目録の中からは消えてしまっている。

もっとはるかに時代が近い作品に関してすらも、それを規定している当時の常識は、今日の読者や観衆からは失われている。たとえば、リヒャルト・ワグナーについての近年の研究は、彼のオペラを正確に理解するためのさまざまな手掛かりをいくつも提供してくれる。オペラの中に、よろけるように歩いたり、金切り声で歌ったりする人物が登場すれば、この人物がユダヤ人だと、一九世紀のドイツのオーディエンスは、ただちにわかったのだという(「だから『ニーベルングの指輪』のハーゲンはユダヤ人だ」)。わざわざ研究論文の中で指摘されるくらいだから、ユダヤ人性についてのこうした行動的なサインについての知識を、一五〇年後を生きる今日の一般のオーディエンスは、もはやもってはいない。しかし――ここにこそ注目しなくてはならないのだが――作品が創られた当時の社会的コンテクストと深く結びついているこうした細々とした知識をもっていないということが、これらの作品に感動を覚えることを、いささかも妨げはしない。これら細部の知識は、たとえそれらが学問的にきわめて正確なものであったとしても、感動をもたらすような関与的な理解にほとんど貢献してはいないのである。むしろ逆に、こうした細部についての知識は、感動にとっては妨げですらある。

普遍的な訴求力についてのこうした謎は、文学や芸術的な作品、つまり美的な判断に関してのみ見られるわけではない。同じことは、哲学や思想でも、つまり知的な判断でも生ずる。今しがたワグナーに言及したので、そこからの連想で、ニーチェを例にとってみよう。ニーチェほど、二〇世紀の思想に広範な影響を残した一九世紀の思想家はいない。ファシズムに影響を与え、またハイデガーの徹底的な読解の対象となった。ニーチェは、実存主義の源流の一つと見なされてもきた。ポスト構造主義を代表するフランスの哲学者たち、つまりフーコー、ドゥルーズ、デリダにとって、最も重要な過去の哲学者（の一人）はニーチェであろう。彼らフランスの哲学者に導かれて、今日のカルチュラル・スタディーズの研究者たちは、ニーチェを好んで引用する。要するに、ニーチェは、二〇世紀の思想にとって、ほとんど普遍的なインスピレーションの源泉となってきたのである。右派も左派もともに、ニーチェに触発されてきたのだ。

だが、しかし、ニーチェの思想が、彼が生きた一九世紀の特殊な文化的環境に深く組み込まれ、そうした環境による歪曲を被っていることも、容易に見て取ることができる。たとえば、ニーチェの「奴隷のルサンチマン」への著しい嫌悪は、彼がパリ・コミューンを同時代的に体験したことに由来している。あるいは、ニーチェの「超人」の思想が、一九世紀後半の進化論の流行に規定されているということは、明らかである。ニーチェのような、せいぜい一〇〇年強しか隔たっていない思想家でさえも、このように、今日のわれわれとは相当に異なった文化的・社会的なコンテクストの中に組み込まれているのだ。まして、アリストテレスのような古代ギリシアの哲学者の思想は、目が眩《くら》むほどにわれわれとは異なった歴史的な環境によって規定されている。しかし、それでも、今日の倫理学者や政治哲学者は、アリストテレスの『ニコマコス倫理学』や『政治学』から直接に普遍的な含意をもつ命題を引き出しているのである。

それゆえ、繰り返せば、謎はこうである。特殊な歴史的コンテクストに深く規定された特異的な作品や思想が、普遍的な魅力、普遍的な妥当性を帯びて現われるのはなぜなのか？　特殊性や特異性は、普遍性とは論理的に対立する。そうである以上、ホメーロスや紫式部の作品が人を普遍的に感動させるにあたっては、それらの作品が特殊な歴史的文脈に内属しており、そこに描かれた出来事や物語があまりに特異であることは、足かせになっている、と考えたくなる。だが、不思議なことに、実際にはそうではなく、まったく逆なのである。各作品は特異的であるがゆえに、逆に、普遍的な訴求力をもっているように見えるのだ。特殊性や特異性は、普遍性の足を引っ張っているのではなく、むしろ、普遍性を支え、その波及力を促進しているのだ。とすれば、次のように考えるほかない。特殊性・特異性に、自らを否定する力が内在している、と。特殊性そのものの内に、特殊性と普遍性との間の拮抗関係が宿るのだ、と。特殊性や特異性が孕む、この内在的な否定の力は何であろうか？　それは、どこから来るのだろうか？

2　普遍性をめぐる問い

規範や価値の普遍性を標榜したり、普遍主義を擁護したりすることは、今日、いたって評判が悪い。二〇世紀の最後の四半世紀以降は、普遍性を歴史主義的に相対化することが流行である。逆に、己の思想の普遍性を謳うことは、ときに原理主義的な狂信性の印として、ほとんど最高の悪と見なされる。

普遍性の歴史主義的な相対化とは、普遍的な妥当性を明示的に標榜している思想や概念が、実際には、特殊な歴史的・社会的コンテクストに規定されており、そうしたコンテクストに内属する視点からのみ普遍的なものと見える、実際にはバイアスのかかった思想・概念であることを暴露する議論のことである。こうした論法自体が、特殊な歴史的コンテクストに規定されていて、ポストモダンな思想環境の中では、たいへん流行する。とりわけ、普遍的とされてきた概念の多くが、「たかだか一〇〇年か二〇〇年」の近代の産物――ときには西洋や白人男性社会の産物――であることを実証してきたという点で、この種の論法は、成功をおさめてきた。こうした研究によって、たとえば、「人間」「子ども」「核家族」「青春」「ナショナリズム」「風景」……といった概念の表向きの普遍性が相対化されてきたのだ。この種の歴史主義的な研究の政治的な対応物が、多文化主義である。

ポストモダンな歴史主義的相対化は、自由主義《リベラリズム》に対してさえも及ぶ。「自由主義に対してさえ」と表現したのは、自由主義がすでに普遍主義の相対化という志向を宿しているからである。自由主義の起源は、一七世紀前半の三十年戦争の後に出てきた「宗教的寛容」の理念である。つまり、自由主義は、普遍的な妥当性を要求する世界宗教たちの間の尊重や寛容を謳う、それ自体、普遍主義的な思想だったのである。自由主義はメタ普遍主義的な思想である、と言い換えてもよいだろう。

その自由主義もまた、今日では、相対化の対象となる。自由主義は、特定の文化を己の培養地としており、その特定の文化を優遇している、と批判されるのだ。その特定の文化とは、言うまでもなく、西洋近代の文化である。それゆえ、自由主義は、西洋の伝統の中に収めることができない生活様式や行動に関して、選択の自由を許容することに、たちどころに難色を示すことになるのだ。たとえば、クリトリスカットや寡婦殉死の自由はあるのか。一夫多妻の自由はあるのか。公立の学校で（ムスリムの女性が）ヴェールを着用する自由はあるのか。こうした問題に確定的な回答を与えることは、自由主義には難しい。

ジョン・グレイは、自らもそう認める堅実な自由主義者だが、そのことにおいて、自由主義のこうした困難を体現するような主張を表明している。グレイによれば、自由主義を積極的な普遍主義として提起すること（「イデオロギー化すること」）は不可能であり、他のタイプの社会に対して自由主義的な社会がより優れているとする根拠もない。彼は、自由主義を（部分）否定する自由主義者なのだ。もう少していねいに、グレイの論を紹介しておこう。

グレイは、自由主義の歴史を総括し、自由主義が普遍的な妥当性を要求するときには、これまで、三つのことのいずれかがその論拠として援用されてきた、とする。第一に、人間の（相対的な）無知を根拠とする自由主義がある。個々の人間の知的な能力には限界があるため、諸個人の間の自由競争と淘汰こそが、結果的に、知識をもっともよく成長させる、というのである。代表的な論者は、ハイエクである。しかし、この主張は、旧ソ連の例が示すように事実に合致しない（自由競争が抑圧されていても、科学的知識の大いなる発展があった）上に、そもそも、知識の成長が善であるとは必ずしも言えない、とグレイは指摘する。つまり、このタイプの自由主義は、知識の蓄積を無条件に善と認めるような社会においてしか成り立たない。[*2] 第二に、合意を根拠とする自由論がある。代表的な論者はロールズだ。「無知のヴェール」を被った者たちの間の全員一致の合意によって、自由主義が支持されるはずだ、というのだ。しかし、グレイは反論する。全員一致の合意に到達するためには、特定の利益や価値観が特権化され、前提にされていなくてはならない、と。言い換えれば、完全な無知のヴェール——あらゆる利益や価値観を中立化してしまうような無知のヴェール——のもとでは、社会契約は不可能なのだ。第三に、幸福を根拠とする自由論がある。その代表者はミルである。人間が真に幸福になるのは、自由主義的な社会のみだ、というわけである。しかし、この論は、特定の幸福概念を前提にし、強制しているに等しい（奴隷であることに幸福を覚える者もいるかもしれない）。このことは、（特定の生活を幸福と感じるような）アリストテレス的な——それゆえ反自由主義的な——人間概念に与することであって、自由主義にとって自己矛盾的だと、グレイは述べる。[*3]

このように、自由主義を普遍的な原理として定立したとたんに、特定の規範や価値観を予断的に前提にせざるをえず、そのこと自体によって、自由主義を否定してしまうのだ。要するに、自由主義は己を貫徹しない限りにおいて成り立つ、ということになる。ここに、普遍主義の困難が端的に表現されている。

こうして、自由主義を含むあらゆる普遍主義が、特殊な歴史的・社会的なコンテクストに規定されており、そこで表明されている普遍的な規範原理は贋物だとされる。こうした批判は、先に述べたように、二〇世紀の終盤以降に広く一般化するようになる。しかし、この批判の――内容ではなく――基本的なスタイルやねらいは、ごく標準的で古典的なマルクス主義によるイデオロギー批判の圏内にある。マルクス主義は、中立性・普遍性を装うイデオロギーや制度が、特殊な生産関係に規定されており、そのことによって、特定の階級――ブルジョワジー――の利害を特権化している、と批判する。こうした批判の中にある「生産関係」を、社会関係や社会構造の全体へと一般化すれば、あるいはこうした関係や構造を構成する要因としての支配や権力の概念を刷新すれば、現代風の批判ができあがるだろう。

＊

以上のような歴史主義的な批判は、間違ったことを述べているわけではないが、しかし、まったくの逆の側面を見失ってもいる。逆の側面とは何か？　なるほど、「普遍性」という表看板を掲げた思想、制度、法的な概念は、権力や伝統によって特殊に歪められた社会関係を背後に隠しているのかもしれない。ここで見失われているのは、この「普遍性」という表面的な現われが、つまり実質を偽っているとされる形骸が、それ自体、現実の社会関係や社会構造に対して実効的な変化をもたらしてきたという事実である。つまり、現われは現われ以上のもの、形骸は形骸以上のものなのだ。

「人権」という普遍概念を例として取り上げてみよう。その普遍性は、贋物だったかもしれない。たとえば、参政権を与えられたのは、かつては、特定の人種のみであったり、男性のみであったり、有産階級だけだったりした。その意味で、人権が普遍的であるという表現は、詐欺的である。だが、「人権」という表看板があるからこそ、まさにそれに依拠して、人種やジェンダーや財産の壁は取り除かれたのである。人権が普遍的である（とされている）ならば、どうして黒人には、女性には……投票の権利がないのか、こうした疑問を誘発せざるをえない。そして、やがて、実際にも女性や黒人にも選挙権が拡張されることになるのだ。こうした経緯が教えてくれることは、普遍性についての欺瞞的な表看板は、実効的な普遍化の過程を惹き起こすだけの力を宿している、ということである。「普遍性」という表面が隠蔽している特殊性を暴きだすという方向性の探究が見損なっているのは、こうした表面の有する社会的な力である。

さらに付け加えておくならば、このような表看板のもつ実効的な力を、表看板の欺瞞性を批判する者たちも、実際にはよく知っていたのである。たとえば、かつての冷戦時代、東側の社会主義者たちは、西側の議会制民主主義を、ブルジョワ的で空虚な形式に過ぎないと罵った。だが、それが無力で空虚な形式に過ぎないのならば、なぜ、彼らは、議会制民主主義を恐れたのか？　なぜ、一党独裁に拘《こだわ》り、自由な議会制を禁止したのか？　その空虚な形式に、体制を転換させてしまうほどの力が宿っていることを知っていたからであろう。西側の議会制民主主義よりも、それを中傷する東側陣営の方が、その欺瞞性の程度はより大きいと言うべきである。

さて、「普遍性」を騙る欺瞞的な形式に、実効的な普遍化を惹き起こす社会的な力がある、ということは次のことを意味する。「普遍性」という看板の下に隠されていたのは、特殊な生活様式、特殊な階級や歴史的状況に固有の生活様式だったのだから、ここでは結局、特殊性の只中から普遍性が発生していることになるだろう。こうして、われわれが問うべきことの輪郭が、次第に明確になってくる。特殊性の中から、いかにして、その否定であるところの普遍性が立ち現われるのか？

このことを歴史の内に、世界史の内に探ってみよう。歴史を探究する者は、主として、「普遍性」という仮面を特殊な社会的コンテクストへと還元することに努力を傾注してきた。だが、ここでの問いは、歴史主義者のこうした研究をひっくり返したときに得られるものである。特殊な歴史的コンテクストの中から、その殻を打ち破るようにして、いかにして普遍性の次元が出現することができたのか？　これが問いである。

3　資本主義の二重性

しかし、この問いはまだ、あまりにも漠然としている。探究を開始するためには、問いの焦点を絞っておく必要がある。もともと、われわれは、特殊性あるいは特異性が、その否定であるはずの普遍性と直結しているように見える、という事実に注目した。たとえば、優れた芸術作品は、特異的であることにおいて普遍的な魅力を発するのだ。芸術作品の偉大さは、作品が、自らの出生地である特異的なコンテクストを否定し、そこから離脱しうる程度によって測ることができる。逆に言えば、さまざまな時代、さまざまな文化が、その作品を、独自の仕方で再発見し、再評価することになるだろう。実に多くの作家たちが、『源氏物語』を、現代語や外国語に翻訳したり、翻案したりすることができたのは、そのためである。

さて、こうした両義性を、つまり特殊性と普遍性との間の短絡を、最も純粋かつ大規模に体現している現象、それは資本主義ではないだろうか。資本主義の普遍性は圧倒的である。資本主義は、どのような価値観にも、どのような世界観にも、どのような歴史的背景をもつ文化的なコンテクストにも適応し、そこで繁栄することができるように見える。たとえば、資本主義は儒教的な文化圏でも、ヒンドゥー的な文化圏でも成功する。資本主義との相性があまりよくないと信じられてきたイスラム文化圏も、資本主義を活用し、富を蓄積している。さらに、今日の中国の急速な経済成長を目の当たりにしたとき、われわれは、資本主義を否定することを目的にして樹立された体制——社会主義体制——に対してさえも資本主義が適応しうる、ということを知るのである。簡単に言えば、資本主義に固有な「世界」などというものはどこにもないのだ。資本主義はどのような文化的な環境でも利用しうる、中立的な機械のように見えるのである。

だが、他方で、資本主義ほど、きわめて特殊な文化と深く結合している社会システムは他にない、とも言える。今日ではこの惑星の全体に波及している資本主義は、西欧で、まずは西欧でのみ、誕生した。この事実を、単純に経済発展の問題と見なすことはできない。資本主義誕生当時のグローバルな経済の状況から判断すると、西欧は相当な後進地域だったからである。資本主義が西欧で生まれた原因は、この地に特有な状況に求めないわけにはいかない。こうした問題意識を最も先鋭な形で発展させたのは、マックス・ヴェーバーである。周知のように、ヴェーバーは、資本主義がとりわけ西欧で発生したことを説明する最も重要な原因を、キリスト教の特定の宗派、カトリックの中から生まれ、カトリックに対抗した宗派（プロテスタンティズム）に求めたのであった。

要するに、資本主義こそは、特異性と普遍性との結合を端的に具現する現象である。そうであるとすれば、世界史へのわれわれの問いは、資本主義の誕生をめぐる謎に、まずは照準を合わせるのが適当かもしれない。資本主義が西欧で生まれたのはなぜなのか？　しかも、資本主義は、母胎である西欧と自身を繋ぐ「臍の緒」を、思い切り徹底して切断するような形で波及していく。その切断は、なぜ、そしてまたいかにして生じたのか？　これがわれわれの問いである。

ヴェーバーの類似の問いとの相違を強調しておかなくてはならない。資本主義の起源についてのヴェーバーの研究を、われわれは、いずれ再検討することにはなる。いずれにせよ、今しがた述べたように、ヴェーバーの研究は、資本主義がいかに西欧という特殊な文化と深く結びついていたかを論証しようとしたものである。その意味では、ヴェーバーの研究は、前節で議論した歴史主義と同じ方向を目指している（普遍的と見えるものがいかに特殊かを示す）。われわれの関心は、逆方向に（も）ある。つまり、きわめて特殊な文化的背景をもつ資本主義が、かくも普遍化しえたのはなぜか、という点にこそ、関心の重心がおかれている。かつて、日本を含む東アジアの諸地域で資本主義が成長してきたとき、このことがヴェーバーの論証に対する反例であるかのように見なされたことがあった。そして、石門心学や儒教もまた「資本主義の精神」の起源となりうるのではないか、といった議論が展開されたことがあった。こんな調子で議論を拡張していけば、今日では、何もかもが資本主義の起源だということになってしまうだろう（毛沢東主義すら資本主義の起源となりうるということになってしまうだろう）。そうではなくて、資本主義は、やはり、西欧でのみ成長したきわめて特殊な文化を起源としているのだ。それにもかかわらず、それは、普遍的と見なしたくなるほどの圧倒的な波及力をも示したのである。ヴェーバーの問題意識は、ここまでは及んではいない。

資本主義をめぐるこうした両義性は、「西洋」をめぐる両義性の先鋭化された形式である。それは、「西洋化／近代化」の二重性に対応しているのだ。近代化は、どこでも、とりあえずは西洋化という形態を取る。すなわち、西洋文化に由来する制度や知の導入というかたちで、近代化は進められる。西洋化は、しかし、通常の文化伝播とは、根本的に異なっている。儒教が中国から伝わるという現象とは、何かが異なっている。西洋化は、その起源の痕跡を、「西洋」という起源の痕跡を抹消しつつ進行するからである。この特徴に注目したときには、それは、西洋化というより、むしろ近代化として現われることになる。

つまり、われわれの問いは、「西洋」のみが、「西洋」に由来する文化のみが、今日、地球的な規模で普及し、言わば、実質的な普遍性を獲得したのはなぜなのか、という問題と結びついているのだ。イスラムにせよ、仏教にせよ、あるいは儒教にせよ、それが誕生したローカルな共同体をはるかにこえて普及したことは、間違いない。が、しかし、ついに地球的な拡がりを獲得するまでには至らなかった。ただ西洋のみが、真にグローバル化したのである。イスラムや仏教などの「世界宗教」の広がりがどこかで限界に到達するのは、それらの世界宗教が、己の普遍性を謳っていたとしても、なおその起源となったローカルな共同体の文化的な特殊性の痕跡を——確かに稀釈させてはいるけれども——ついに消去しつくすことができなかったからである。逆に言えば、「西洋」だけが、どういうわけか、痕跡の徹底した抹消に成功したことになる。西洋のこうした特権性は、たとえばダライ・ラマでさえも、己の主張を国際社会にアピールするときには、「信仰の自由」とか「人権」といった、西洋由来の概念を援用している、という事実を思い起こすだけでも明らかだ。ダライ・ラマは、特に仏教の論理や概念で、己を正当化しようとはしない。西洋だけが、地球的な拡がりを獲得しえたのは、どのようなからくりによるのか？　この謎を、とりわけ資本主義に託する形で探究してみたらどうであろうか。

　資本主義を中核に据えて普遍性の発生の機序を問うという、ここでの問題意識には、政治的・実践的な意義もある。現在、人類が直面している社会問題、緊急に解決が要求される社会問題は、三点に集約される。[*4]①民族・宗教など文化的な差異に源泉をもつ戦争・紛争。②（国際的あるいは国内的な）経済格差。③環境破壊。これらの問題を解決しうるかは、最終的には、人類が、資本主義を超える——あるいは資本主義に代わる——普遍性を有する社会を構想しうるか、という点にかかっている。言い換えれば、資本主義を、人類が見出しうる最終的で「自然な」社会体制として受け入れてしまえば、これら三つの問題の根本的な解決を断念したに等しいことになるだろう。若干の説明を付け加えておく。

アラン・バディウは、現代社会を「世界の欠如した時代」であると特徴づけている。[*5] バディウが言わんとしていることは、先にわれわれが指摘したこと、資本主義はそれに固有な（文化的）世界をもたない、ということと同じことである。資本主義的な普遍性は、規範的・価値的な内容に関してまったく空虚であって、一個の閉じられた世界を形成することがない。①の問題、戦争や紛争が生ずるのは、諸文化・諸文明を横断する、実質的な内容をもつ普遍的価値が失われているからである。とすれば、①は、世界を欠いた資本主義的な普遍化の帰結である。②の経済格差が、資本主義が純化したことの結果であることは、誰もが知っている。市場は、正当な「等価交換」のみを許容しているはずなのに、そこから剰余価値が発生し——それゆえ剰余価値が搾取され——、結果的には階級の格差が生み出される。この逆説こそが、『資本論』の探究対象だった。最後に③の問題を伴う社会、つまり二酸化炭素の大量排出を帰結する社会とは、他ならぬ、資本主義社会である。こうして、資本主義の圏内に留まる限り、われわれは、三つの緊急の問題を根本的に解消することはできないことになる。

4　キリスト教へ

しかし、こうした実践的な問題意識を視野に入れた場合には、われわれは、問いをもう少し一般化しておく必要がある。資本主義を直接に主題化する前に、資本主義をその前史において、その胎児の段階において、捉えておかなくてはならない。つまり、資本主義への発展の可能性をポテンシャルとして宿していながら、「他でもありえた」とも見なしうる段階を、探究の端緒に据えておく必要がある。さもなければ、われわれは、資本主義に代わりうる普遍性への想像力を失うことになるだろう。だが、資本主義の胎児の段階とは、具体的には何であろうか？

ここでもう一度、資本主義は非常な特殊性においてこそ普遍的であった、という先の認定にたち帰ってみよう。資本主義的な普遍性を生み出した特殊性とは何か？　すでに言及したように、ヴェーバーは、それをプロテスタンティズムのエートス（倫理的態度）に見出した。プロテスタンティズムとは、キリスト教の原点回帰の運動であって、今日的な表現を用いるならば、一種の原理主義である。それは、カトリックとの関係では一種のマイノリティだが、教義の上では、むしろ、徹底的に正統的だと言ってよいだろう。こうした事実を考慮に入れるならば、とりあえず仮説として、資本主義の胎児段階を、つまり資本主義へも、他の何ものかへも発展しえた潜在状態を、キリスト教の内に見定めておいてよいのではないか。

資本主義の神秘を「欲望の論理」の水準で捉えるならば、こう言うことができるだろう。過剰と欠如の完全なる合致、と。資本主義においては、人は、余れば余るほど、欠乏感に苛まれる。一方ではあり余っているのに、他方では、足りないのだ。こうした論理を端的に具現しているのが、守銭奴である。実際、マルクスは、資本の原型は、守銭奴＝貨幣蓄蔵者にあるとして、次のように論じている。

> 貨幣蓄蔵者は、黄金物神のために自分の欲情を犠牲にする。彼は禁欲の福音に忠実なのだ。他方で、彼が流通から貨幣として引き上げることのできるものは、彼が商品として流通に投じたものでしかない。彼は、生産すればするほど、多く売ることができるわけだ。だから、勤勉、節約、そして貪欲が、彼の主徳をなし、多く売って少なく買うことが、彼の経済学のすべてをなす。[*6]

ここに記述されている守銭奴の態度は、ほとんど宗教者のそれ、禁欲的なプロテスタントのそれである。ヴェーバーに先立ってマルクスが、資本主義に宗教性を見ている。実際、資本主義的な「欲望の論理」と同じ形式の逆説が、信仰にも見出される。信仰と懐疑との合致がそれである。人は、信じれば信じるほど不安になる。自分が、真に救済されるのか不安になるのだ。さらには、極端に信仰心の篤い者は、かえって、そもそも自分がほんとうに神を信じているのか、神を想っていることになるのか不安になり、疑いを抱くようになる。信仰すればするほど、信仰が不足しているのではないかという懐疑ももちあがってくるのである。こうして、信仰の過剰と欠如が同じものへと収束していく。

守銭奴は、一見、信仰の立場からすると、最悪の形態、極端な偶像崇拝に見える。だが、守銭奴の水準にまで徹底した偶像崇拝は、その反対物へと転換するはずだ。確かに、守銭奴は、偶像を、卑俗なものを蓄積している。しかし、彼は、それを決して消費し、享受しつくすことはない。そうであるとすれば、蓄積されているその卑俗な対象（貨幣）は、触れることができない超越的で崇高な対象へと転化していることになるのではあるまいか。それは、もはや偶像ではなく、真正な神である。このように見ると、キリスト者の禁欲的な信仰と資本の論理との間の並行性は著しい。

＊

したがって、ここでの〈世界史〉は、（ユダヤ－）キリスト教を準拠点として記述されることになるだろう。われわれは、まったく特異的な出来事についての叙述が、普遍的な魅力を発することがあるという観察から、議論を開始した。あらためて考え直してみれば、キリスト教は、こうした原理に、つまり特異性と普遍性の短絡という原理に依拠する（唯一の）宗教である。こうした短絡は、キリスト教が他ならぬキリストという形象を有するがゆえに不可避なものとなる。

　この点を理解するには、まずは、デカルトの問いを再考することから始めるのがよい。「三角形の内角の和は二直角（一八〇度）に等しい」という命題は、普遍的に妥当する。ユークリッド平面上の任意の三角形に関して、その命題は真である。デカルトが問題にしているのは、この普遍的な法則と神の意志との関係だ。神もまた、この普遍的な法則に従っているのだろうか？　言い換えれば、神は、三角形の内角の和が二直角になるほかないということを知っていたがゆえに、そのことをあえて意志したり、欲したりすることができなかった、ということなのだろうか？　デカルトの回答は、断じてそうではない、というものである。神が、まさに「三角形の内角の和が二直角であること」を欲したがゆえに、この命題が必然として――普遍的な妥当性を有するものとして――成り立つというのだ。

　こうしたデカルトの思索を駆り立てているのは、普遍的な法則と神の気まぐれな意志や決断との間のギャップをどのように埋めるべきか、という問題である。後者は、偶有的な――つまり他でもありえた――出来事として、それゆえ特異的な出来事としての性格を帯びている。それは、前者が帯びる、必然性・普遍性といった様相とは、真っ向から対立する。この矛盾は、しかし、神が宇宙の全体の創造者であると考えられている限りは、解消される。神の偶有的な意志そのものに、普遍的・必然的な命題が従属することになるからだ。現にデカルトはそう考えた。

もう少しめんどうなのは、「原罪」の観念である。アダムとエヴァという特定の人間がたまたま犯した失敗が、なぜ、人類の普遍的な罪の根拠となりうるのだろうか。だが、アダムとエヴァは、特別な人間、原初の人間であるという事情を考慮に入れれば、問題の深刻さは大幅に低減する。すべての人間は、アダムとエヴァの末裔であり、彼らの失敗は、ラマルクの流儀で遺伝していくと考えればよいからだ。

しかし、神の子が、あるいは神そのものである人間が、この地上を、つまり歴史のある期間にある特定の場所を歩き回っていた、と見なしたとたんに、矛盾は最高度に達し、解きがたいものになる。この場合、特に問題になるのは、罪とは逆のもの、すなわち「赦し」である。あるいは、恩寵の配分ということがらである。今からおよそ二〇〇〇年前に、パレスチナを、アシスタントとともに歩き回った、みすぼらしい人間が――まさに人間でありつつ――神であったと信じない限り、キリスト教は始まらない。だが、そうした設定を受け入れたとたんに、恩寵の配分の論理に、解消できない亀裂が入ることになる。

われわれは、ごく素朴にも、恩寵の配分に、何かとてつもなく不合理なものがあると感じることが少なからずある。そこに首尾一貫した、納得しうる法則が働いているのか、と疑問を呈したくなることは、あまりにも多い。たとえば、雨が降ってほしいときには、まったく降らないのに、必要もないときに、必要もない場所で、洪水をまねくほどの大雨が降る。皆から愛されている善人が、交通事故や落石で、突然、死んでしまうことがあるかと思えば、多くの人々を苦しめた犯罪者が難を逃れて、長生きしたりする。とはいえ、こうした事態に、普遍的な法則を欠いた気まぐれを感じるのは、それらを人間の視点から眺めているからであろう。神の視点から捉えた場合には、人間からは計り知れないきちんとした法則が貫かれているに違いない。神自身が設定し、意志した法則が、である。

だが、神（の子）自身が、一人の人間として、この地上に現われてしまった場合には、こうした解釈ももはや不可能だ。キリストは、神として恩寵を配分する。が同時に、キリストは、人間としての限界に従わざるをえない。彼がいかに優れていようとも、やはり、好き嫌いがあったはずだ。キリストも、ときにミスを犯したに違いない。こうして、恩寵の配分は、まったくの気まぐれに服することになる。そもそも、あのごく短い時期に、あの場所にいた、人類の中のごく一部の人々だけが、キリスト＝神に接することができたとするならば、これ以上の不公平、これ以上のえこひいきがあるだろうか。

キリストの誤りが疑われる例を、一つ、挙げておこう。それは、「マルタとマリア」と呼ばれている、「ルカによる福音書」一〇章三八節から四二節に記されているエピソードに含まれた、キリストの判断である。キリストがある村に入ると、マルタという女が、自分の家にキリストを迎え入れた。マルタには、マリアという姉妹がいた。マルタが、キリストを歓待するために家事にいそしんでいる間、マリアは、キリストの足元にすわり、彼の話を聴いていた。マルタは、すべての家事を自分に押し付けているマリアに腹を立て、マリアに自分を手伝うように言ってほしい、とキリストに訴えた。この訴えに対する、キリストの答えは、こうである。「マルタ、マルタ、あなたは多くのことに思い悩み、心を乱している。しかし、必要なことはただ一つだけである。マリアは良い方を選んだ。それを取り上げてはならない」。ここでのキリストの判断、つまりマリアを祝福し、マルタを呪うかのごときキリストの判断は、あんまりではないか。

このエピソードに対する標準的な神学的解釈は、この姉妹によって、活動的生活（マルタ）と観想的生活（マリア）とが対比されており、宗教的な意味をもった後者の、世俗的な前者に対する優位が示されている、というものである。だが、このエピソードの状況を具体的に想像してみよ。こんな仰々しい解釈は不自然だ。旅するキリストの一行をすすんで迎え入れ、少しでも喜んでもらおうと歓待の準備をするマルタの仕事が、たまたまやってきた、少しかっこいい客人の話に聞きほれることよりも劣っているとは、とうてい思えない。歓待へのマルタの熱意は、キリストが説く隣人愛のひとつの現われでなくて何であろうか。ここでマルタは「多くのこと」に気をとられているのではなく、むしろ、キリストを歓待することに専心している。それなのに、キリストの返答は、あまりにもマルタに冷たい。

これは、私一人の印象ではない。たとえば、否定神学の泰斗マイスター・エックハルトは、標準的な解釈とは逆の解釈を提起している。エックハルトによると、ここでキリストは、マルタよりマリアが良い、と言っているのではない。キリストは逆に、マリアよりもマルタの方が良い、と語っているというのだ。エックハルトの考えでは、ここでのキリストの言葉は、表面的な印象とはまったく反対のことを意味していることになる。だが、エックハルトの解釈は、キリストが「マルタ、マルタ」と、マルタの名を二度呼んでいることに特別な意味を見出す、きわめてアクロバティックな論の運びになっており、標準的な解釈を上回る不自然さである。

やはり、ここは、ごく素直に解するべきではないか。キリストは、確かに、マリアがマルタより良いと言ったのだが、それは、公平さを欠いた一種の判断ミスであった、と。キリストは、彼を歓待するために努力してくれているマルタをもっと評価すべきだったのに、間違ってしまったのだ、と。キリストにとって、マルタよりもマリアの方が好みのタイプだったのではないか、と想像するのは、下種《げす》の勘ぐりというものだろうか。エックハルトは、私と同じ印象をもち——つまり普通に解釈するとキリストはここでたいへん不公正なことを言ったことになってしまうと考え——、何とか、無理やり、キリストを過ちから解放しようとした。しかし、重要なことは、キリストもときに間違った判断をしたということを直視することである。しかも、この事実――キリストの人間的な限界を示唆するこの事実――が、キリスト＝神への信仰をいささかも減じるものではなかったのだ。

　この例で見るように、キリストという人間＝神を導入した場合には、恩寵の配分に、恣意的な偶有性が入り込まざるをえない。したがって、恩寵を受けること／受けないことが、偶発的で特異的な出来事であるほかなくなる。だが、他方で、信仰が意味をもつのは、恩寵の配分に、普遍的な法則性があると想定した場合に限られる。神の規範的な意志に合致する普遍的な法則が、救済と呪いの分割に作用していると見なすことは、信仰という実践が成り立つための構成的な要件であろう。[*7] そうであるとすれば、キリスト教においては、両者は同時に、同等なものとして確保されていることになる。言い換えれば、キリスト教においては、抽象的な普遍性と主観的な特異性とが完全に合致してしまっているのだ。普遍性がその反対物である特異性を媒介にして維持されるという、あの原理が、これ以上ないほどあからさまに働いているのが、キリスト教である。

*

　われわれの〈世界史〉への問いが何にさし向けられているのかを示すために議論してきた。議論の全体が激しく蛇行してきたので、最後に、もう一度、流れを整理しておこう。それは、三つのステップを踏んでいる。まず、問いを最も一般的なレベルで設定すれば、普遍性がいかにして発生するのか、特殊性・特異性の真っ只中から普遍性がどのようにして発生しうるのか、という疑問になる。次いで、この問いは、具体的な現象に託する形で限定され、焦点を絞られた。具体的な現象とは、資本主義である。資本主義の発生と波及という問題に仮託して、普遍性の発生の問題を探究してみよう、というわけである。最後に、一旦は絞られた焦点をもう一度開き、視野を拡大した。つまり、資本主義をその胎児の段階であるキリスト教にまで差し戻してから探究すべきだという方針を示したのである。こうすることで、近代という歴史の最後のフェーズだけではなく、世界史の全体を探究のフィールドとすることができる。

＊1　マルクス『経済学批判』武田隆夫ほか訳、岩波文庫、一九五六年、三三八頁。

＊2　ラカンは、知は人間の本源的な欲望には属していない、と論じている。知への欲望は、決して本来的なものではないので、どのような社会でも無条件に肯定されるというわけにはいかない。人間は、多く知ることに幸福を見出すわけではないのだ。逆に、人は、必要以上には知ろうとはしない。たいてい、人は無知に甘んじることに幸福を覚える。だから、知の蓄積をより善いと見なすのは、相当に例外的な社会だけである。

＊3　John Gray, *Liberalisms: Essays in Political Philosophy*, London: Routledge, 1989.

＊4　柄谷行人『世界共和国へ』岩波新書、二〇〇六年、二三四頁。

＊5　Alain Badiou, *Logiques Des Mondes: L'être et l'événement*, 2, Paris: Seuil, 2006.

＊6　マルクス『資本論』世界の名著43、鈴木鴻一郎ほか訳、中央公論社、一九七三年。

＊7　この要件がなければ、信仰している状態と信仰を欠いている状態がまったく区別できなくなってしまうのだから。

第2章　神＝人の殺害

1　冤罪による処刑？

それゆえ、もし、今日に至るまでの世界史の展開にとって、最も広くかつ深い影響力を及ぼした出来事を一つだけあげようとするならば、われわれは一人の男の死にまつわる出来事を、ひとつの殺人事件を見出すことになる。キリストと呼ばれたイエスの、十字架上の死が、それである。まったき特異性が同時に普遍性としても作用しているという逆説が、これほどまでに純粋に実現している例は、ほかにない。

もし「近代」という社会の類型が、「西洋」と呼ばれる文化の領域と何らかの親和的な関係にあるとすれば、そしてその「西洋」の同一性《アイデンティティ》がキリスト教（のあるタイプ）によってしか定義できないのだとすれば、イエス・キリストの死は、人がクリスチャンであるかどうかという区別をまったく度外視するような形で、その影響を刻印してきたことになる。今やこの地球上のすみずみまで、「近代社会」と化しているからだ。「近代社会」とは、単に最近の社会という意味ではなく、特定の性質を備えた社会の一類型である。現在、この地球上に、近代と無縁な、独立の領域はどこにも存在しない。無論、地球上の多くの人々は、自覚的にはクリスチャンではない。とすれば、クリスチャンではない人も含めて、この地球上のすべての住民は、――「西洋」という媒介項を経由して――キリストの死の影響下にあることになるだろう。

　キリスト教は、ユダヤ教の分派として歴史の舞台に登場したわけだが、キリスト教とユダヤ教の相違はどこにあるのか？　ユダヤ教の神は、基本的にはユダヤ人という特定の民族の神である。ヤハウェは、ユダヤ人と契約したのであって、人類と契約したわけではない。もっとも、神は、ユダヤ人を創造したのではなく、宇宙そのものを創造したのであり、またユダヤ人を罰するのにわざわざ異民族・異教徒を利用しているので――たとえばバビロン捕囚の直前の預言者エレミヤによればバビロニア王ネブカドネザルは「神の下僕」としてユダ王国を征服し、神殿を破壊することで、ユダヤ人を罰しているので――、ユダヤ教の神がユダヤ人に専一的に帰属していると見なすべきかどうかは、曖昧ではある。いずれにせよ、ユダヤ教の民族的な特殊性を、あるいは特殊主義か普遍主義かを決しがたい両義性を完全に払拭し、普遍主義へと純化したのが、キリスト教である。ユダヤ教にあっては、異邦人は救済の対象には含まれない。それに対して、キリスト教は人類の全体を救済の範囲に含めている。ところで、ここで、もう一度、今しがた述べたこと、つまりキリスト教が「西洋」や「近代」を媒介にして人類史的な規模の影響を残してきたという事実を想起するならば、キリスト教は、意図せざる形で——言い換えれば必ずしも積極的な伝道を経ずして——その当初の「目的」をほぼ実現したとも言えるのではあるまいか。

さて、そうであるとすれば、謎は次の点にある。なぜ、キリストの死がかくも長きにわたる広範な影響力の源泉となりえたのか？　暫定的な回答としては、その死の徹底した反実存主義的な性格を指摘できるだろう。もう少し特定させて、「反ハイデガー的」と形容すべきかもしれない。ハイデガーは『存在と時間』の中で、「死への先駆」ということを論じている。己が必然的に死すべきものであることを自覚すること、つまり己の不可避な有限性を自覚すること、このことを通じて、現存在（人間個人）は、「世人《ダス・マン》」への埋没から脱して本来性に立ち返ることができる。このようにハイデガーは論ずるわけだが、「死への先駆」が、現存在にとってこのような契機として作用するのは、己の死が絶対的に単一的・特異的な出来事だからである。つまり、死は、そして死のみが、誰か別の人が代わって体験することが不可能な出来事だからである。死にもし代替性があったとすれば、死が現存在の絶対的な有限性を刻印することはできなかったはずだ。

ところが、キリストの死は、こうしたハイデガーの認定と真っ向から対立する。キリストの死は人類そのものの贖罪として解釈される。ということは、キリストは、われわれの代わりに、つまりすべての他者の代わりに死んだことになる。キリストがわれわれの代わりに死んだことによって、われわれの罪は赦されたのだから、われわれは永遠の生を得たことになる……はずだ。

とはいえ、キリストの死のこうした反ハイデガー的な性格を指摘しただけでは、謎に対する十分な説明にはなっていない。第一には、この説明は、キリスト教の「信者」に対する影響については及んでいるが、われわれが真に問うべきは、冒頭から繰り返し述べてきたように、キリスト教の、信者の範囲を越えた意図せざる普遍化の機制である。第二に、そもそも、この説明は、回答ではなく、問いの変形、問いの出し方を変えただけである。キリストの死による贖罪は、確かに、「私はこの私である」という個体の単一性の究極の根拠ともいうべき死の体験が、無際限の他者がそこへと参集しうる普遍化の場にもなっている、ということを前提にしている。しかし、問題は、こうした短絡がいかにして可能か、ということではなかったか。

＊

世界史の要になるようなポイントに、一つの死がある。イエス・キリストの処刑である。だが、そもそも、イエスはなぜ殺されたのだろうか？　なぜイエスは処刑されたのだろうか？　物語に直接に内在した場合、つまり物語に登場する人物たちの主観的意識に即して捉えた場合、イエスの殺害には、いかなる根拠も理由もないように見えてくるのだ。新約聖書の記述をつぶさに文字通り追っていっても、イエスを殺害する根拠を、少なくとも直接的には見出すことができない。このことは、処刑にどのような合法的な根拠があったのかを問うてみると、最もはっきりする。[*1]

まずは、判決の主体は誰か、である。まことに不明瞭である。それは、ユダヤ人の最高法院（サンヘドリン）なのか、それともローマ総督なのか？　ローマは、もともとは、ユダヤ人にかなりの自治を認めていた。この原則に従えば、最高法院はその判決をローマ総督に認証してもらうだけで、ことたりたはずだ。実際ユダヤ人たちは、事件をローマ総督ピラトの前に移したとき、この認証を求めていたとも取れる。この線で解釈すれば、判決の実質的な主体は、ユダヤ人の最高法院である。しかし、他方で、ユダヤ人たちは、ローマ総督の前で、新たに告発をしているとも受け取りうる。そうだとすれば、告発を受けて判決を下したのはローマ総督だったことになる。どうやら、この曖昧さは、当時の制度にちょっとした混乱があったことにも起因しているらしい。当時、ローマは処刑の権利をユダヤ人から取り上げたばかりだったのである。

判決主体の問題はおくとして、それならば、罪状は何か？　ユダヤ人たちは、最高法院の法廷では、イエスを瀆神罪としている。だが、ピラトの前では、王を詐称した政治的煽動者として告発している。一体、どちらが、真の罪状だったのか？　十字架刑は、実は、当時のローマ式の処刑法である（ユダヤ式であれば、石打ち刑だったはずだ）。処刑法から判断するならば、イエスの罪は宗教上のものではなく、ローマの世俗的・政治的な事柄に関するものだったことになる。しかし、これは納得しがたい。われわれは、彼の十字架刑を宗教的な文脈を介して解釈しており、今日では、十字架は、純粋に宗教的な記号として受け取られているのだから。

イエスの死を強く欲していたのは、おそらく、ローマ総督ではなく、ユダヤ人の方だった。しかし、ユダヤ人はなぜイエスの死を欲したのだろうか？　当時のユダヤ人は、死刑の判決を下すにあたって非常に慎重だったという。判決は、最高法院の多数決で決定されたが、死刑の判決には、三分の二の賛成を必要としており、しかも翌日もう一度投票をやり直すことが規定されていた。さらに処刑の直前にも、処刑場から最高法院に使者をたて、再審の請求がないかを確かめなくてはならなかった。ところが、イエスの裁判は、以上の律法の規定を悉く無視して行われている。また、最高法院の裁判では、告発は伝聞であってはならないことになっているが、イエスの裁判での証言は、伝聞ばかりである。

最後にもう一度、罪の内容に戻ろう。瀆神罪とされている行為は、神聖四文字「ＪＨＷＨ」の濫用だけである。とすれば、イエスの行為は、明らかにこれにはあたらない。唯一イエスの罪らしい行いは、「おまえは誉むべき方〔神〕の子、メシア〔キリスト〕なのか」という大祭司の問いに、「私がそのような者だというのはあなたたちだ。あなたたちは、人の子が力あるもの〔神〕の右に座り、天の雲に囲まれて来るのを見るだろう」と答えたことだ。しかし、これは、厳密には、瀆神罪にはあたらない。結局、「この裁判が事実なら、そして、聖書の記述の食い違いや矛盾を調整してその記録を明確に再建できるなら、そこにある唯一の正当な結論は、最高法院が、律法の中のあらゆる規定を破るように行動した、といえるだけである」（パウル・ヴィンテル）。

つまり、イエスの死は、まったく非合法的な、しかも動機が不可解な殺人であったというほかない。それならば、なぜイエスの死が必要だったのか？　また、なぜ、それが新しい信仰を、キリスト教と後に名付けられる新しい信仰を支えることになったのか？

述べてきたように、処刑に合法性がないとすれば、それは、当事者たちには自覚されてはいない、無意識の論理に従っていたと考えざるをえない。幸い、われわれは、そうした無意識の論理を抽出するための技法をもっている。構造主義に立脚した記号論的な読解、レヴィ＝ストロースが神話分析に適用した手法である。イエスの処刑、およびそれに引き続く復活の場面の新約聖書の記述に関しては、記号学者のルイ・マランが、鮮やかな分析をすでに提起している。われわれは、これを参照して、考察を前進させることができる。

２　王権の軸／死の軸――ピラトの前のイエス

イエスが死へと委ねられる場面を、「マタイによる福音書」は次のように記している。これこそ、世界史の後の展開に今日にまで至る痕跡を残した殺人の現場に対する証言の記録なのだから、いくぶん長くはなるが引用しないわけにはいかない（マタイ二七章一―二節、一一―三一節）。なお、ここで共観福音書（新約聖書巻頭の三福音書、すなわちマタイ、マルコ、ルカ福音書）のうち、冒頭に置かれているマタイ福音書を機軸に据えておく。レヴィ＝ストロースの神話分析では、同工異曲の諸神話を、同一の神話のヴァリアント（変形版）として解釈しているが、共観福音書もこれと類する仕方で扱うことができる。

夜が明けると、祭司長たち、民の長老たち一同は、イエスを殺そうとして協議をこらした上、イエスを縛って引き出し、総督ピラトに渡した。（中略）

さて、イエスは総督の前に立たれた。すると総督はイエスに尋ねて言った、「あなたがユダヤ人の王であるか」。イエスは「そのとおりである」と言われた。しかし、祭司長、長老たちが訴えている間、イエスはひと言もお答えにならなかった。するとピラトは言った、「あんなにまで次々に、あなたに不利な証言を立てているのが、あなたには聞えないのか」。しかし、総督が非常に不思議に思ったほどに、イエスは何を言われても、ひと言もお答えにならなかった。さて、祭のたびごとに、総督は群衆が願い出る囚人ひとりを、ゆるしてやる慣例になっていた。ときに、バラバという評判の囚人がいた。それで、彼らが集まったとき、ピラトは言った、「おまえたちは、だれをゆるしてほしいのか。バラバか、それとも、キリストといわれるイエスか」。彼らがイエスを引きわたしたのは、ねたみのためであることが、ピラトにはよくわかっていたからである。また、ピラトが裁判の席についていたとき、その妻が人を彼のもとにつかわして、「あの義人には関係しないでください。わたしはきょう夢で、あの人のためにさんざん苦しみましたから」と言わせた。しかし、祭司長、長老たちは、バラバをゆるして、イエスを殺してもらうようにと、群衆を説き伏せた。総督は彼らにむかって言った、「ふたりのうちどちらをゆるしてほしいのか」。彼らは「バラバの方を」と言った。ピラトは言った、「それではキリストといわれるイエスは、どうしたらよいか」。彼らはいっせいに「十字架につけよ」と言った。しかし、ピラトは言った、「あの人は、いったい、どんな悪事をしたのか」。すると彼らはいっそう激しく叫んで、「十字架につけよ」と言った。ピラトは手のつけようがなく、かえって暴動になりそうなのを見て、水を取り、群衆の前で手を洗って言った、「この人の血について、わたしには責任がない。おまえたちが自分で始末をするがよい」。する

> と、民衆全体が答えて言った、「その血の責任は、われわれとわれわれの子孫の上にかかってもよい」。そこで、ピラトはバラバをゆるしてやり、イエスをむち打ったのち、十字架につけるために引きわたした。
> それから総督の兵士たちは、イエスを官邸に連れて行って、全部隊をイエスのまわりに集めた。そしてその上着をぬがせて、赤い外套を着せ、また、いばらで冠を編んでその頭にかぶらせ、右の手には葦の棒を持たせ、それからその前にひざまずき、嘲弄して、「ユダヤ人の王、ばんざい」と言った。また、イエスにつばきをかけ、葦の棒を取りあげてその頭をたたいた。こうしてイエスを嘲弄したあげく、外套をはぎ取って元の上着を着せ、それから十字架につけるために引き出した。

ピラトの前でイエスが死を宣告されるこの場面は、単にひとつの物語が展開しているだけではなく、世界を意味づける座標の転換点ともなっている。このことは、この場面に接続する前・後の場面と相関させることで、よりいっそう際立たせることができる。ルイ・マランによれば、引用したこの場面には、二つの意味論的な軸が並行して走っている。しかも、両者は緊密に相関している。軸は、それぞれ、「王権」の軸と「死」の軸と名付けられている。[*2]

第一の「王権」の軸は、比較的容易に摘出できる。前半部における「王の肯定」の意味素と終局部における「王の否定」の意味素の対立が、他の諸意味素の配置の総体を包みこんでいるからである。まず、イエスはピラトの質問に答える。「あなたがユダヤ人の王であるか」「そのとおりである」と。これは王の肯定ではあるが、間接的・婉曲的な肯定である。なぜならば、イエスは積極的に自己の王たることを断定したのではなく、ピラトの質問に回答することを通して、結果的にそれを肯定しているだけだからである。この王の間接的な肯定に対しては、間接的な否定が対応している。間接的な否定とは、後半部にある、イエスが赤い外套を着せられ、いばらの冠をかぶせられる等をされた後、「ユダヤ人の王、ばんざい」という言葉を浴びせかけられる箇所である。つまり、パロディ化された王がアイロニカルに肯定される箇所である。この王の間接的な否定は、ひき続く、王の完全で積極的な否定へと移行する媒介部分になっている。王の積極的な否定とは、言うまでもなく、「十字架上の王」である。王の間接的な肯定と間接的な否定が対応していたことを思うと、ここでまだ欠けているのは、王の積極的な否定に対応するはずの王の積極的な肯定である。それは、この引用部分の前になくてはならない。実際、それを見つけることができる。

この点は、マランが指摘しているように、王の肯定から否定への移行を示すこの軸が、同時に、此岸から彼岸への移行の軸にもなっていることを確認することを通じて、自然と明らかになる。引用箇所に前後する他の場面を補って、相互連関を考慮してみよう。王としてのイエスの積極的＝直接的な肯定は、イエスがメシアとしてエルサレムに入城した際に、イスラエルの民衆が取っていた態度の中に現われている。ついで、この「ピラトの前のイエス」の場面——すなわち引用箇所——を介して王の否定が刻印された後、後になって再び、すなわち最初のペンテコステ（聖霊降臨）において、民衆は、王に対する肯定的態度を回復する。

しかし、最終的な王の再肯定は、弁証法的に媒介されている。すなわち、それは、否定を経由した「止揚《アウフヘーベン》」の形態を取っている。というのも、この再肯定は、次の二重の意味で——ただしこの二つの意味は同一事態の表裏なのであるが——、前段の最初の「王の肯定」と水準を異にしているからである。まず、肯定されるイエスの位置が移行している。エルサレム入城の際には、一時的・現世的・此岸的なメシアとしてであったが、ペンテコステにおいては、永続的・未来的・彼岸的なメシアとして、肯定される。王権の軸が、「此岸／彼岸」の対立軸にもなっている、というのはこの意味である。同時に——こちらは、次に論じる「死」の意味論的な軸との相関がとりわけ重大だが——、テクストが、王を肯定する民衆に対して与える性格も大きく変化する。前半（エルサレム入城の際）において濃厚だった民族的限定が、後半（ペンテコステ）において打破されるからだ。

このような王に対する態度（肯定・否定）の変換が同時に此岸から彼岸への変換を含意しているということを考慮することによって、この引用部分の最も不可解な特徴、つまりバラバの役割も正確に位置づけることができる。この点でも、マランの分析は、秀抜である。主人公としての「行為体」は、なぜ、中間で一旦、二元化するのか（「バラバかイエスか」）？　二元化した行為体は、最後にもう一度二元化する。この「二元化／二元化」という意味素の対立も、王権の軸の中に位置づけられる。バラバは、ルカ福音書ヴァリアントによれば、政治的煽動者である。それゆえ、バラバかイエスかという選択は、政治性と宗教性の間の、つまり此岸と彼岸の間の選択を含意している。物語の展開の中で、前者は除外され、後者のみが残される。即ち、宗教性（彼岸）のために、政治性（此岸）が排除される。

これら諸意味素の変換（王の肯定と否定、此岸と彼岸、主人公の二元化と一元化）の転轍点に、民衆の態度の変化（中立的態度からイエス断罪へ）とこの変化に対応するピラトの中立化、が置かれている。これを整理すると次のように図示することができる（図1）。

第二の意味論的軸は、イエスの「死」に関与する民族性の指標の強度に関するものである。この点に関しては、引用箇所の冒頭と最終部が、鮮やかな対照をなしている。冒頭で、イエスはユダヤ世界（そこでは、イエスはすでに死刑の宣告を受けている）からローマ世界（そこではイエスの処刑が裁可されねばならない）へと外化される。最終部において、イエスは、今度は、処刑のためにローマ世界からユダヤ世界へ内化する。だが、この内化の運動は、最初の外化の運動の単純な裏返しではない。第一の意味論的な軸において、最後の王の（再）肯定が、最初の王の肯定の再現ではなく、否定を媒介にした総合になっていたのと同様に、ここでも、最後の内化は、最初の外化を弁証法的に止揚するものになっている。それは、これから述べるような意味においてである。

イエスの死の決定に関しては、最初ユダヤ人は積極的に関与するが、ローマ人は消極的である。このことは、引用部分に先行する場面で、つまり、祭司長・ファリサイ人がローマ人のイエスに対する無関心を自覚し、イエス殺害の決心を固める場面で、特に明示される。したがって、ここでは、ユダヤ性の正の価値がローマ性の負の価値と対応している。

さて、ユダヤの民衆は、引用箇所の当初においては、イエスの殺害に関して中立的である（彼らは、ピラトが最初「バラバかイエスか」と問うたときには何も答えていない）。しかし、彼らは、祭司長・長老たちの説得を受け入れて、イエスの告発・断罪の立場へと態度

図1　王権の軸

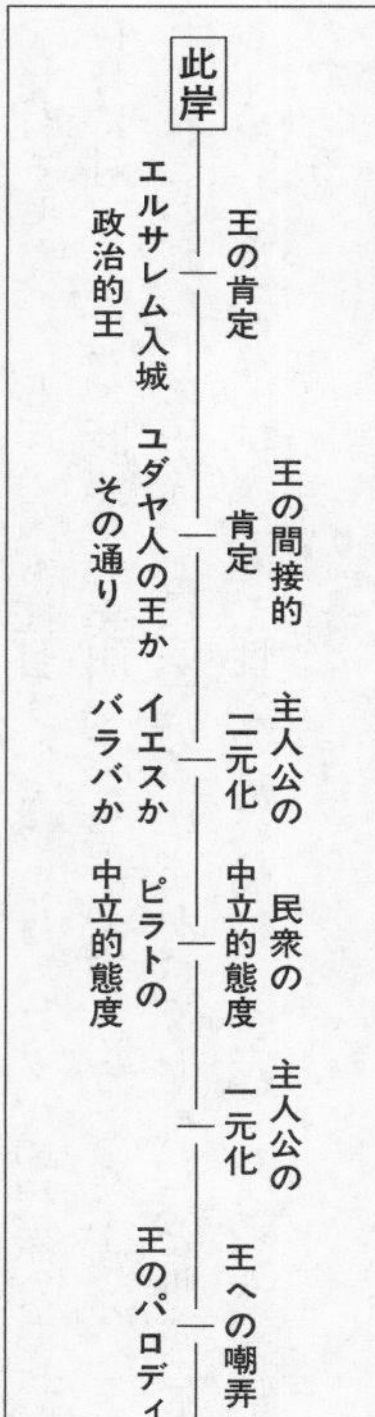

自己を移行させる。そして、最も注目すべきことは、ユダヤの民衆たちは、最終的には、自身に対する告発・断罪をも表明するに至ったということである。「その血の責任は、われわれとわれわれの子孫（＝民族）の上にかかってもよい」と叫ぶことによって。すなわち、テクストの展開は、ユダヤ性を、最終的に、否定されるべき契機として提示しているのである。

それに対して、ローマ性は、これと逆の経緯を通過する。イエスを義人とみなす妻の夢に触発されるローマ人ピラトの中立的な態度の強化は、この「死」の軸上でローマ性がもつ正の価値の漸増を意味するもの、とみなすことができるだろう。マルコ福音書ヴァリアントには、さらにこの後、死の手先でありながら、処刑の後に主人公＝イエスを神の子であると積極的に断言するローマ人百卒長の挿話が入っている（マルコ一五章三九節）。この挿話を含めれば、ローマ性はさらに積極的に肯定されていることになる。

だから、この「死」の軸上で、ユダヤ性が、否定的意義を強めるのに並行して、ローマ性は、――あるいはより精確には非ユダヤ性は、――その肯定的意義を強めることとなる。したがって、「死」の軸は、民族的特殊性を超民族的普遍性へと変換させているわけだ。

今や、イエスの死がもたらす構造論的変換は、次のように整理することができる（図2。マランが作成したものに若干手を加えてある）。先に提示した王権の軸とこの死の軸は、並行して走っている。

図２　死の軸

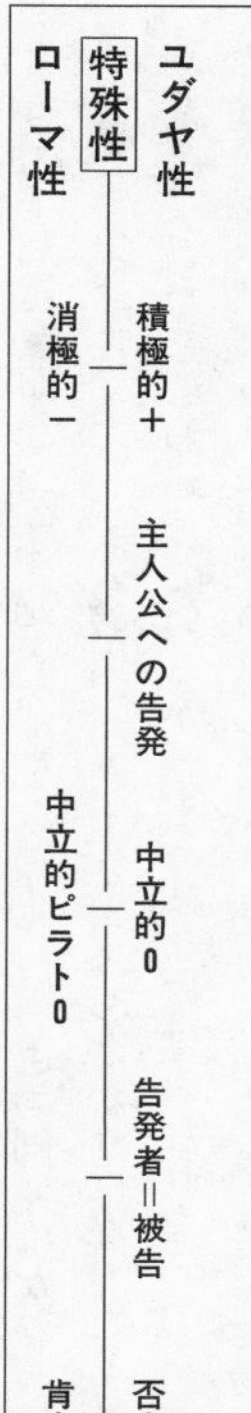

このように整理してみると――ルイ・マランが指摘していることだが――ローマ総督ピラトを前にした、イエスの死を決定する裁判の連続場面は、次の二つの課題に同時的に解決を与えようとするものであったことが明らかになる。①一時的なメシア的王から永遠のメシア的王への変換。②特殊で閉鎖的な民族的共同性から開かれた超民族的普遍性への変換。この二つである。

3　復活の福音――墓における女たち

こうして、イエスは処刑されてしまう。この後、イエスは、自身がキリストであることを証明するかのように、復活することになる。福音書において、この復活が最初に確認される場面が、またしてもある種の課題の解決を伏在させている。この解決は、ここでも、意味論的な諸契機の変換を通じて、もたらされる。それは、殺害場面で示唆されていた課題解決を、より一層前進させるものであるといえる。この点を、再びルイ・マランによる福音書テクストの構造論的分析の助けを借りることによって、明らかにしておこう。*3マタイ福音書は、女たちがイエスの墓に出向き、そこで彼の復活を発見する場面を、次のように記している（マタイ二八章一―八節）。

さて、安息日が終って、週の初めの日の明け方に、マグダラのマリヤとほかのマリヤとが、墓を見にきた。すると、大きな地震が起った。それは主の使が天から下って、そこにきて石をわきへころがし、その上にすわったからである。その姿はいなずまのように輝き、その衣は雪のように真白であった。見張りをしていた人たちは、恐ろしさの余り震えあがって、死人のようになった。この御使は女たちにむかって言った、「恐れることはない。あなたがたが十字架におかかりになったイエスを捜していることは、わたしにわかっているが、もうここにはおられない。かねて言われたとおりに、よみがえられたのである。さあ、イエスが納められていた場所をごらんなさい。そして、急いで行って、弟子たちにこう伝えなさい、『イエスは死人の中からよみがえられた。見よ、あなたがたより先にガリラヤへ行かれる。そこでお会いできるであろう』。あなたがたに、これだけ言っておく」。そこで女たちは恐れながらも大喜びで、急いで墓を立ち去り、弟子たちに知らせるために走って行った。

この部分は、四つの下位部分に分けられる。

第一部　女たちが墓にやってくる。

第二部　御使が来る。

第三部　御使の話・メッセージの伝達。

第四部　女たちが墓を出ていき、メッセージを伝達する。

全体の中心は、言うまでもなく、第三部にある。

第一部の主要な機能は、対象＝イエスの死体の探索である。この探索行動の中で、女たちの欲求は、イエスの身体の不在によって、直接には充足されない。この探索行動は、儀礼的なコンテクストの中に置かれているとみなくてはならない。女たちの目的は、イエスの死体に油を注ぐことにある。これは、イスラエルの王の即位の儀礼でもある。墓におけるこの場面は、マランが強調しているように、「ベタニヤの香油注ぎ」（マタイ二六章六―一三節他）の場面と有意義な対応関係をもっている。ベタニヤの女による香油注ぎは、象徴的に主人公＝イエスの身体を王として、しかもその場面でのイエスの言葉が暗示しているように、やがて死すべき王として、資格づけていた（イエスはこう言っている。「この女がわたしのからだにこの香油を注いだのは、わたしの葬りの用意をするためである」と)。つまり、ベタニヤの女は、イエスの身体を、生きているのにさながら死んでいるかのように扱った。それに対して、この場面では、女たちは、イエスの死体をさながら生きた身体であるかのように扱い、王として資格づけようとする。しかし、その挫折によって、王としては、イエスの身体は、すでに現前していないことが示されている。

ついで、御使の到来が、第二部を構成している。ここでは、御使の白い衣によって光り輝く身体——それは、人の眼をくらませ、御使の身体の現前を実質的に無にしてしまう——が、イエスの死体の暗い存在を代替している。すなわち、それは、イエスの身体に取って代わる不可視の身体である。

第三部の御使の話は、さらに以下の三部に分析される。

① イエスの探索を認め、その対象(イエス)が不在であることの告知。
② キリストが言われたメッセージの喚起。
③ メッセージの伝達。

ここで、q=探索、p=現前、とすることによって、各部を次のように表示することができる。「$\bar{p}$」は、「pの否定」という意味である。

① $q+\bar{p}$
② イエスの不在が復活によって否定されるが、それは死者の中からの復活であるか

ら、イエスの生ける現前とは区別されなくてはならない。この屈折された二重否定を、「$\neg\bar{p}$」と表示する。なお、この部分は、引用を示す言葉（「かねて言われたとおりに」）が最初についているから、メタレベルの言葉（言及）である。

③探索は、間接的に満足され、実質的にはその意味自体が否定される。メッセージの総体は、$\neg\bar{p}+\bar{q}$となる。なお、これもメタレベルの言葉（言及）ではあるが、命令的な形態を取っている。

話の切り出しをa、結びをb、メタレベルの言葉の切り出しをα、メッセージの切り出しをα'とすると、この部分での御使の話は全体として、次のように表示されることになる。

①　　　　②　　　　③

$$a\,(q+\bar{p})+\alpha\,(\neg\bar{p})+\alpha'\,(\neg\bar{p}+\bar{q})\,b$$

したがって、次の諸点を確認することができる。第一に、③（メッセージ）は①の否定になっている。すなわち、御使の言葉は、イエスの身体の今ここにおける不在を、イエスの身体のすでに他所における存在へと止揚しているのである。換言すれば、御使の言葉は、イエスの身体の局在性をその遍在性へと置換する函数のようなものである。ルイ・マランは、「今ここにおける現実の対象の不在」＝「メッセージの現前」という等値関係は、その指示物が「常にすでにどこかに現前しているということ」であるとし、さらに、ヘーゲル的な用語を用いて、否定性によって、対象の「今ここで」という現実から、「常にすでにあそこで」という言葉への、遍在の言葉への移行がなされた、と論じている。

第二に、①から③への移行と二つの知識の調停は、②の言葉に、超越的な位置から関与するイエス自身によって支えられている。①は、直接的で経験的な証言であるが（つまり御使が見知っていることを自分で語っているだけだが）、②はイエスによって語られたものの引用であり、それゆえ、間接話法の形態をとる。このことによって、①が記述していることは、経験的事実として、②およびそれに連接する③は、言語によって表現されるような理念として、それぞれ、異なる準位の現実に対応することになる。

第三に、イエスの身体の遍在性は、欲求の対象となる身体の具体性を、解釈されるべき言語＝メッセージの理念性へと、完全に置換することをもって、確立される。すなわち、マランの語るように、メッセージは指示対象の不在を示すのではなく、指示対象の不在において、言葉の現前を意味するのであり、死体が残した空隙（痕跡）は、「私はよみがえるだろう」という御言葉の刻印にほかならない。つまり、抹消された身体の後に残った空隙を、言葉の理念性＝抽象性が埋めるのである。

以上が、第三部の含意である。ついで、第四部（最終部）は、女たちが墓を出ていく場面である。第四部は第一部を構造的に逆転させたものになっている。第一部では、女たちは心せいいて（明け方に）やってくるが、第四部では、女たちは急いで墓を去る。第一部で

は、女たちはイエスの身体に油を注ぎに来るが、第四部では、メッセージを伝達する。し

したがって、構造論的な対応関係を付けるとすれば、メッセージは、「現前する身体の否定」であり、伝達は、「王を資格づける油注ぎの儀礼の否定」にあたる。

この一連の展開の中で、キリストの復活を語るこのテクストは、イエスの具体的現前性を否定すること（それは油注ぎの儀礼の挫折が表示するようにイエスの王としての資格の否定と並行している）を通して、イエスの身体の遍在性を確証していることになる。このようなイエスの身体の遍在性は、先のイエスの判決をめぐる部分を通じて福音書が確保する二つの属性――すなわち彼岸的な永続性と超民族的な普遍性――を補完するものだと解釈することができるだろう。共時的な遍在性が超民族的普遍性に、また通時的な遍在性が永続性に、それぞれ対応しているからである。

4　ユダヤ教とキリスト教

以上に概観してきた、福音書の記述の構造分析――キリストの処刑の直前とそのすぐ後の復活についての記述の構造分析――は、キリストの殺害と復活の出来事がキリスト教自身にとってもった意義に関して、次のような結論を示唆している。キリストなる神＝人の

殺害と復活の出来事への信仰は、キリストの身体の物質的＝具体的性格を否定し、それを理念的＝抽象的準位に再措定する操作に他ならず、同時にこのことによって、キリストの身体の超越性に、普遍性（永続的妥当性と超民族的妥当性）と世界に対する遍在性が与えられるということ、これである。われわれは、行為をとらえる規範の選択性の帰属点として機能する、あるいは規範の妥当性の備給源として機能する、超越的な身体を、一般に、「第三者の審級」と呼んでいる。第三者の審級とは、規範が、それの視点から捉えたときに妥当性を帯びて現われる超越的な他者である。典型的には、（法をもたらす）神、（命令する）父、（模範として現われる）王などによって、第三者の審級はイメージされている。第三者の審級が作用圏（その第三者の審級に帰属する規範が妥当すると想定されている社会的な範囲）を普遍化するためには、その第三者の審級は、十分に抽象度が高くなくてはならない。具体的な身体は、常に、世界の局域に縛られているからである。「死」とは、この場合、身体の具体性の否定を意味している。また「復活」は、キリストの身体が死ぬことによって象徴的に生きることを、つまり十分な抽象化によって機能することを含意する。

そうであるとすれば、キリストの殺害の効果は、フロイトが論じたこと、フロイトが「トーテムとタブー」で語ったことを、実に正確に裏打ちしていることになる。フロイトによれば、法（規範）の起源には、息子たちによる原初的父の殺害がある。殺害への罪責感が法の効力を支えている、というわけである。フロイトのこうした理論を、次のように解することができるだろう。殺害された父は、抽象化され、象徴化された第三者の審級として回帰してきて、殺害以前よりもいっそう強力に子たちを、子孫たちを支配するのだ、と。こうした読み換えが可能だとすると、キリスト殺害は、フロイトの空想的な理論を例解していることになるだろう。

キリストの身体は、死によって――つまり抽象化されることによって――遍在性を獲得し、民族的な特殊性を超えた普遍性を帯びることになる。このような解釈は、冒頭に述べた、ユダヤ教とキリスト教の相違をよく説明する。最も重要な相違は、前者が民族的な限定性をもっているのに対して、後者が普遍主義的な点にあるからだ。因みに、普遍主義的に純化したがゆえに、キリスト教になって初めて、「伝道」ということが重大な使命となった。ユダヤ教の段階では、伝道という課題は意味をなさない。ヤハウェがユダヤ人の神であることは自明の前提だからである。しかし、普遍主義的に拡張したときには、「福音（よいニュース）」の伝達が課題となる。前節の後半で分析したエピソードの最後で、女たちは、御使の言葉を伝えようと、大急ぎで墓から立ち去る。これこそ、まさに、最初の伝道の試みである。今や、キリストの身体は、言葉によって維持されている抽象的な理念性の中にしか存在しないからである。[*4]

前節の福音書テクストの構造分析が示しているように、第三者の審級（としてのキリストの身体）を抽象化するということは、王権を、王の身体（の具体性）を否定することを含意する。この点では、キリスト教は、ユダヤ教が有していた傾向を純化し、徹底させるものだったと言うことができるだろう。もともと、ユダヤ教は、エジプトやメソポタミアといった大官僚制王国の狭間に、それらから自身を区別するようにして生まれ、発展してきた。厳密には、ユダヤ教は、王権一般を否定しているわけではない。預言者たちは、ダビデ王の正統性を否定してはいない。ダビデのほかにも、イエフのように「主が義と認めたこと」を行ったとして、預言者に賞賛されている王もいる。しかし、イスラエルをエジプト型の賦役国家に仕立て上げたソロモン以降の王たちは、すべて預言者たちの痛烈な批判の的となってきた。このように、ユダヤ教は、いくつかの例外を別にすれば、概して、王権に対して否定的である。こうしたユダヤ教の傾向をさらに徹底させたところに、キリスト教が出現すると見なすことができるだろう。

＊

こうして、世界史の転換点ともなった殺人をめぐる謎は解けたのだろうか？ キリストの不可解な死は、以上の解釈によって、十分に説明されているだろうか？ 実はそうではない。以上の議論は、未だ、事柄の半面を説明するものでしかないのだ。謎は、執拗に残るのである。どのような意味においてか？

われわれは、キリストの死を、その身体の抽象化の寓話的な表現と見なしてきた。だが、神の身体が抽象的で不可視であるということは、すでにユダヤ教の特徴ではないか。ヤハウェは不可視の神であり、その身体を見た者は死ぬとされている。実際、モーセが瞥見したことを別にすれば、誰もヤハウェの身体を見てはいない。そのモーセでさえ、ヤハウェを正面から見たわけではなく、その後姿をかろうじて捉えただけである。[*5] このような「不可視性」とそこに由来する人間からの「隔絶性」は、当時の周囲の民族たちが頂く神々と比較した場合の、ヤハウェの際立った特徴である。そうであるとすれば、キリストの「死」によって表象される抽象性を、ユダヤ教からキリスト教を分かつ指標と見なすことはできないのではないか？　少なくとも、それは不十分だと言わざるをえない。

キリストの身体の抽象性はその遍在性の代償であった。だが、この点に関しても、ユダヤ教の内にすでに十分な素地があったと認めないわけにはいかない。このことは、ユダヤ的な法の特異な性格の中に現われている。そして、彼らの法の特異性は、ユダヤ人たちが、世界中に離散していたにもかかわらず、なおユダヤ人としてのアイデンティティを失うことがなかったのはなぜなのか、というしばしば提出されてきた問いをあらためて取り上げることで炙り出すことができる。ユダヤ人のディアスポラは、バビロン捕囚の頃から始まっている。とすれば、ユダヤ人は、二五〇〇年以上もバラバラに暮らしていたにもかかわらず、そのアイデンティティを維持してきたことになる。他の民族、他の共同体の中に散開していったどの民族も、何世代かの内にアイデンティティを喪失し、歴史の舞台から完全に消滅した。ただユダヤ人だけが、このような雲散霧消の運命に抗することができたのだ。どうしてこんなことが可能だったのか？

ユダヤ的な法に何か特別な性格があったからだと考えるほかあるまい。一般には、法（規範）は、同じ空間を占める者たち、共在する者たちの間の共同性を保障する装置である。共在する者たちの間のコミュニケーションや取引を円滑化するための規定として、法がある。しかし、故郷喪失の状態にあったユダヤ人がアイデンティティを維持しえたという事実は、彼らの法の主要な機能が、通常の法とはまったく逆の点にあることを示している。ユダヤ的な法の機能は、関係を断絶することにこそあったのだ。ユダヤ人がそのときどきに住んでいた共同体から距離をおくことを可能にしたのが、彼らの法である。通常の法が、結合の装置であったとすれば、ユダヤ的な法は、主として、切断の装置だった、と言ってよいだろう。通常の法や規範は、まずは共同性への指向に重点があって、その結果的な副産物として周囲との区別を生み出すことになる。それとは逆に、ユダヤ的な法は、関係の切断の方に主要な関心があって、その結果として共同的なアイデンティティをもたらす。[*6]

ユダヤ的な法だけが、このような逆方向の機能をもちえたのはどうしてなのか？　具体的な故郷を失い、世界の隅々にばらまかれ、遍在していたユダヤ人たちを常時捕え続けるような抽象性が、法に、あるいは法の効力を裏打ちしていた審級（神）に、備わっていたからに違いない。根無し草のユダヤ人を周囲の共同体の中に解消することがなかったのは、彼らの法のずばぬけた抽象性である。第三者の審級の抽象性や遍在性もまた、キリスト教以前に、すでにユダヤ教の特徴だったのである。とすれば、キリストの死の意義をこれらの点——つまり抽象化や遍在化への踏み切り板としての意義——だけに求めるわけにはいかないのではないか。

＊

われわれのここでの説明が、ことがらを半分しか説明できていないと疑う根拠は未だある。われわれは、福音書テクストの構造分析を手掛かりにしながら、推論してきた。しかし、ルイ・マランの助けを借りながらわれわれが分析の俎上に載せたあれらのテクストは、よく考えてみると、最も肝心な部分を逸している。それらは、キリストの死の前（ピラトの前のイエス）とその後（墓における女たち）の場面を証言するものであって、肝心の、十字架の上での死の瞬間は考慮に入れられてはいないのだ。だが、その瞬間を視野に入れたとき、思いもよらぬ逆転が待っている。

キリストの死は、抽象的なままに、実体的な同一性を保つ神を措定することである、とわれわれは論じてきた。キリストの死を媒介にして、そのような純粋に抽象的な神への信仰が確立するのである。

ところで、キリストは神であると同時に人である。こうした二重性に対応して、「キリスト教」、つまり「キリストをめぐる信仰」ということには、二重性が孕まれないわけにはいかない。一方では、それは、キリストという神に対する信仰、キリストへのわれわれの信仰である。キリストの死が神の抽象化の寓意的な表現になっていると論じているとき、われわれが注目しているのは、信仰のこちらの側面である。

しかし、他方では、キリストは人である。つまり、キリストは信仰の対象であるだけではなく、信仰の主体でもある。この場合、「キリスト教」とは、「キリスト自身による信仰」という意味になる。われわれがキリストを信仰するのではなく、まずはキリストが信仰するのである。この場合には、われわれは、キリストの信仰そのものを信仰していることになる。信者は、キリストの純粋で完全な信仰に自己を投射することを媒介にして、自分自身の信仰を確たるものとして維持することができるのである。本章の冒頭で、われわれは、キリストの死の反ハイデガー的な性格について注目した。信者は、キリストの死(贖罪)に自分自身を参入させることで、自らも罪を贖うことができる。同様に、キリストの信仰に自分を参入させ、それと自己を同一化することで、信者は、ほんものの信仰を確立することができる。

ところが、キリストが十字架の上で絶命する直前に、つまり最後の最後の瞬間に、驚くべき方向転換が生ずる。そのとき突然、キリストは、神への疑いを、神への呪いの言葉を、吐き出すのだ。キリスト自身が神を信じていないのだ！　十字架の上で死を目前に控えて、キリスト自身の信仰が断ち切れてしまう。キリスト自身の信仰の、汚れなき純粋性が、この瞬間に破られてしまうのである。われわれが、キリストの純粋で揺らぎのない信仰を媒介にして、自分自身の信仰を維持しようとしても、肝心のキリスト自身が（神を）信じてはいないのだ。

その帰結は何か？　キリスト自身の信仰の対象として、抽象的な神の存在が確保されていた。だが、キリストが信じていないとすれば、こうした構図は、崩れてしまう。だから、キリストの殺害をめぐるわれわれのここまでの議論は、まだ説明されていない側面を残しているのである。キリストの死には、何か別の側面があるのだ。それは何であろうか？　この点を解明するためには、ユダヤ教とキリスト教の間の連続と断絶とを、もう少し慎重に見定めなくてはならない。今回ここに提示してきたような機制——抽象化（死）を媒介にした普遍化（復活）の機制——に関しては、先に述べたように、少なくともその萌芽は、ユダヤ教の内に準備されていたからである。

＊1　山本七平『聖書の常識』講談社、一九八〇年。
＊2　Louis Marin, "Jésus devant Pilate, essai d'analyse structurale", *Langages*, Juin 1971, no. 22.
＊3　Louis Marin, "Les femmes au tombeau, essai d'analyse structurale d'un texte évangélique",

Langages, Juin 1971, no. 22.

＊4 と同時に、伝道こそが、キリスト教の普遍主義を裏切っているとも言える。伝道を行う以上、福音を受け入れる者と受け入れない者との区別ができてしまうからである。すなわち、伝道を受け入れない者（非キリスト教徒）を、普遍的であるはずの宗教の外部に生み出してしまうからである。普遍的であろうとすれば、伝道が必要だ。しかし、伝道は、普遍性が成り立っていないことを証明してしまう。「伝道」のこの自己矛盾については、加藤隆『一神教の誕生』講談社現代新書、二〇〇二年、三八—四二頁。

＊5 もう一つの例外として、「イスラエル」という名の由来ともされている、ヤコブの不思議な体験がある。これについては、次章で考察する。

＊6 この点に関して、私は、小田雄一（当時、京都大学大学院博士課程）との個人的な会話からヒントを得た。

第3章　救済としての苦難

1　負ければ負けるほど崇拝される

繰り返し確認しておけば、「近代」への過程として世界史を捉えたとき、われわれは、真の〈出来事〉とも呼ぶべき決定的な起点に、一人の男の冤罪による刑死を見出すことになる。その刑死を導いた論理を解明するためには、その前史を探るほかない。探究すべき問いを、簡単に次のように言ってもよいだろう。なぜ、キリスト教は、ユダヤ教の後に、あるいはユダヤ教の分派として発生しなくてはならなかったのか、と。キリスト教の誕生にユダヤ教が先立っていなくてはならなかったのは、なぜなのか？　キリスト教は、どうして、いきなり誕生することはできなかったのか？

ユダヤ教が発生したのは、シリア・パレスチナの平原と山地であった。そこは、メソポタミアとエジプトという二大河川文明に挟まれた地域にあたる。したがって、この地域は、両文明の影響に次々と曝された。メソポタミアとエジプトは、古代中東の二つの文化的・政治的中心であり、どちらも、シリア・パレスチナ地域で――紀元前一八世紀以前には――永続的な支配を確立することがなかった。この地域は、二つの大帝国の「中間」であり続けたのである。言い換えれば、この地域には、ついに、これらの帝国に拮抗しうるような、強力な国家が生まれることもなかったのだ。

すると、われわれは、ユダヤ教をめぐる大きな謎に逢着する。ユダヤ教という宗教の影響力や持続性とそれを奉ずる共同体の政治力の大きさや持続性の間の極端な乖離、これが謎である。一般には、宗教の影響範囲や歴史的な持続性は、それを担った共同体の政治力と比例すると考えるべきであろう。共同体の政治的敗北は、その共同体の宗教の敗北でもある。たとえば、ある神を信じてきた共同体が、戦争で敗れたり、隷属状態に置かれたとすれば、その神は、共同体のメンバーたちからの信用を失い、その神を核においた宗教も衰退するに違いない。

ところが、ユダヤ教の場合には、こうした一般論がまったく成り立たない。イスラエルは政治的には弱小で、統一王国を形成していた時期もあるとはいえ、それでさえも周囲の帝国に比べれば弱小であった。その統一王国もやがて南北に分裂したうえ、北王国（イスラエル王国）、南王国（ユダ王国）の順に滅びてしまう。その後、イスラエルの民は、きわめて長期間、他国の奴隷状態に置かれ、ついには、政治的実体としては雲散霧消してしまった。そうであるとすれば、ユダヤ教もまた消滅してもよさそうなものだ。しかし、実際にはそうはならず、ユダヤ教は、今日まで持続しており、「ユダヤ人」という民族的アイデンティティも消え去ることがなかった。この宗教の執拗な持続力や影響範囲とイスラエルの政治力の小ささの間の落差を、どう説明したらよいのだろうか？　宗教的な成功と政治的な失敗の間の圧倒的な対照性を、どのように理解したらよいのだろうか？　この謎を、一個の学問的な問いとして明晰に把握していたのは、マックス・ヴェーバーである。彼は、『古代ユダヤ教』の結末近くで、こう書いている。

一人の神が、自分の選んだ民を敵にたいしてもまもらないばかりでなく、みすみす、民が恥ずべき奴隷状態におちいるのをゆるし、あるいは、みずからそれをうながし、しかもそれによって、ますます熱心に崇拝されるということは、驚くべき逆説である。[*1]

敵への敗北や敵への隷属を許容し、ときには促進しさえする神を、イスラエルの民は、なぜ信じ続けたのか？　彼らは、なぜ、そんな神を見放さなかったのか？　どうして、別の神へと乗り換えなかったのか？　まことに不思議である。

2 「イスラエル（神と争う）」と「ペヌエル（神の顔）」

謎を解くための鍵を、この民族の名前、「イスラエル」という名前に求めてみよう。「イスラエル」という名は、「神と争う」という意味である。この名前の由来について、「創世記」は、よく知られた奇妙なエピソードの形で伝えている。それは、イスラエル十二部族の共通の祖先とされているヤコブをめぐるエピソードである。

ヤコブは、カナンにいる父イサクと兄エサウのもとに戻ろうと決心する。ヤコブは、エサウとの仲違いによって、故郷のカナンを長く離れていたのである。ヤコブは、一一人の子ども、二人の妻、二人の側女《そばめ》を連れて、カナンへと旅立った。聖書には、ラクダによる旅として記されているが、これは聖書記者が後代になってからこのエピソードを記録に留めているからで、厳密な時代考証によれば、ヤコブの時代には、この地域にまだラクダは導入されていなかったという。旅は、山羊や羊を中心としたものだったに違いない。一行は、砂漠の旅を経て、ヤボクという河の岸に到達する。「民数記」によれば、ヤボクの向こう岸からカナンが始まる。

ヤボクの河岸で、奇妙なことに、ヤコブは昼間だというのに幕営することに決める。そして、どういうわけか渡河には不都合だと思われる夜を待って、ヤコブは、妻、子、側女そして持物を向こう岸に送り、自分だけが河のこちら側に残るのだ。持物等を先に送ったのは、「創世記」の直前の記述から判断して、彼に敵対的だったエサウにそれらを贈与するためであろう。「沈黙交易」に類する手法だと推測できる。沈黙交易とは、一方の部族が贈与物を一定の場所に置き、姿を消し、他方の部族が現われて、それを受け取った後――代わりに返礼の品をそこに置いたうえで――、そこから立ち去るという方法で行われる取引のことである。

ヤコブが独り渡らず、河の此岸に残っていたとき、不思議なことが起きるのだ。

ヤコブは独り後に残った。そのとき、何者かが夜明けまでヤコブと格闘した。ところが、その人はヤコブに勝てないとみて、ヤコブの腿の関節を打ったので、格闘をしているうちに腿の関節がはずれた。「もう去らせてくれ。夜が明けてしまうから」とその人は言ったが、ヤコブは答えた。「いいえ、祝福してくださるまでは離しません。」「お前の名は何というのか」とその人は尋ね、「ヤコブです」と答えると、その人は言った。「お前の名はもうヤコブではなく、これからはイスラエルと呼ばれる。お前は神と人と闘って勝ったからだ。」「どうか、あなたのお名前を教えてください」とヤコブが尋ねると、「どうして、わたしの名を尋ねるのか」と言って、ヤコブをその場で祝福した。ヤコブは、「わたしは顔と顔とを合わせて神を見たのに、なお生きている」と言って、その場所をペヌエル（神の顔）と名付けた。[*2]

闇の中から出現し、ヤコブと闘ったのは何者なのか？　それについては、多くの議論がなされてきた。いずれにせよ、エピソードの中では、この人物が「神」として意味づけられていることは確かである。「イスラエル」という名前は、この人物から与えられた。

ここで注目しておかなくてはならないことは、このエピソードが言及している、もう一つの名前の起源である。すなわち、「ペヌエル（神の顔）」という地名の起源だ。前章で述べたように、ユダヤ教の神ヤハウェの——周辺の他の神々と比した——根本的な特徴は、その顔を見ることができない、という点にこそある。顔を見た者は死ぬとされていたのだ。だから、ここでヤコブは、自分がなお生きていることに驚いているのである。ヤコブと神とが「顔と顔とを合わせて」いるのだとすれば、この場面で、神はその本質的な性質を、一旦、否定されていることになる。謎を解く鍵として、このエピソードを銘記しておこう。

3　合理化とは何か

ヴェーバーは、近代への歴史を「合理化」の過程として捉えた。だが、合理化とは何であろうか？「合理化」は、きわめて一般的な概念で、それを必要十分に定義することはたいへん難しいが、その要諦は、ヴェーバーが「呪術からの解放」と呼んだ現象に集約されて表現されている。ヴェーバーの考えでは、呪術からの解放の度合いが最も高く、その意味で最も合理化されている宗教は、ユダヤ−キリスト教である。呪術と（狭義の）宗教とはどこが違うのか？　両者の違いは、呪術への信仰と奇蹟への信仰との違いを見ることで明らかになる。

奇蹟は、神による恩寵の授与である。それは、神の世界支配の行為の帰結であり、神が世界を総体として支配していることの証拠である。呪術は、これとどう違うのか？　呪術も、人間には理解できない力が世界に満ち溢れていると考える点で、奇蹟と同様ではないのか？

呪術と奇蹟、呪術と（合理化された、それゆえ狭義の）宗教との相違は、それぞれにおいて前提にされている、神々（超自然的諸力）と人間の関係の中に見出される。呪術においては、人間＝呪術師が、――救済や利益を得るために――神々を使役する「神強制Gotteszwang」の関係が成り立っている。他方、宗教は、供犠・礼拝・祈禱などに示されるように、人間が神に専ら従属する「神奉仕Gottesdienst」の関係の内にある。それゆえ、宗教において呪術師に対応しているのは、祭司である。

神強制の関係が神奉仕に比して、あるいは呪術が奇蹟に比して、十分に合理化されていないと見なされる理由は、次のように考えると明確になる。呪術は、言うまでもなく超自然的な存在者＝神々の助けを必要とする。つまり、人間の行為は神々によって規定され、人間の世界にあるさまざまなよき物は、神々を原因とする仕方でもたらされてきたことになる。だが、他方で、呪術においては、神々は、人間の行為による働きかけがなくては活動しない。この場合、人間の方こそが、神々にとっては原因としての意義をもつ。とすれば、これは、自己準拠的な循環に帰結せざるをえない（人間を規定する神々を人間が規定する）。自己言及的な循環は――「嘘つきのパラドクス」が示すように――本質的に、その意味するところを決定することができない。すなわち、神々を人間に対して超越的と見なしうるかが決定不能に陥るのである。

こうした曖昧性を克服し、人間に対する神の超越性を明確にしたときに導かれるのが、神奉仕の関係である。今や、神と人間の間の規定関係に曖昧さは宿らない。奇蹟が呪術と根本的に異なっているのは、それが、神から人間への一方的な規定関係だからである。それは、人間から神への働きかけに対する、神からの反応ではない。

＊

こうした宗教的な合理化の極に、ユダヤ－キリスト教を、とりわけプロテスタンティズムの予定説を配するのが、ヴェーバーの基本的な見解である。だが、ユダヤ教のヤハウェ信仰も、原初の状態においては、呪術崇拝の一種であったと考えるべきであろう。信仰のこうしたあり方の限界が明白になり、呪術崇拝からの断絶が始まる大きな転機は、南北に分裂した王国の内、北王国が滅亡したこと――しかし南王国が存続したこと――にある。

ユダヤ教の起源は、前一三世紀の「出エジプト」に定めるのが一般的である。エジプト（第一九王朝）のもとで奴隷状態に喘いでいた者たちが、強力な指導者モーセに率いられ、大挙して脱出したのだ。奴隷の脱走はたいてい失敗するのだが、このときには、モーセの巧みな指導もあって、成功した。これを、神すなわちヤハウェのお陰だと考えるのは、きわめて自然な心情の傾きであろう。

エジプトを脱出した者たちは、一世代ほど、砂漠をさまよった後、カナンへと侵入し、そこに定着した。荒野を流浪していた民は、カナンという定着の地を見出し、そこにいた先住定着民と混合していったのである。流浪していた民は、カナンを、ヤハウェによって彼らに与えられた土地であると解釈したことであろう。「出エジプト」と、それに引き続く「カナン定着」を通じて、ヤハウェなる神を崇拝する民族――イスラエルと呼ばれる民族――が成立した。これこそ、ユダヤ教（古代イスラエルの宗教）の誕生の経緯である。奴隷状態からの解放、肥沃な土地といった、現世的な利益を直接にもたらした神への信仰は、神―人間関係の形式に関して、まだ呪術崇拝と大きく異なるものではなかった。それらの利益は、人間の神に対する強い要求の――したがって一種の神強制の——結果と解釈されえたからである。

カナンに定着したイスラエル民族は、政治的には「部族連合」と見なすべき体制を取った。民族の全体としての団結は、ヤハウェ崇拝という宗教的な場面と、臨時の軍事上の必要があったときに限られていた。敵が強力であったときには、暫定的に指導者が選ばれて、諸部族を束ねることもあったようだ。

しかし、やがて、主として周辺諸民族、周辺諸王国との戦争のために、民族のより強固な連帯が必要になってきた。そのことが、王を頂点においた中央集権的な国家の確立へとつながる。最初の王はサウルだが、その王国はたいへん未熟なものだった。王国が実質をもったものとして確立したのは、次のダビデ王のとき、すなわち前一一世紀末である。ダビデは、後に、ユダヤ教の中で理想化される。ダビデと、その直接の後継者ソロモンのとき、王国は最も繁栄した。後の聖地エルサレムに首都を定めたのは、ダビデである。そして、エルサレムに神殿を建造したのは、ソロモンである。

旧約聖書の伝説によると、ソロモンは、小さなエジプトのような国家を作った。すなわち、ソロモンの統治は、ライトゥルギー国家（賦役国家）のそれとよく似通ったものであった。たとえば、宮殿、要塞、寺院などの壮大な建築計画がたてられ、多数の職人や強制労働者が徴用され、酷使された。版図の拡大にも強制労働が用いられた。王個人の財宝は、紅海貿易の独占によって蓄積され、属国からは貢物が、そして臣民からは現物による租税が取り立てられた。

このように、ソロモンは配下の人民に大きな負担をかけた。そのことに加えて、またダビデ、ソロモンがともに南の部族の出身であったこともあり、ソロモンの没後、王国は、南・北に分裂してしまった。その上で、北のイスラエル王国だけが、先に、つまり前八世紀後半に、アッシリアの侵略を受けて滅びてしまったのである。これに対して、南のユダ王国は、このときには滅亡を免れた。北の滅亡と南の存続、北の苦難と南の幸運、この対照をどう解釈するかということをめぐって、呪術的状態からの離陸が画されたのではなかろうか。言い換えれば、このとき、独特の契約概念と罪の概念をともなった、厳密な一神教が誕生するのだ。この点に関して、加藤隆の簡明な議論が参考になる。[*3]

まず、この時期には、ユダヤ人たちの間には、ヤハウェ崇拝以外の異教の神々への呪術的崇拝も浸透していた、という事実に留意しておく必要がある。とりわけ、「ソロモンの栄華」という言葉が使われたほどの安定と繁栄を誇ったソロモンの統治の下では、さまざまな神々が覇を競い合うような状況になっていた。ヤハウェ以外の異教の神々としてよく知られているのは、バールとアスタルテである。人が崇拝対象としてどの神を選ぶかの規準は、どの神が自分に幸福を、利益や快楽をもたらしてくれるかにあった。人々は、神々に幸福を要求する（神強制）。この要求によく応える神が支持されたのである。幸福をもたらすことができなかった神は、当然、信者から見捨てられることになる。エリヤやアモスのような預言者は、こうした異教の神々への崇拝を舌鋒鋭く批判したが、幸福をもたらす神への人々の愛着を防ぐことはできなかった。

こうした状況の中で、国家が滅亡したとすれば、どうなるだろうか？　言うまでもない。その国家の守護に与っている神の信用は、根底から失墜するだろう。それならば、北王国の滅亡がヤハウェ崇拝の衰退に繋がらなかったのはどうしてだろうか？　北の政治的失敗が、ヤハウェへの信仰を衰滅させなかったのはなぜなのか？　南王国が独立を維持しえたからである。北の苦難と南の（相対的な）幸福という対照は、どのように解釈され、受け入れられたのか？

加藤隆によれば、ここで重要な役割を果たしたのが、契約の概念の洗練化と、それと相即した人民の「罪」というアイデアである。人間と神との関係を一種の「契約」として表象する考え方は、古くからあった。しかし、北王国のみの滅亡という事態を理解する上で、契約概念は、とりわけ有効だったのだ。人間と神との間に契約があったとすれば、神には、人間を救済する義務がある。北王国が滅びてしまったということは、神の側の契約不履行に見える。しかし、それならば、なぜ南王国は残っているのか？　神ではなく、人間の方にこそ問題があったと考えれば、北王国の挫折は、神自身の失敗や契約不履行にはならない。すなわち、（北王国の）民の方が、義ではなかった、罪の状態にあった、と解釈するのだ。罪とは、具体的には何を指すのか？　ヤハウェ以外の異教の神々に愛着を示し、異教の神々を崇めたこと、これが罪である。

こうした解釈は、宗教に、次のような二つの帰結をもたらす。第一に、罪の原型が、異教の神々への「浮気」にあるのだから、一神教への純化が生ずる。第二に、人間・民に罪があるとされた以上は、人間が神へと働きかけ、神を動かすことはできなくなるので、人間に対する神の優越性・超越性が確実なものになる。こうして、人間と神の間の呪術的な循環関係（自己言及の関係）が克服される。

だが、ほどなくして、こうした解釈では乗り越えられない事態が出来する。前六世紀の初頭に、南のユダ王国も、新バビロニアによって滅ぼされてしまったのだ。その後、いわゆる「バビロン捕囚」の事件が起きる。バビロン捕囚とは、南王国の滅亡後、生き残ったユダヤ人が新バビロニアの首都バビロンの近郊に連行され、約半世紀間、捕囚状態で生きることを余儀なくされた出来事である。このときも、ヤハウェは、ユダヤ人を救済するために動くことはなかった。とすれば、今度こそ、ヤハウェ崇拝は消え去ってもよいはずではないか？　今度こそ、ヤハウェはユダヤ人たちによって見限られてもよかったのではないか？　北王国が滅亡したときには、北の否定は、南の肯定によって補われており、ヤハウェへの崇拝がトータルに廃却されることはなかった。しかし、今や、北も南もともに否定されてしまったとすれば、ヤハウェ信仰が残存する根拠は、完全に失われているように見える。信仰を支える、相対的な政治的な成功——一方の王国が挫折しても他方の王国はそれを免れているといったような相対的な成功——が失われているのだ。バビロン捕囚は、苦難の多い古代ユダヤの歴史の中でも、とりわけ大きく、容赦のない苦難であった。もともと、ユダヤ教は、エジプトによる奴隷的従属状態からの解放をきっかけとして始まった。今、こうして、奴隷的状態に回帰してしまったのだから、ユダヤ教自体が、それを信じうる根拠を失い、消滅してもよかったのではないか？

しかし、実際には、そうはならなかった。それどころか、ユダヤ教の他の宗教に比した、際立った特徴は、まさにこのバビロン捕囚の時期にこそもたらされているのだ。

4　ユダヤ教を構成する外的／内的対立

ヴェーバーによれば、ユダヤ教をユダヤ教たらしめるのに最も重要な貢献があったのは、預言者たちの熱烈な活動である。預言者とは、神に呼びかけられ、神の言葉を伝える者である。ユダヤ教における預言者の活動は、理想的な王国が終焉した頃から始まり、バビロン捕囚期に頂点に達する。われわれが預言者に特に注目するのは、預言者こそ、救世主とされたイエスの前史とも見なすことができるからである。預言者がキリストへの信仰のための地盤を用意したのである。

『古代ユダヤ教』におけるヴェーバーの記述の全体を捉えると、ユダヤ教の純化に至るまでに——預言者自身が関与したものも含めて——主として二種類の対立が与っていることが明らかになる。第一の対立は、いわば外的であり、第二の対立は、ユダヤ教にとって内的である。

第一の対立は、純粋なヤハウェ信仰と呪術的な異教との対立だ。異教の代表例は、バール崇拝である。バールは、カナン人の土着の神であり、自然過程に内在するアニミズム的な神である。ヤハウェとバールの闘争は、古代の文学の中で他に類を見ないほどに、苛烈なものである。古代においては、部族神と部族神の闘いでは、一方が他方を殲滅させることなく共存共栄の状態に留まるのが一般的だったからである。

ヤハウェも、そしてバールもそうだが、古代のパレスチナの神々は戦争神で（も）ある。それゆえ、純粋ヤハウェ信仰と異教の神との闘争は、担い手となった社会層に注目した場合には、祭司と戦士の闘争という形態を取る。この点に着目して、部族連合から統一王国への過程を描けば、次のようになる。それは、部族連合の軍隊（農民軍）を導き、率いた宗教的法悦家が、戦車に乗って闘う騎士の軍隊の頂点に立つ王と、その王と結託して勢力を伸張させている、知識を有する祭司に取って代わられる過程である、と。

次に現われる第二の対立は、ユダヤ教の内部の対立である。祭司と預言者の対立が、それだ。神殿での礼拝に関与した祭司は、王と親和的な関係にあった。それに対して、ユダヤ教の預言者は、王や宮廷とは一切関係がなかった。ヴェーバーは、預言者の旺盛な活動が可能であったということ自体が、イスラエルにおける王権の弱さを示している、と述べている。王権が強力だったら、宮廷から独立して、王に否定的なことを勝手に語る預言者は、弾圧され、その活動が禁じられただろう。

預言者は、王権のどの部分に批判的だったのか。社会学的な観点から捉えると、預言者の攻撃対象は、王権の有する「再分配の機構」にあることがわかる。それは、たとえば、預言者の次のような警告の中に現われている。

あなたたちの上に君臨する王の権能は次のとおりである。まず、あなたたちの息子を徴用する。それは戦車兵や騎兵にして王の戦車の前を走らせ、（中略）武器や戦車の用具を造らせるためである。／また、あなたたちの娘を徴用し、香料作り、料理女、パン焼き女にする。／また、あなたたちの最上の畑、ぶどう畑、オリーブ畑を没収し、家臣に分け与える。／また、あなたたちの穀物とぶどうの十分の一を徴収し、重臣や家臣に分け与える。／（中略）／また、あなたたちの羊の十分の一を徴収する。／こうして、あなたたちは王の奴隷となる。その日あなたたちは、自分が選んだ王のゆえに、泣き叫ぶ。しかし、主はその日、あなたたちに答えてはくださらない。[*4]

呪術は、人間と神との間の互酬的な贈与―返礼の関係であると考えることができる。王権―祭司は、そうした関係を、王―神殿といった中心を有する形式で、大規模化する。預言者は、これに批判的である。

預言者は、我を忘れた法悦状態で、あるいは法悦状態を回想するかたちで、神の言葉を伝える。すると、預言者は、かつて祭司が対抗した、戦士的な法悦家の再来のようにも見える。だが、外見だけでも、預言者は、法悦に達するための伝統的な手段とはまったく違っていた。預言者のギルドのような職業的なグループはなかった。預言者は、アルコールを使うことは絶対になかった。預言者は、断食をしたり、集団的法悦に参加することもなかった。預言者は、孤独の内で神の言葉を受けたのである。預言者と伝統的で呪術的な法悦家とを分かつ根本的な原因はどこにあるのか？

ヴェーバーは、預言者には「神の道具」という意識がある点が肝心である、と述べる。神の道具であるということは、神は、預言者から離れたところに、預言者とは独立して存在しているということである。それに対して、伝統的な法悦家の場合は、神のような超自然的な存在者が、法悦家の身体に具現し、直接に見えている、とされる。預言者は、呪術的な法悦家のこうした狂信を、夢想の一種として軽蔑し、斥けた。

わたしは、わが名によって偽りを預言する預言者たちが、「わたしは夢を見た、夢を見た」と言うのを聞いた。いつまで、彼らはこうなのか。偽りを預言し、自分の心が欺くままに預言する預言者たちは、互いに夢を解き明かして、わが民がわたしの名を忘れるように仕向ける。彼らの父祖たちがバアルのゆえにわたしの名を忘れたように。夢を見た預言者は夢を解き明かすがよい。しかし、わたしの言葉を受けた者は、忠実にわたしの言葉を語るがよい。／もみ殻と穀物が比べものになろうかと／主は言われる。[*5]

こうした二種類の社会的な対立を通じて、ユダヤ教はその特徴を先鋭化させてきた。

＊

さて、第2節で引用した、ヤコブの格闘物語は、ユダヤ教を形成した以上のような対立の寓話的な表現と解することはできないだろうか。ヤコブと謎の人物の闘いの場となったヤボクは、カナンをその外部と分かつ「国境線」である。この事実に注目して、山形孝夫は、謎の人物は、国境線を守る、カナンの土地の神ではないか、と推測している。[*6] この推測に従えば、ヤコブの組み打ちは、ヤハウェと（たとえばバールのような）カナンの守護神との間の闘いを、あるいはヤハウェを奉ずる部族とカナンの部族との間の戦争を、表現していることになる。

　だが、最後は、この謎の人物は、明らかに、ヤコブの神のように、ヤハウェのように、あるいは少なくともヤハウェの使いのように振る舞っている。最後には、彼は、ヤコブと対立しておらず、むしろ、ヤコブを祝福している。ヤコブもまた、この人物を「神」と呼んでいる。してみれば、われわれは、次のように解釈しなくてはならない。この格闘において、敵対的な神を統合する形でイスラエルの神が成立してくる過程の全体が、つまり、敵対的な神がイスラエルの神の中に包摂されて変成していく過程の全体が、表現されているのだ、と。

　ここでわれわれは、「わたしは顔と顔とを合わせて神を見た」というヤコブのあの言葉を想起しなくてはならない。確かに、この場面で、ヤコブは、「神の顔」を見ている。しかし、このエピソードを通じて、「神の顔」は、いわば隠れようとしている。あるいは、エピソードは、「神の顔」をむしろ隠そうとしている。まず、闘いが、顔が見えにくい夜中に設定されている。謎の人物は、夜が明けるのを恐れて、去りたいと言う。そして、実際、彼は、ヤコブを祝福して、あわてて去っていく。それゆえ、このエピソードは、「神の顔」を見た話であると同時に、「神の顔」が不可視化していく物語、「神の顔」が人間（ヤコブ）の視界の彼方へと去っていく物語でもある。

5　真の終末論

そうであるとすれば、「美」と「崇高」をめぐるカントの有名な議論が参考になる。というのも、カントがそこで主題化しているのは、可視性の問題、あるいは一般化して言えば、感覚可能性の問題だからである。カント自身、崇高ということを、ユダヤ教の律法と関係づけて論じている。この「美」と「崇高」との違いの中に、冒頭に提起した問い、イスラエルの政治的な失敗と宗教的な成功との落差はどう説明されるかという問い、極端な苦難の中でなおヤハウェ信仰が維持されたのはなぜなのかという問いへの答えが潜んでいる。

カントは、『判断力批判』で、美/崇高を、質/量、有形/無形、有限/無限といった意味論的な対立軸を用いて定義しようとしている。簡単に言えば、美は、人を落ち着かせ、慰撫する。それに対して、崇高は、人を興奮させ、不安定な気分にさせる。たとえば、荒れ狂う嵐は、われわれを興奮させたり、不安にしたりするが、それは、崇高である。つまり、美と崇高の対立を、感覚との関係で捉えた場合には、快楽と不快の対照と対応させることができるのだ。

美しい物を見ると、人は快感を覚える。美はなぜ快感をもたらすのか。超越的な「イデア」が、心地よさをもたらす、物質の調和的な形象において、直接に提示されているのを感じるからである。それならば、崇高は、イデアが表現されていないということなのか？そうではない。ただ、その表現にある屈折が介在するのだ。

崇高は、「不快」に対応すると述べたが、厳密には、それは正確ではない。不快であることにこそ快楽を覚えるようになったとき、それは「崇高」と呼ばれるのである。カントは、「不快を媒介にしてのみ可能な快楽をともなう」ような対象が、崇高である、と述べている。したがって、崇高性とは、次のような逆説的な関係性を意味している。まず、どのような物質的・経験的対象も、原理的に、超感覚的・超越的な「イデア」を適切に表現することはできない。その意味で、その対象は不快をもたらす。しかし、経験的対象においては決して表現できないというその不可能性こそが、まさに「イデア」の超感覚性・超越性の表現でもあろう。つまり、経験的対象ではどうしても追いつくことができないというその失敗こそが、「イデア」を暗示しているのである。その意味で、それは、美と同様に快楽をもたらす。ただ、その快楽は、不快を経由しなくては到達できない。つまり、崇高は美の後にしか来ないのだ。

このように考えると、崇高の原理とユダヤ教との繋がりは明らかである。ユダヤ教の律法の中でも最も重要な規定、偶像崇拝の禁止の規定は、まさに、崇高の原理に従ったものだからである。偶像とは、神（イデア）がそこに直接に具現していると見なされた、経験的対象である。しかし、実際には、神は、この世界を絶対的に超越しており、どんな経験的対象によっても提示できないはずだ。それゆえ、偶像に直接に神を見ることは、必然的に、神についての誤認と冒瀆を含んでいる。だから、偶像崇拝は禁止されなくてはならないのだ。カント自身、「汝、みずからのためにいかなる偶像をも作ってはならない。天上にあるもの、地上にあるもの、地下にあるものを問わず、一切の似姿を作ってはならない」というユダヤ教の掟を引き、これ以上に崇高な箇所はない、と述べている。

つまり、異教的な呪術とユダヤ教との違いは、美と崇高の差異に対応している。たとえば呪術的な法悦家は、美的対象がイデアを表現しているように、自分自身の身体において神を直接に具現している、と豪語する。それに対して、ユダヤ教の預言者は、神と人間とを隔てる障壁に固執し続けている。

ここで、もう一度、あの、ヤコブのエピソードに回帰しておこう。このエピソードは、神を、視覚的な現前から撤退していくものとして、提示しているのである。それは、一瞬、「見えた」と感じられた神が、結局は、視覚による対象化から逃れてしまうことを教えているのだ。ここで、神は、美的な次元から崇高の次元へと移行していることになる。

＊

さて、崇高の論理は、社会的な不幸や政治的な苦難との関係でも作用するのではないだろうか。感覚的な不快をもたらすということが、超感覚的なイデアの存在を予感させ、快楽に転じるのだった。これと同様に、まさに不幸であるということ、苦難の内にあるということ、このことがかえって、自分たちを（やがて）救済し、自分たちに幸福をもたらしうる、超越的な神の存在を確証させるという逆説が生じうるのではないだろうか。

北王国が滅び、南王国が存続しているときには、一方では、北王国の民の罪を認め、それを否定しつつ、他方では、南王国を肯定する、神の存在を容易に信じることができた。しかし、バビロン捕囚期には、すべての民（ユダヤ人）が、禍の内にあり、不幸である。このとき神を存続させうる唯一の論理は、今まさに苦難の中にあるということこそが、やがて神に救済されることの、やがて幸福がもたらされることの、つまりは神に選ばれていることの証拠である、と論理を逆転させてしまうことである。神の選びの規準は非常に厳しく、また神がもたらす救済の中では、想像を絶する幸福があるはずだ。そうであるとすれば、現在の中途半端な繁栄の中にある者が、神によって選ばれた者であるはずはなく、その程度の幸福や幸運が救済であるはずがない。逆に、今災厄の中にいるということ、未だ救済されていないということ、そのことこそ、むしろ救済の証ではないか。救済されるべき、義を知る者は、むしろ、今不幸で、世間のそしり・ののしりを受けているはずだ。このように論理が展開していく。こうして、不快が快楽に転換したように、苦難が福祉へと転換する。

もともと、旧約の預言者は禍を預言した。禍の預言よりも、幸運の預言の方が心地よく、誰もすき好んで、前者を受け取ったりはしないように思える。禍の預言は、幸運の預言に対して勝ち目がなく、両者が競合していれば、禍の預言の方は必ず駆逐されてしまうように思える。ところが、実際にはそうはならず、禍の預言は受け入れられたのだ。どうしてだろうか？　ヴェーバーは、次のように説明している。預言者は、ただ、神の声を聞いたという強い自己確信だけで語るのだが、それを他者が確証することはできない。預言者の神託を聞く一般大衆は、こう判断したというのだ。すなわち「もし人を騙すつもりならば、わざわざ禍を預言するだろうか。人をたぶらかすつもりだったら、外国からの侵入を肯定するような禍を預言して、王や貴族や大衆の不興を買うようなことをするはずがあるまい。言い換えれば、正常な精神の持ち主があえて禍を預言しているのだとすれば、それは、何らかの高い力が彼を促しているからに違いない」。

災禍を肯定する「苦難の神義論」は、捕囚のイスラエルにおいて頂点に達する。捕囚は、普通だったら、神の命令を守らなかった民の「いとうべきもの」「憎むべきもの」として意味づけられるはずだ。しかし、どこにも肯定できる片鱗のない、救いようのない不幸を身に帯びた自分自身を——神の視点を媒介にして——何とか肯定しようとすれば、捕囚という不幸を、逆に、未来の幸福の場と捉え直すほかなく、実際、そのような逆転的な捉え直しが生じたのである。イスラエルの恥ずべき運命こそが、ヤハウェの隠された意図を実現するための重要な手段である、という「第二イザヤ」(前六世紀)の預言は、こうした捉え直しの完成版である。

「第二イザヤ」の口を通して語られる、次のヤハウェの宣言を、あのヤコブのエピソードを背景にして聞いてみたらどうであろうか。


ひととき、激しく怒って顔をあなたから隠したが／とこしえの慈しみをもってあなたを哀れむ(中略)／山が移り、丘が揺らぐこともあろう。／しかし、わたしの慈しみはあなたから移らず／わたしの結ぶ平和の契約が揺らぐことはない[*7]

神が顔を隠していること(それゆえ不幸であること)、このことが、「とこしえの慈しみをもって」神が民を哀れんでいることの証拠となっているのである。

＊

苦難についてのこうした捉え方は、時間の意識に刻印を残さないわけにはいかない。それこそが、終末論、真の意味での終末論を成立させたのだ。

「真の意味での終末論」と述べた。「真の意味」ではない終末論もあるからである。定義上、終末論は、終末の日へと不可逆的に直進する時間の意識を前提にしていると思われがちだ。しかし、終わりが新たな始まりでもあるようなタイプの終末論の方が、むしろ、一般的である。この場合には、終末論は、反復する時間の表象とともにある。たとえば、バビロニアやアステカの終末論は、世界が破滅してはまた再生するタイプの終末論だという。終わった以上はもう始まらないのが、真の意味での(あるいは狭義の)終末論であるとするならば、そのようなタイプの終末論は、ユダヤ教の中で、つまりヘブライズムの思想の中で生み出された。

実は、ブルトマンによれば、ユダヤ教の中にあってさえも、初期の段階では、明らかに反復する時間表象を伴う終末論が信じられていた。たとえば、旧約の最古層の歴史文書に対応しているヤーウィストの思想の中では、民族の再統一という形式で、「始めと終わりとが神の約束によって結び合わされている」[*8]。循環する終末論は、その後も長く続いた。

ブルトマンは、真の終末論、つまり不可逆な時間という観念と結託している終末論は、「ダニエル書」などの黙示文学においてやっと完成した、と述べている[*9]。古き世(現在)と新しき世(未来)との境界にある「終末」は、厳密に一回だけの出来事とされ、したがって時間は不可逆的なものにならざるをえない。

「ダニエル書」は、最古の黙示文学とされているが、同時に旧約聖書の中でも最も後期に属する文書でもある。この中で、今日では典型的な終末論的な主題とされていることがら、すなわち最後の審判、死者の復活、永遠の生命といったことがらが初めて扱われた。

「ダニエル書」（の後半）が書かれたのは、前二世紀中頃で、ユダヤ人にとって、捕囚期と同様に苦難の時期である。シリア王アンティオコス四世による、激しいユダヤ人迫害の時期にあたるからである。この迫害は、「ダニエル書」の内容に直接に反映している。もっとも、黙示文学の成立まで待たずとも、「イザヤ書」や「エレミヤ書」の中に、真の終末論の先駆を認めることができる、と真木悠介は述べている。[*10]「終末」へと向かう不可逆性としての時間という意識は、「イザヤ書」や「エレミヤ書」の中にすでに見られるからである。イザヤが活躍したのは、北王国が滅亡した時期、「第二イザヤ」と呼ばれる、「イザヤ書」の後半部分に対応しているのは、バビロン捕囚期の末期である。またエレミヤの活躍時期は、南王国の滅亡からバビロン捕囚に至る期間に対応する。もっとも、「イザヤ書」や「エレミヤ書」の終末は、まだ「最後の審判」ではなく、ダビデの世の再来、捕囚からの帰還、エルサレムの再建など、過去の再来のイメージを伴っている。

ユダヤ教の終末論において、終末とは、神による（ユダヤ人の）救済のときである。つまり、それは、神との約束が果たされるときである。ユダヤ教において、元来、救済は、常に具体的・経験的である。すなわち、「来世」や「死後の世界」が救済のイメージとして提示されることはなく、「この世界」における未来が、救済のときとされていたのだ。預言者たちは皆、終末の日、つまり「ヤハウェの日」が間近である、という強い切迫感をもっていた。

苦難や不幸こそが救済への確証を与えるという逆説的な感覚が出てきたとき、不可逆的な時間の意識を伴う終末論が同時に成立する。この論理は、比較的容易に理解できる。現在、非常な苦難の内にあるということ、そのことが、やがて救済され、幸福が到来することの保証となる。このとき、二度と回帰してこない「現在」から「未来」への不可逆の時間の感覚がもたらされるはずだ。

しかし、その「救済のとき」は迫っているとされながら、実際には、いつまでたってもやってはこない。すなわち、救済のときを特徴づける「やがて」が返上されるときは、いつまで待ってもこないのだ。とすれば、救済のときは、ついに、経験的な時間のすべてを越えた彼方に設定されることにもなるだろう。経験的な時間と救済のときとを分かつ点に、「最後の審判」が置かれることになるのである。黙示文学がこうして生まれる。それは、新約聖書の思想へと、つまりキリスト教へと継承されていく。

＊1　マックス・ウェーバー『古代ユダヤ教Ⅱ』内田芳明訳、みすず書房、一九六四年、五五三頁。訳文を一部変更した。

＊2　「創世記」三二章二五―三一節。

＊3　加藤隆『一神教の誕生』講談社現代新書、二〇〇二年、第二章。

＊4　「サムエル記上」八章一一―一八節。

＊5　「エレミヤ書」二三章二五—二八節。
＊6　山形孝夫『治癒神イエスの誕生』小学館創造選書、一九八一年、四六—四九頁。
＊7　「イザヤ書」五四章八—一〇節。
＊8　ブルトマン『歴史と終末論』中山秀恭訳、岩波書店、一九五九年、二五頁。
＊9　同三八頁。
＊10　真木悠介『時間の比較社会学』岩波書店、一九八一年、一七三頁。

第4章　人の子は来たれり

1　ヨブ——キリストの予型

世界史は、一種のミステリーである。一連の出来事を駆動させる原点に、謎の殺人事件があるからだ。「キリスト」と呼ばれてきた、一人の男の殺害が、である。世界史は、なぜ、この殺人事件を必要としたのか？　この問いは、さらに二つの問いに分解される。第一に、この殺人事件は、どうして、どのような必然に導かれて生じたのか？　第二に、この殺人が世界史の先駆とも言うべき衝撃的な影響力をもったのはどうしてなのか？　われわれは目下、前者の問いに基づいて探究を進めている。

件《くだん》の殺人事件がキリスト教と呼ばれる宗教を切り拓いた。したがって——前章で述べたように——われわれが探究しつつある問いをもう少し具体化して、次のように言い換えることができるのだった。キリスト教にユダヤ教が先立たなくてはならなかったのはなぜなのか？　今日、ユダヤ教から切り離されて言わば単体で波及しているように見えるキリスト教が、ユダヤ教に後続するような形でしか登場しえなかったのはなぜなのか？　キリスト教が、ユダヤ教の媒介を経ずして、直接に生まれることがなかったのはなぜなのか？

それゆえ、問題を解明するために、われわれはユダヤ教へと遡及しなくてはならなかった。そこで、われわれは、今度は、ユダヤ教そのものの秘密、ユダヤ教の謎に遭遇する。イスラエルにおける、政治的な失敗＝苦難と宗教的な成功との間の極端な乖離という謎である。通常は、政治の失敗は宗教の挫折へと直結する。しかし、ユダヤ教においては、政治的な失敗が導く民族の苦難こそが逆に、ヤハウェへの信仰をますます強化するような逆説のルートが確立されたのである。このルートは、カントが、「美」の原理との対照で、「崇高」の原理と見なした機制と類比的である。美は、観る者に直接的に快楽をもたらす。それに対して、不快そのものに快楽を覚えるとき、われわれは、そのような屈折した快楽をもたらす対象に崇高性を感じるのである。同様に、ユダヤ教においては、苦難そのものが、幸福の条件として――やがて救済がもたらされることの約束として――感受されることになる。

さて、このような逆説のルートによってユダヤ教が特徴づけられるのだとすれば、旧約聖書が描くヨブこそ、ユダヤ教の精髄を生きた人物だということになるだろう。「ヨブ記」は、まず、ヨブを、信仰心に篤く、そして幸福な人物として提示する。彼は、七人の息子、三人の娘に恵まれ、羊七〇〇〇匹、らくだ三〇〇〇頭、牛五〇〇くびき、雌ロバ五〇〇頭をもち、多くの使用人をかかえ、東国一の大富豪だったのだ。栄華をきわめたソロモンを彷彿とさせるような仕方で、ヨブは、家族に恵まれ、社会的にも成功していた。そのヨブを、突然、次々と不幸が襲う。ヨブは、連続的な事故によって財産と家族を失ってしまう。極め付きは、ヨブ自身が、重篤な皮膚病にかかってしまうことである。これほどの苦難、これほどの不幸の中で、ヨブはなお、神への信仰を保つことができるだろうか？これが「ヨブ記」が提起する問いである。

この物語の全体は、神とサタンの間の賭けという設定によって枠付けられている。サタンは、ヨブが敬虔な信仰心をもっているのは、彼が幸福に恵まれているからではないか、という疑念を提起して、神に挑戦する。そして、サタンは、神の許可を得て、ヨブを不幸のどん底に陥れる過酷な実験を試みた、というわけである。だが、こうした設定は、重要ではあるまい。これは、ヨブの不幸に理由を与える、物語上の枠組みに過ぎないからである。重要な問いは、究極の謂れなき苦難の中で、信仰は持続しうるか、にある。

三人の友人がヨブのもとに見舞いに訪れて、ヨブとの間で神学的な議論を展開する。友人たちが言っていることは、要するに、ヨブが苦しんでいる原因は、ヨブが過ちを犯したからに違いない、ヨブの苦難はヨブの罪に由来する、ということである。神が正しい限りは、ヨブの不幸はヨブの罪によってしか説明できない、というわけだ。

無論、ヨブはこうした議論に屈することはない。彼は、自らの正義を主張する。「ヨブ記」のここまでの筋は、苦難こそが神の圧倒的な超越性を確証させるという、われわれが確認してきたユダヤ教の逆説を裏打ちするものになっている。ところが、驚くべきことに、「ヨブ記」の終盤には、こうした逆説をさらに斥ける展開が待っているのだ。

＊

まず、若者エリフが、突然、登場して、ヨブを批判する。このエリフの主張は、それ自体、「苦難の神義論」を純粋に提起するものになっている。ヨブは潔白を主張するが、ヨブに罪があるかどうかということは、神が決することであって、人間であるヨブが判断することはできない、とエリフは言うのである。これは、イスラエルの不幸こそが、神の隠された、（人間にとっては）不可知の意図の実現ではないか、という第二イザヤの主張と似ている。ヨブの不幸は、神の隠された意図の実現と解さなくてはならない、ということになるからだ。しかし、このように、ヨブに敵対する人物の口から、苦難についての神義論を提起してしまうということは、「ヨブ記」の著者が、こうした議論を拒斥すべき媒介と位置づけているからである。

究極の逆転は、結末において、神自身が出現し、語ったことによって生ずる。神は、友人等の議論を、つまり自分を肯定しているように見える（エリフを含む）四人の人物の議論を、すべて間違ったものとして一蹴し、ヨブに対しては「正しく語」った（ヨブ記四二章七節）と肯定的に評価する。それならば、神は何を語ったのか？　神は、自分の全能性を自慢げに誇示しているのだ。

だが、神が自らが全知で全能であることを大げさに誇れば誇るほど、言語行為としては、こうした字義とは逆の効果が出てくるのを、われわれは感じざるをえない。たとえば、神は、ヨブにこう言う。「わたしが大地を据えたとき／お前はどこにいたのか。／知っていたというなら／理解していることを言ってみよ」（同三八章四節）と。あるいは、こうも言う。「お前はレビヤタンを鉤にかけて引き上げ／その舌を縄で捕えて／屈服させることができるか」（同四〇章二五節）と。神の自慢話は延々と続く。だが、神が直接に現われて語るというのならば、彼の語りに期待されていることは、こんな話ではないはずだ。神は、何を語るべきだったのか？　当然、ヨブの不可解な苦難に対して、きちんとした説明をすべきだったのだ。義人であるヨブが、どうして、こんな不幸に遭わなければならなかったかを、説明しなくてはならなかったはずだ。こうしたことを説明できるのは、神しかいないからである。ところが、神は、ヨブの苦難に関しては何も説明せず、ひたすら、自慢話に没頭する。こうした語りを前にしたとき、誰もが口にしたくなる皮肉は、こうであろう。「ほう、なるほど、そんなに何でもできるのなら、なぜ、あなたは、ヨブを苦難から救ってやらなかったんだい?」

つまり、己の全能性を誇る神の言葉は、このコンテクストにおいた場合には、むしろ、神の無能性をこそ意味しているのである。神は、ヨブを救済できなかったという自身の無力さを、糊塗しようと、躍起になっているのだ。これは、次のような状況に似ている。われわれは、人前で大失態を演じてしまったとき、それを補おうと、「俺はこんなことだってできるんだぜ。お前なんかできないだろう」等々と言いながら、何とか、自分の力を見直させようとする。しかし、無理やり自己顕示すればするほど、かえって、最初の失態が取り返しのつかないものとして浮き彫りになる。

この場面の神は、つげ義春の短篇漫画「噂の武士」の「宮本武蔵」(と噂されている武士)と同じ立場に置かれている。しがない武士である主人公は、山奥の湯治場で、ただならぬ雰囲気をもった武芸者と同宿することになった。やがて、その武芸者は、名にし負う「宮本武蔵」ではないか、と宿中の評判になる。あるとき、主人公は、成り行きで、この武芸者と手合わせをしなくてはならなくなった。武術に自信がない主人公は、気が進まなかったが、衆人環視の中、この武芸者と戦わざるをえない。ところが、このとき雨上がりで地面がぬかるんでいたため、武芸者は、足を滑らして、いきなり転んでしまう。武芸者は、醜態を挽回しようと、この後、あわてて、さまざまな軽業的な技術を披露するが、もはや遅かった。彼が熱演すればするほど、痛々しさは深まるばかりである……。「ヨブ記」の神も、この「宮本武蔵」のように、己の実力を誇示しようとするが、それは逆効果である。善良なヨブを、過酷な苦難の中から救い出せなかった失敗は、もう取り戻すことができないからである。

したがって、「ヨブ記」から、われわれは、次のような教訓を結論として導き出すことができるだろう。まず、苦難を媒介にして、人間を絶する神の超越的な能力を肯定する逆説的な論理（苦難の神義論）が確立する。しかし、苦難があまりに過酷で、しかも、それを正当化しうる規範的な根拠がまったく見当たらないとき、つまり過酷な苦難に相当しうるような過ちや罪がいささかも見出せないとき、この逆説的な論理も破綻し、神の無力、神の無能性が肯定されてしまう。それほどに意味のない苦難を避けることができないということが、神には何の力もなかった、ということを示してしまうからである。最初は、神（とサタン）は、ヨブの信仰の力を試すつもりだった。しかし、気が付いてみれば、試されていたのは、神の力の方だったのである。このように、「ヨブ記」は、ユダヤ教の論理を純化させることで、その論理を否定しているのだ。

実際、われわれは、二〇世紀において、「ヨブ記」と同じ論理で、しかもより徹底したやり方で神の全能性が否定されたのを知っている。アウシュヴィッツでユダヤ人たちが受けた屈辱のことを言っているのだ。ハンス・ヨナスが、まさにこの点を指摘している。ヨナスは、エティ・ヒレスムという若いユダヤ人女性に言及している。彼女は、ユダヤ人同胞を救うために、そして彼等と同じ運命を共有するために、自ら進んで強制収容所に向かったという。彼女は、日記の中で、こう書いている。「たった一つのことが、私にはだんだんはっきりしてきている。あなた〔＝神〕は私たちを救うことはできない。そうではなくて、私たちが、あなたを救わなくてはならないのだ。そうすれば、結局、私たちは自分自身を救うことになる……」。ヨナスによれば、絶滅収容所のごときものを神が容認したということを説明する唯一の論理は、神が全能ではない、とするアイデア以外には、ありえない。[*1]

「ヨブ記」では、神が信者に課した試練が、神自身へと還流してきてしまう。このループを短縮し、試練を、直接神に課したらどうなるだろうか。そうすれば、われわれは、キリストを得るだろう。ヨブは、無意味な災難に苦しめられる。同じような、どうにも説明できない無意味な苦難が神自身に訪れたとすれば、それこそ、十字架へと向かうキリストであろう。つまり、ヨブは、キリストの予型である。われわれの疑問は、キリスト教にユダヤ教が先立つのはなぜなのか、ということであった。ユダヤ教の原理を純粋に体現する――そのことによって逆説的にそれを突き抜けてしまう――ヨブは、キリストの一歩手前にいる。ここには、ユダヤ教からキリスト教への転換を担う因子が隠れている。

2 人の子

ユダヤ教的な「苦難の神義論」は、終末論的な直進する――したがって不可逆的な――時間の意識をもたらす。終末のときに実現する救済の状態は、ユダヤ―キリスト教では、しばしば「神の国」と呼ばれる。J・イェレミアスによると、「神の国」という概念は、イエスの発明とまではいかないが、イエス以前にはほとんど用いられておらず、イエスが独創的な意味をそこに込めて用い始めた概念である。こうした説の論拠となっているのは、この概念が、福音書には多用されているのに、同時期のユダヤ教の文献には現われないという事実である。しかし、田川建三は、ラビ文献の取り扱いの難しさを考えると、イェレミアスのように断定することは難しく、むしろ、イエスの時代のユダヤ教において、この概念はすでに頻繁に用いられていたのではないかと推定している。[*2] いずれにせよ、イエスが、この概念を用いたことは確かである。

マルコ福音書によると、イエスの活動の開始を告げる宣言は、「悔い改めよ、神の国は近づいた」という言明である（マルコ一章一四節）。だが、今日の新約聖書学者が一致して支持している見解によれば、この言明は、イエス自身の言葉ではなく、後になって原始キリスト教団がイエスの思想を一言で要約しようとしたときに、創作された表現である。さらに、田川建三は、通説に反して、次のように主張している。すなわち、この言明は、イエスの思想の要約としても正確ではなく、むしろ、イエスに先立って活動し、民衆的な人気を博していた洗礼者ヨハネの思想であり、マルコ福音書の著者が、これをイエスの口から出たものとして記したのだ、と。[*3] 周知のように、イエスも、一時はヨハネの運動に参加しており、ヨハネから洗礼を受けている。

したがって、「神の国は近づいた」とする思想は、イエスの直前（ヨハネ）とイエスの直後（原始キリスト教団）に帰属していることになる。それならば、両者に挟まれたイエス自身は、「神の国」についてどのように語っていたのか？　この点については後に述べることにしよう。まずは、洗礼者ヨハネ（と原始キリスト教団）の思想を、この言明の中に探っておく必要がある。苦難の神義論は、現在の苦難の否定態である救済のときを、未来に措定する。約束されたその未来が、はるかな彼方ではなく、今や目前であるとする切迫感が、この言明を導いている。とはいえしかし、神の国は、未だに到来してはいない。

洗礼者ヨハネは、宗教的厳格性を極限にまで推し進めた預言者である。イエスの批判の主要なターゲットは、ファリサイ派と呼ばれる、ユダヤ教の中の厳格な律法主義者であった。ファリサイ派の厳格性すらも不徹底であるとし、律法と宗教倫理の支配を生活の細部にまで及ぼそうとしたのが、ヨハネである。その結果、ヨハネは、荒野での極端な禁欲生活を営まざるをえないことになる。彼は、「いなごと野蜜」（マルコ一章六節）を食物とする、苦痛に満ちた生活を引き受けるのである。

ヨハネは、それゆえ、言ってみれば、ファリサイ派以上のファリサイ派である。イエスは、ファリサイ派を批判するが、同時に、自分自身、ヨハネのグループから、つまりファリサイ派的な精神の純粋性の中から出てきたことになる。また、厳しい断食等を含む、ヨハネの敬虔な禁欲生活は、ヨブに降りかかったような苦難を、自らに課すものであったと解することもできるだろう。

＊

イエスが「神の国」についてどのように語っていたのかを見る前に、イエスの自己意識を、イエスが自分自身をどのように認知していたのかを確認しておこう。ナザレのイエスが、世界史の原点を画すような意義を担ったのは、言うまでもなく、この男が、同時に「キリスト（メシア）」だったからである。あるいは、少なくとも、「キリスト」と見なされたからである。しかし、イエス自身が、自分を「キリスト」と呼んだことはなかった。

ユダヤ教の伝統の中には、メシアを含意するさまざまな呼称がある。「神」そのものが、そのような呼称の一つだが、他に、「神の子」「キリスト（メシア）」「ダビデの子」等も、そうした呼称の系列に含まれる。共観福音書の中で、これらの称号は、イエスを誰か他人が呼ぶときに用いられるか、福音書記者が地の文で直接イエスを指示するときに用いられる。つまり、イエス自身が、自らを指すときに、これらの称号を用いることはない。それならば、イエス個人は、メシアや神としての自己意識をいささかももっておらず、ただ他者たちが彼をそう見なしただけなのか？　そうではない。彼もまた、メシアとしての自己意識をもっていたのだ。イエスがときに自称に用いた、例外的なメシア的概念があることによって、そのことが示される。自称に用いられた例外的称号とは、「人の子」という奇妙な表現である。他のメシア的称号は、今述べたように、他人がイエスを指すときにのみ用いられる。逆に、「人の子」は、福音書の中では、イエスの発言の中にしか現われない。実際に、イエスが、好んでこの表現を用いていたからだと考えるほかない。「人の子」とは何か？　この語には、まったく対照的な二つの意味が含まれている。「人の子」のメシア的な含意の典拠は、最古の黙示文学とされている「ダニエル書」の次の箇所である（ダニエル書七章一三―一四節）。

夜の幻をなお見ていると、／見よ、「人の子」のような者が天の雲に乗り／「日の老いたる者」〔神〕の前に来て、そのもとに進み／権威、威光、王権を受けた。／諸国、諸族、諸言語の民は皆、彼に仕え／彼の支配はとこしえに続き／その統治は滅びることがない。

『『人の子』のような者』とは、ここでは、文字通り、人間のような姿をした天上的な存在を意味している。それは、また比喩的な表現でもある。それ以前には、四つの獣が順に世界を支配していた。獣は、比喩的に、古代オリエントやヘレニズムの王朝を表現している。しかし、「終末」が始まるときに、「獣」ではなく、人間の姿をした者が現われ、世界を永遠に支配するだろう、というわけである。「人の子」は、このように、明白に終末論的な含意をもった、神的な支配者を指している。

だが、「人の子」には、これとはまったく逆の含意もある。「人の子」は、元来は、イエスの時代の口語、つまりアラム語の表現である。その場合、「人の子」には、何らの仰々しいコノテーション（潜在的な意味）も宿らない。田川建三によると、「子」は、類の中の一員、集合に属するメンバーの意味であり、したがって、「人の子」とは、「人間」という類に属するメンバー、つまりは「一人の人」という意味にしかならない。[*4] したがって、「人の子」にこちらの含意しかなければ、この語には、何らの注目すべき点はないということになるだろう。

しかし、イエスが「人の子」を自称に用いるとき、「ダニエル書」に由来する終末論的な含意に専ら訴えていた、と解するのも間違っているだろう。イエスが、「メシア」を意味するさまざまな称号のうち、この語だけを用いたという事実に留意しなくてはならない。彼が、ただ「メシア」として自身を指示したいだけであれば、「神の子」「ダビデの子」等の他の呼称も用いたはずだ。したがって、「人の子」という称号は、終末論的なメシアという意味と同時に、「一人の人」という、ごく平凡な意味を響かせるためにこそ使われていた、と見なさないわけにはいかない。

ローマ総督ピラトに引き渡される前の、最高法院（サンヘドリン）での裁判において、大祭司から、「お前は誉むべき方〔神〕の子、メシア〔キリスト〕なのか」と尋問されたとき、イエスは、「私がそのような者だというのはあなたたちだ」とした後、わざわざ、「あなたたちは、人の子が力ある者〔神〕の右に座り、天の雲に囲まれて来るのを見るだろう」と言い換えている（マタイ二六章六三―六四節）。ここで、「ダニエル書」の終末のイメージが喚起されていることは明らかであろう。神の子が神の右に座すというのは、「詩篇」から取られたイメージである。ここで注目しておきたいことは、イエスが、「神の子」「キリスト」といった語は、他人からの呼びかけに使われているだけだとした上で、神の右にいる自分を「人の子」として再提示している点である。

＊

人の子イエスは、具体的には何をなしたのか？　無論、イエス自身は、自分の活動を、一定の方針や目的にそって自覚的に統制していたわけではない。しかし、結果的に、大工の子であるところのイエスがなしたことは、当時のパレスチナ社会の権力構造、支配体制に対する実践的な批判、徹底した反抗である。無論、権力構造や支配体制を構成している要因は、多様であり、イエスの反抗も、それら多様な要因に向けられている。しかし、当時の社会の最下層の民衆の生を、こと細かく支配していた究極の原因、それは、ユダヤ教の律法であった。かくして、イエスの反抗の究極の目標は、ユダヤ教そのものにならざるをえなかった。

イエスの実践的批判の徹底ぶりを知ることができる例を、一つだけ紹介しておこう。「宮潔《みやきよ》め」として知られている事件がある。あるときイエスは、神殿の境内の中に入ると、いきなり、そこで商売をしている者たちを追い出し、両替人や鳩売りの机・座席等をひっくり返した（マルコ一一章一五節）。イエスは、神殿での商業活動に強い反感をもっていたのだ。

この大胆な反抗においてイエスが何を直観していたかを知るには、当時の社会構造の中で、神殿がどのような意味を担っていたかを再確認しておく必要がある。神殿は、単なる礼拝の場所ではない。神殿こそが、政治権力の中枢であり、かつ経済的支配の中心だったのである。政治権力の中枢であったというのは、そこが、サンヘドリン（最高法院＝市議会）の座だったからである。サンヘドリンは、祭儀を仕切っただけではない。それは、サマリア地方の共同体の政治的意思決定の実質的な最高機関だったのだ。ユダヤ人は、当時、ローマ帝国に形式的には包摂されていたが、ローマ帝国は、内政上の問題に関しては、これをすべて地元の有力者に委ねていたので、サンヘドリンの権力は絶大であった。

より重要なのは、神殿が、経済活動の中心でもあったということである。神殿に集まってくる富が、神殿に依拠している貴族の権力を支えていた。まず、毎年、神殿税が徴収された。神殿税は、パレスチナに住んでいようがいまいが関係なく、すべてのユダヤ人に課せられた。神殿にとって、税よりも大きな収入源は、「献納」、収穫物の十分の一にあたる献納であった。犠牲として捧げられた獣の肉は、食肉として売られ、神殿の収益となっていた。要するに、神殿は、ユダヤ人たちの富の再分配機構の中心を占めていたのである。

イエスが暴力的に排除しようとした、神殿境内の商業活動は、この再分配機構を円滑に作動させるために不可欠な潤滑油であった。この点を、田川建三が明快に解説している。境内は、「異邦人の庭」とも呼ばれており、多くの異邦人の商人が店を連ねた。なぜ、ここでの商売が繁盛したのか？　参詣者の多くが、献納物を、境内で購入したからである。献納物を境内で購入すれば、重い献納物を遠くから運んでくる労苦を省くことができたのだ。とりわけ、鳩は、律法で定められた献納物の代用品として使えたので、よく売れただろう。[*5]

それゆえ、イエスの宮潔めは、ユダヤ教によって正当化されていた政治的・経済的な支配構造の心臓部に打撃を与えたことになる。無論、イエスは、支配・権力構造を社会科学的に分析した上でそうしたわけではない。当時のパレスチナを生き、神殿の実情を知っていた人間の直観によって、神殿、とりわけその膝元での商業活動の枢要な意味を見抜いていただけである。

さて、ここで問題は、なぜ、イエスが、イエスのみが、当時の支配・権力構造の基底部への根底的な反抗をなしえたのか、である。とりあえず、次のことを指摘しておくことはできる。神殿批判に関して言えば、それは、前章で概観した、預言者の批判の延長上にある、と。預言者もまた、再分配機構には懐疑的で、それを支持していた王権や祭司を厳しく批判した。したがって、イエスの活動は、ユダヤ教の預言者たちの活動を継承するものである。事実、イエスは、預言者ヨハネの弟子である。しかしながら、預言者の批判は、所詮、ユダヤ教の律法の枠内のことである。イエスのように、ユダヤ教そのものを廃棄させる徹底性は、そこからは出てこない。イエスのみが、律法の全的な止揚に至るまでの徹底した実践的批判を、ユダヤ教に対してなしえたのである。

なぜ、イエスには、そうしたことが可能だったのか？　この点を説明するためには、懸案にしておいた、イエスの「神の国」の概念に目を向けるのがよい。イエスの革命的な実践の具体的細部が、「神の国」の概念から演繹されていた、と主張したいわけではない。神の国についての概念が、イエスの思想の中心にあったわけではないのだから。しかし、それでも、「神の国」は、考察のための都合のよい拠点を、われわれに与えてくれる。神の国の捉え方には、イエスが社会的な現実に対して取った態度が、わかりやすく集約的に表現されているからである。イエスの反抗に根源性を与えているのは、その「態度」である。

3　神の国はどこに

イエスは、彼がその下から離れて出てきた洗礼者ヨハネを絶賛している。ヨハネは、「女から生れた者の中で最も偉大な者」である、と。だが、他方で、イエスは、この言葉に続けて、まったく逆とも取られかねない一言を付け加えている。「しかし神の国で最も小さい者もヨハネよりは大きい」と（マタイ一一章一一節）。地上で最も偉大な者が最小の者になってしまう神の国とは、どのようなところなのか？

先に述べたように、ヨハネは、「神の国は近づいた（未だ着いていない）」がゆえに、悔い改めよと唱えた。それならば、イエスはどう言ったのか？　イエス自身の言葉は、「ルカによる福音書」（一七章二一節）に記されている。「神の国はあなた達の中にある」と。「中に」が何を意味しているかによって、この言明の意味は多様に解釈しうる。田川建三は、「決定的な答」としてA・リュストフの論文を紹介している。それによれば、たとえば「矢の中」と言えば、矢が届く範囲、矢の射程距離内という意味になる。したがって、イエスの言明は、神の国は、あなた達の手がとどく範囲にある、という意味になる。[*6] つまり、ヨハネが、神の国には未だ到着していないと主張したのに対して、イエスは、既に神の国に着いている、と述べていたことになる。

神の国への距離感のこうした相違は、ヨハネとイエスの活動の違いとして現われる。ヨハネは、人里離れた荒野で、極端な禁欲生活を送った。神の国に未だ着いていない――もうすぐ着く――ので、悔い改めを禁欲生活によって示さなくてはならないからである。それに対して、イエスは、町や村の人々の中に入って行き、そこで供応を受けた（マタイ一一章一八―一九節）。

ヨハネが来て、食べも飲みもしないでいると、〔人々は〕「あれは悪霊に取りつかれている」と言い、人の子が来て、飲み食いすると、「見ろ、大食漢で大酒飲みだ。徴税人や罪人の仲間だ」と言う。

なぜ、イエスは、断食のような禁欲生活を送らず、「大食漢」「大酒飲み」とからかわれるほどに、他人の家で歓待を受けたのだろうか。ヨハネの弟子の質問に対して、イエスは、こう答えている。「花婿が一緒にいるのに、婚礼の客は断食できるだろうか」と（マタイ九章一四節）。ここで、神の国が「婚礼の場」に喩えられているのである。神の国に既に到達しているとしたら、荒野で禁欲することに何の意味もない。

「食」をめぐる洗礼者ヨハネとイエスのこうした相違と並行した対照を、「性」に対する両者の見解にも見出すことができる。洗礼者ヨハネが殺されたのは、彼が、ガリラヤ領主ヘロデ・アンティパスの乱れた男女関係を公然と批判したからである（アンティパスは、自身妻をもつ身でありながら、他人（自分の異母兄弟）の妻を横取りした）。ヨハネは、性に関しても、厳格な禁欲主義を支持したのだ。だが、イエスだったら、アンティパスの私的な恋愛関係の縺れなど、取るに足らないこととして、いささかも問題にしなかっただろう。イエスは、ヨハネとは違って、性に関しても寛容だったと推測できる。こうした推測の論拠となる事実の一つが、ベタニヤの香油注ぎの出来事である。イエスの一行が、「らい病人」とあだ名されたシモンの家に招かれ、飲み食いを楽しんでいたとき、一人の女が、突然、高価な香油をイエスの頭に注ぎかけた。これは、たいへん艶《なまめ》かしく、官能的な場面である。あまりのことに、弟子たちは女を諫めるが、イエスは憤慨する弟子たちを制止し、女のなすがままに身を任せた。あるいは、第1章で取り上げた「マルタとマリア」の挿話でも、イエスは、自分の「講義」に、おそらくは恋愛感情をもって聞きほれたマリアにたいへん寛容であった。

　イエスとヨハネのこうした相違は、繰り返せば、神の国が、ヨハネにとっては——たとえ近づいていたとしても——未だ到達していなかったのに対して、イエスにとっては既に手の届くところにあった、という対立に由来する。だから、イエスは、弟子たちに次のように語っている（マタイ一三章一六―一七節）。

あなたがたの目は見ているから幸いだ。あなたがたの耳は聞いているから幸いだ。はっきり言っておく〔アメーン〕、多くの預言者や正しい人たちは、あなたがたが見ているものを見たかったが、見ることができず、あなたがたが聞いているものを聞きたかったが、聞けなかったのである。

過去の預言者や正しい人が見たくても見ることができなかったもの（神の国）をあなたがたは既に見ており、それゆえ幸福だ、というわけである。とすれば、ここでは、もはや、「苦難の神義論」は破れている。

しかし、終末に約束されている「神の国」に既に到達してしまっていると見なすことは、極端な現状肯定に、つまり受動的な保守主義に繫がらないだろうか。もはや、神の国をもたらすために何をする必要もなく、神の国の到来に備えて罪を悔いる必要もないからである。実際、今日でも、しばしば、キリスト教徒（の一部）は、政治的には保守主義的である。だが、イエス自身の活動は、第2節で見たように、現状肯定どころではなかった。彼は、当時の支配・権力体制に対する、ほとんど革命家的な反抗者だったのである。

神の国が既に「現在」であるとするならば、もはや、現状に抵抗する必要はなかったのではないか？　神の国は、今では手の届く範囲にあるという認識と、こうした反抗の実践とはどのように繋がっていたのだろうか？　実は、神の国に既に到達しているという認識と、政治的な反抗とは矛盾するどころか、むしろ、緊密に結び付いていたのである。

＊

ここで、もう一度、苦難の神義論から「ヨブ記」へと向かう展開を想起しておこう。対象に対する知覚や対象をめぐる体験が、不快であったり、苦痛であったりしたとき、そうした否定的な知覚や体験が超越的な神の存在の確証となることがある。不快感や苦難は、経験的な対象や世界が、超越的な神に対して不適合だからであり、まさにそうした不適合性こそが、あらゆる経験的な対象の内に表象されることがない、あるいは現在の世界の中に現象することがない、神の圧倒的な超越性、神の絶対的な偉大さを示すと見なされ、逆に快感や幸福感を生むのだ。つまり、今や不快であることが快感を、苦難の中にあることが多幸感をもたらすのである。こうした屈折に神学的な正当性を与えれば、苦難の神義論ができあがる。

だが、「ヨブ記」がわれわれに教えることは、不快があまりに大きく、苦難があまりに深刻であったとき、それら不快感や苦難は、逆説の回路を通じて超越的で偉大な神の存在を肯定する力を失ってしまう、ということである。ここであらためて事態を眺めなおしてみれば、そもそも、現象や表象を超えたところにある超越的な存在者（神）は、直接には、知覚も体験もされてはいない、ということに気付く。実質的にあるのは、現象や経験的対象がどうしようもなく無力である――超越的な神の表現として無力である――という否定的な体験のみである。とするならば、われわれは経験可能な現象の彼方には、そもそも何もない、ということを端的に認めるべきではないか。何か根本的に「不足」したものとして知覚されたり、体験されたりする現象の向こう側に、（その不足を補うものとしての）超越的な神が鎮座しているわけではない。したがって、この場合には、次のように考えなくてはならない。不足感とともに体験されている現象そのものが、既に神である、と。

　イエス・キリストという人間が神であるということ、イエスという男がキリスト（メシア）であるということ、このことの意味は、まさに以上の点に、すなわち神とは現象がわれわれに対して呈する不足性・否定性（有限なる人間）そのものであるという論点にあるのではないか。キリストは十字架上で死ぬ。このとき死んだのは、経験可能な現象の彼方に、実定的に存在する超越的な実体としての神である。神は、まさに死ぬことによって、現象（人間）であることが示されているのだ。人間が死んで神になるのではない。逆である。[*7]

イエスが語る「神の国」の教説も、以上の論理と並行的に解釈しなくてはならない。神が現象の彼方の実体ではなく、経験可能な現象世界に内在しているということは、言うまでもなく、神の国がすでに現在しているということである。先に引いた言葉の中で、イエスは、われわれが既にその内にいる神の国を、婚礼の儀式に喩えている。イエスも述べているように、ここが婚礼の宴になるのは、花婿がいるからである。花婿（神）とは、イエスその人のことであろう。

神は、また神の国は現前する現象を超えたところにはない。しかし、ここで留意しなくてはならないことは、神や神の国と同一視されているのは現象世界が呈する自己否定性だということである。すなわち、現象の無力、現象がどうしようもなく感じさせる「これがすべてのはずがない」「まだ足りない」という側面こそが、神や神の国と同一視されているのだ。したがって、神や神の国は、いかにもそれらしい立派な人物や、壮麗な対象によって代表されることはない。それらは、逆に、その存在によって無力さや弱さを具現しているような人物や対象によってこそ代表されなくてはならない。

たとえば、神は、二人の盗賊と並んで死刑に処せられる惨めな男イエスでなくてはならない。あるいは、神の国は、義人ではなく罪人にこそ属するのでなくてはならない（「わたしが来たのは、正しい人を招くためではなく、罪人を招くためである」〔マタイ九章一三節〕）。言い換えれば、聖職者や為政者ではなく、取税人や売春婦こそが神の国の住民でなくてはならない（「取税人や娼婦たちの方が、あなたたちより先に神の国に入るだろう」（同二一章三一節））。地上において最も偉大だとされる洗礼者ヨハネが、神の国では最も卑小だとされるのは、こうした論理が働いているからである。

神に、あるいは神の国に対応させられているのは現象や経験世界の「自己否定性」である。このことの実践的な意義は絶大である。たとえば、「貧しい者は幸いだ」といった宣言を、文字通り受け取った場合には、それは現状の貧富の格差を肯定し、放置する著しく保守的な命題として機能するだろう。「貧しい者たちよ、君たちは、天国で好い目にあうのだから、幸福だよ。今は我慢したまえ」。だが、「貧しい者」が、その弱さによって現在の世界の自己否定性を――つまり「現状が不足している、現状ではダメだ」ということを――具現しており、まさにこのことにおいて神の国を代表していると解釈した場合には、「幸いなるかな、貧しい者よ」という宣言の実践的効果はまったく逆になる。現状の世界は直接に肯定されているのではなく、その否定性において肯定されていることになるからだ。言い換えれば、現状の世界は、それを変革するということによってこそ肯定されるのである。この場合、「貧しい者は幸いだ」という言明の意味は、「貧しい者に幸いが（この世界の中で）訪れるようにしよう」という変革への呼びかけになる。神の国は既に手の届く範囲にある、としたイエスが、体制に対して、保守的な傍観者のように振る舞わずに、革命的な反抗者のように敵対したのは、このためである。

イエスの社会体制へのこうした実践的な姿勢を――以上に述べてきたことの言い換えなのだが——別の言葉で説明することもできる。イエスは、たとえば、次のように言っている。「鋤に手をかけてから後ろを顧みる者は、神の国にふさわしくない」（ルカ九章六二節）と。このような、積極果敢な前進への意志は、どこから来るのか？

＊

一般には、メシアは、未来のいずれかの時点に到来するはずのものとして待望されている。ユダヤ教の終末論においては、実際、そのようなものであったはずだ。たとえば、第2節で引用した「ダニエル書」のイメージを、すなわち四つの獣の後に人の子のようなものが雲に乗ってやってくるというイメージを想い起こせばよい。だが、キリストと呼ばれたイエスがこの地上を歩き回っているということは、ずっと待望されていたメシアが既にやって来てしまった、ということである。

普通、メシアが未だ来ていないときには、人々の生活は重苦しく、彼らにはなすべきさまざまなことがあるが、メシアがやって来たときには、人々はそうした重荷から解放され、彼らに安楽がもたらされる、と考えられている。しかし、実際には、そうではない。むしろまったく逆である。

確かに、神の国が未だ到来していないときにも、人々には、ある責任が課せられる。神の国は、神が定めたときに姿を現わすのだから、人間にとっては他律的なものなのだが、同時に、ユダヤ教にあっては、宗教的に厳格な者たちが、「神の国を担う」と考えられていた。「神の国を担う」ことは、「神の国のくびきを負う」とも表現された。神の国とは、神が王として支配している状態を指している。とすれば、「神の国のくびきを負う」とは、罪を悔い改め、律法の規定を厳格に遵守することを意味する。

メシアがやってきて、神の国が実現した暁には、人々は「くびき」から解放されるのだろうか。そうではない。神の国が来てしまった後には、人は、以前の「くびき」よりもさらに過酷な責任を背負わなくてはならなくなるのだ。到来前には、どんなに生真面目で、敬虔な者にも、最小限の余裕がある。メシアは未だ訪れてはいないのだから、これからくびきを負えばよいからだ。しかし、メシアが到来してしまい、自分が神の国の中に既に入っているとすればどうであろうか。もはや、最小限の余裕すらなくなっている。人は、一刻の猶予もなく、神の国にふさわしく生きなくてはならない。既に到来している「それ」の意味を十全に現実化するような生き方をしないわけにはいかないのだ。それは、「後で」という言い訳を決して許さない、逃れ得ない重責である。「鋤に手をかけてから」(神の国に入ってしまってから)「後ろを顧みる」ことはできない。

だから、「メシアの到来が迫っている」(洗礼者ヨハネ)という啓示よりも、「メシアが既に来てしまった」(イエス)という啓示の方が、はるかに恐ろしい。イエスが、弾圧による死を十分に予感しながら、己の行動を停めることができなかったのは、イエス自身が、自らもたらした啓示に賭けるしかなかったからである。

＊1　Hans Jonas, *Mortality and Morality: A Search for the Good after Auschwitz*, Evanston: Northwestern University Press, 1966.
＊2　田川建三『イエスという男（増補改訂版）』作品社、二〇〇四年、二八九―二九二頁。
＊3　同書、二九八―三〇〇頁。
＊4　同書、三七六頁。
＊5　同書、二一六頁。
＊6　同書、三四六―三四七頁。
＊7　次章であらためて述べるが、十字架上の「死」ではなく、その後の「復活」が強調されているときには、むしろ、人間から神へのベクトルが強調されている。

第5章　悪魔としてのキリスト

1　イエスの治療活動

イエスの社会的地位を宗教社会学的な観点から捉えるならば、彼が、ユダヤ教の預言者の系譜の中から出てきたことは明らかである。ユダヤ教の中に、預言者という伝統がなければ、イエスが出てくることはなかっただろう。イエスは、預言者ヨハネの直接の後継者である。

イエスは、過去の預言者と後代の――彼にとっての同時代の――律法学者とを対照させながら、謎めいたことを言っている。

禍いあれ、律法学者どもよ、お前らは昔の預言者の墓を建立しているけれども、それはお前らの先祖が殺した預言者ではないか。先祖たちが殺した預言者の墓をお前らが建てる、というそのことによってまさに、お前らは先祖の預言者殺しに同意しているのだ。（ルカ一一章四七―四八節、田川建三訳）[*1]

ここで、イエスは律法学者たちを批判している。彼らは、預言者の墓を建立するものだ、として。だが、どうして、預言者の墓を建立することが、悪いことなのか？　預言者の墓を建てることは、先祖の罪を、先祖が犯した預言者殺しの罪を贖うことになるのではないか？　イエスは、預言者の墓を作ることが先祖の預言者殺しに加担し、真の預言者殺しになるかのように語っているが、むしろそれこそ、預言者を活かすことではないのか？律法学者に対する、イエスのここでの批判は、不可解である。この謎は、イエス自身が死後にどのように扱われたかということを考慮したときに解けてくる。この点を説明するためには、しかし、かなりの回り道を通らなくてはならない。

まずは、イエスの活動の核心部をあらためて見直しておく必要がある。イエスがやったこととは何か？　イエスの活動の中心には何があったのか？　前章で述べたように、イエスは、神の国は既にわれわれの手の届く範囲にあると語っていたのだが、その彼が、神の国のユートピア的な現前を最も強く実感させたのは、どのような活動においてなのか？それは、病人の治療活動においてである。

もしも私が神の指でもって悪霊を追い出しているのだとすれば、神の国はあなた方のもとに来たのである。(ルカ一一章二〇節、マタイ一二章二八節、田川訳)

イエスは、病を癒す自分の能力に、絶対的な自信をもっていたと思われる。病人にとって、治癒することが、そのまま神の国の到来を意味していた。

イエスの治療法はまことに単純である。「神の指」(もっともマタイでは「神の霊」)という語が示唆しているように、それは、ただ触れること、手や指などをもって病人の身体に触れることから成っている。たとえば、次のやり方は、その典型である。

さて、重い皮膚病を患っている人が、イエスのところに来てひざまずいて願い、「御心ならば、わたしを清くすることがおできになります」と言った。イエスが深く憐れんで、手を差し伸べてその人に触れ、「よろしい。清くなれ」と言われると、たちまち重い皮膚病は去り、その人は清くなった。(マルコ一章四〇—四二節)

このように、イエスの活動は、主として病気の治療である。あらゆる種類の病気が治療の対象となった。当時、多くの病、とりわけ(今日のわれわれの観点からすると)精神病の系列に属する病は、悪霊や汚れた霊が、病者の身体に侵入した結果と見なされていた。だから、イエスは、〈ヘロデ・アンティパスによるイエス殺害の計画を聞かされたときに、そのアンティパスに向けて〉「今日も明日も私は悪霊どもを追い出し、病気治癒を続ける」（田川訳）と言い放つ。イエスの癒しの対象になった病は、述べたように特に限定はないが（悪霊憑き、熱病、中風、手萎え、足萎え等）、その主たる治療法が〈触れること〉にあったという事実に対応して、皮膚病が多い。ここで振り返って考えてみると、あのヨブを、十字架に架けられたイエスの先行形態とも見なすべきヨブを襲った最大の悲劇も、重篤な皮膚病ではなかったか。

次は、イエスが盲人を治療した例である。

一行はベトサイダに着いた。人々が一人の盲人をイエスのところに連れて来て、触れていただきたいと願った。イエスは盲人の手を取って、村の外に連れ出し、その目に唾をつけ、両手をその人の上に置いて、「何が見えるか」とお尋ねになった。すると、盲人は見えるようになって、言った。「人が見えます。木のようですが、歩いているのが分かります。」そこで、イエスがもう一度両手をその目に当てられると、よく見えてきていやされ、何でもはっきり見えるようになった。イエスは、「この村に入ってはいけない」と言って、その人を家に帰された。（マルコ八章二二―二六節）

このケースでは、イエスは自分の身体の一部を、つまり唾を、病者の身体に塗りつける。さながら薬のように。この挿話においてわれわれの注意を惹き付けずにはおかない疑問は、イエスは、なぜ、治療に先立って盲人を村の外に連れ出したのか、ということである。

ここで参考になるのが、村などの共同体の外、つまり「砂漠」を意味する語についての、ヨハネス・ペデルセンや山形孝夫の考察である。古代イスラエル人にとって、砂漠が、恐怖の対象であり、また忌避すべき場所であったということは、容易に想像がつく。砂漠は、生命の尽きる地[*2]であり、また神に呪われた空間[*3]であった。そのような「砂漠」を意味する語（の一つ）「シェマーマ sh^{e}māmāh」は、動詞化した場合には、「麻痺する」という意味になる。それは、人間の霊魂が萎えて不活性化した状態を指しており、悪霊に取り憑かれた身体とも深く関連している[*4]。要するに、「砂漠」とは、大地が病にかかっている状態なのである。そうだとすれば、イエスが、病に陥った人物を村の外（砂漠）へと導いた理由も、理解可能なものとなる。ここでは、現実の病と隠喩的な病とが重ねられていたのである。

こうした連関を打ち立てることができるとすれば、イエスの病気治しの物語は、旧約聖書の伝承の中にある「荒野の行進」の主題と類比させることができる。「詩篇」の内にある次の描写が、荒野の行進である。

神よ、あなたが民を導き出し／荒れ果てた地を行進されたとき
地は震え、天は雨を滴らせた／シナイにいます神の御前に／神、イスラエルの神の御前に。

（中略）

主は約束をお与えになり／大勢の女たちが良い知らせを告げる
「王たちは軍勢と共に逃げ散る、逃げ散る」と。

（中略）

全能者が王たちを散らされるとき／ツァルモン山に雪が降るであろう。

（中略）

神よ、あなたの行進が見える。／わたしの神、わたしの王は聖所に行進される。

歌い手を先頭に、続いて楽を奏する者／おとめらの中には太鼓を打つ者。（詩篇六八篇）

神に率いられた軍勢が荒野（砂漠）を行進することで、荒野が豊穣の地へと変貌する、というわけである。もう少していねいに眺めると、次のような筋書を得る。王でもある神を先頭にした隊列が、荒野に向かう。そこには敵が待ち受けているが、神の軍勢はこれに勝利する。そのとき、荒野には雨が降り、山々は雪で白くなる。次いで、行進の向きが転換

し、聖所が目指される。これは、凱旋の行進である。賛歌を歌い、楽器を奏する女たちが同行しているという事実が、凱旋であることを示している。

荒野（砂漠）は、病の喩えであったことを思い起こそう。荒野の行進によって、荒野が沃野へと転換するという筋は、病気治しの実践と類比させることができる。してみれば、荒野の行進は、イエスの治療行為の隠喩的な前哨戦として解釈することができることになる。実際、山形孝夫が、ヨハネス・ペデルセン、K・タールクヴィスト、アルフレッド・ハルダー１等北欧祭儀学派の説を参照しながら、荒野の行進と治癒神としてのイエスの活動との並行関係に注目している。[*5] 山形の論議は参考になる。ただし、それは、山形が示そうとしたことと逆の面を浮かび上がらせるためである。山形等は、旧約文学の伝統――さらにそれ以前のコスモロジー――からキリスト教への連続性を明らかにするためにこそ、こうした並行関係に注目した。それに対して、ここで示したいことは、こうした並行関係の中に宿る非連続、並行しているがゆえにこそ可視的になる断絶である。

2　荒野の行進

旧約聖書の「荒野の行進」の物語は、しかし、もっと素直に解釈すべきではないか。これを、イエスの治療活動の前哨戦と見る前に、過去の出来事の（歪曲された）記憶と解すべきではないか。すなわち、これは、イスラエルの民が、強力な指導者モーセに率いられて、エジプトを脱出し、シェル、シン、シナイの荒野を行進した事実を反響させた伝承ではないか。彼らは、荒野を旅した果てに、カナンの沃野に、つまり「乳と蜜の流れる土地」に到達したのだった。

実際、旧約に記された「荒野の行進」は、「出エジプト」の記憶を留めたものであろう。すなわち、「荒野の行進」は「出エジプト」の記憶の詩的表現でもあっただろう。だが、山形孝夫によれば、この物語を、こうした解釈の中に収容し尽くすわけにはいかない。どのような根拠でそう断ずるのか？　周辺の諸民族に、旧約聖書の「荒野の行進」と同型的な構造を有する神話や祭儀が見出されるからである。つまり、「出エジプト」など経験していない諸民族も、一種の「荒野の行進」の神話や祭儀を有する。このことは、「荒野の行進」が、特定の歴史的な経験とは独立の、前キリスト教的―前ユダヤ教的なコスモロジーの範型を伝えるものであることを意味している。それでは、その範型とはどのようなものなのか？

たとえば、紀元前二〇〇〇年代末期にまで遡ると推定されている、バビロンの新年祭アキトゥ祭儀は、荒野の行進に対応する芝居を、そのクライマックスのシーンの中に組み込んでいる。アキトゥ祭儀は、全体として、バビロンの守護神マルドクの死と再生を表現している。[*6] その最高潮の部分で、まさに、神々による荒野の行進が演じられるのだ。行進の目的地は、荒野に設けられたアキトゥ・ハウスである。アキトゥ・ハウスが何であるかについてはさまざまな説があるようだが、マルドクの死と再生の場であるとする解釈が主流のようである。この主流説によれば、マルドクは、冥界と同一視されている荒野に閉じ込められていたのだが、死の力を象徴するティアマトに勝利して、バビロンへと凱旋する。アキトゥ祭儀は、一つの天地創造神話を前提にしており、その神話自体が、祭儀の中で、大祭司によって朗唱される。それによると、宇宙開闢《かいびゃく》以来、神々は闘争してきた。その闘争は、混沌を代表するティアマトと天地の原理を代表するマルドクの間の争いに集約される。マルドクは、父神より命令を受け、最強の武器を授けられ、冥界の河へと向かう。そこで、マルドクは、ティアマトとの一騎打ちに勝利し、ティアマトの身体を素材にして宇宙を造形したとされている。荒野の行進は、マルドクとティアマトの最終的な決戦を表現していることになる。

古代バビロンでは、このように、荒野・砂漠は、悪や死が所属する領域である。[*7] アルフレッド・ハルダーによれば、同じことはシュメールでも見られる。ハルダーが注目したのは、シュメールで「砂漠」を指示する語「エディン edin」の意味の極端な両義性である。一方では、エディンは、悪の勢力が棲息する場所であり、また死者たちの国でもある。ところが、他方では、エディンは、まったく逆に、神の園、緑の沃野をも意味しているのである。

ハルダーによれば、エディンの語に与えられた、このように極端に分岐した二義性は、神話の形式で語られるエディンの歴史によって説明することができる。もともと、エディンは、緑豊かな耕作地であった。そこに、敵対勢力が、つまり悪魔が侵入してきた。言うまでもなく、これは、バビロンの神話のティアマトに対応する。悪魔によって冥界に拉致された、エディンの守護神の嘆きによって、エディンは、地震や洪水に襲われ、廃墟と化した。したがって、見方によっては、かつて豊穣をもたらしていた同じ神が、今や、荒廃の原因となっていると解することもできる。ともあれ、こうして、エディンは、沃野でもあり、荒野でもあるという両義性を帯びることになったのである。

この物語は、さらに、女神イシュタルの悲嘆と冥界下りの話へと展開していく。イシュタルは、エディンの守護神が冥界に封じ込められたことを嘆き、ついにその救出に向かうことを決心する。イシュタルの冥界下りこそが、まさに「荒野の行進」の体裁を取ることになる。イシュタルは、エディンの守護神タムムズを救出した。解放されたタムムズは、侵略者を撃退し、それによって、エディンは、沃野へと復帰する。この終結部分もまた、バビロンの神話の最後——再生したマルドクによるティアマトに対する勝利と凱旋——に正確に対応している。

旧約文学の「荒野の行進」もまた、以上に概略を見てきたバビロンやシュメールの神話と同一の形式を取っていることは明白である。[*8] こうした共通性は、これらの神話・伝承・祭儀が、きわめて一般性の高い、精神の範型に従って構造化されているからであろう。その精神の範型とは何か？ 簡単に言えば、それは、善と悪との間の二項対立である。荒野の行進の諸ヴァージョンが、いずれも、神と悪魔、あるいは善の神と悪の神との間のダイナミックな闘争をベースにして描かれていることは明らかである。荒野と沃野の対照は、悪と善の二項対立と等価である。

さらに、一歩進めて、イエスによる病気治しの行為もまた、同じ範型に従っている、と見なしてよいだろうか？ 病気と荒野・砂漠が象徴体系の中で同じ位置を占めていることを勘案すれば、そのような解釈が十分に可能であるように思える。荒野への神の進軍によって、敵が撃破され、荒野＝悪が、沃野＝善へと変貌したように、イエスの治療によって、罪や悪と同一視されていた病の身体（呪われた身体）が健康な身体（祝福された身体）へと変容した、と解釈できるように思えるのだ。バビロンのマルドクの神話もシュメールのタムムズの神話もともに神の死と再生の物語である。同様に、イエス・キリストも死んで、復活したではないか。このように考えれば、これらの神話とイエスの行いの間の類似性は明らかなように見える。しかし、実際には、両者の間には、決定的な断絶があるのだ。

3　悪魔としてのキリスト

この断絶を鮮明に浮かび上がらせるためには、一本、補助線を入れておくとよい。補助線とは、グノーシス主義である。グノーシス主義とキリスト教（あるいはイエスの教説）の相違を媒介にしてみるのだ。グノーシス主義がここで選ばれるのは、それが、善と悪との二元論を最も徹底した形で純化した思想だからである。すなわち、グノーシス主義は、「荒野の行進」の前提となっているコスモロジーの延長上に現われる思想である。それゆえ、ここでわれわれが見出そうとしている「断絶」は、キリスト教をグノーシス主義と対照させたときには、強調され、拡大された形で現われるはずだ。

グノーシス主義が、マニ教的な二元論を、つまり善と悪、あるいは光と闇の二元論を極限にまで推し進めたというのは、次のような意味である。グノーシス主義にあっては、善（光）と悪（闇）の対立が、霊と物質の対立と完全に重ねあわされているのである。この世界、物質的な世界の全体が悪に属するとされ、この世界とは別の水準に善なる霊の領域があると見なされているのだ。

古代の地中海世界にグノーシス主義が生まれたのは、一世紀、そして広く伝播し、浸透していったのが二―三世紀である。つまり、グノーシス主義は、キリスト教とほぼ同じ時期に現われ、その勢力を拡張していったことになる。実際、グノーシス主義は、キリスト教と習合してもいる。すなわち、グノーシス主義はキリスト教の異端とも重なっているのだ。キリスト教との混融が生ずるのは、キリスト教の中にも、グノーシス主義的なものへと向かいうるポテンシャルが宿っているからだ。なるほど、教義の個々の部分やエピソードに限定すれば、グノーシス主義とキリスト教の主流とは、相当に異なっている。たとえば、キリスト教では原罪の原因とされ、悪魔の化身とされているエデンの園の蛇は、グノーシス主義では、善なる神の使いである。しかし、こうした枝葉末節から離れ、グノーシス主義的な発想をそもそも動機づけていた衝動にまで遡れば、それと同じ因子が、キリスト教の中にも確かに宿っている。と同時に、初期の本来のキリスト教には、あるいはむしろイエスその人には、これとはまったく対立した方向を指し示している因子こそが優勢である。今、強調しておきたいのは、こちらの因子の方である。

繰り返し確認しておけば、「荒野の行進」においては、

荒野：沃野＝悪：善

という等式が成り立っている。ここで、対立の前項だけが、あらん限り肥大化したらどうなるだろうか。つまり、「荒野」とされるべき領域が拡大し、地上のすべてと同一視され

てしまったらどうなるだろうか。このとき、善（沃野）は、地上の物質的世界とはまったく別の水準に、つまりは純粋に霊的な領界に措定されざるをえない。こうして得られたのが、グノーシス主義である。

だが、このように考えた場合には、一つの問題が発生する。この（物質）世界が悪だとすれば、これを創造した神自身も悪だ、と結論せざるをえなくなるのだ。悪であるこの世界の原因となっている神は、悪の神、偽の神でなくてはならない。したがって、これとは別に善の神、真の神がいなくてはならない。このように神が二元化すること、これがグノーシス主義の顕著な特徴である。

ハンス・ヨナスによれば、神のこうした二元性の捉え方によって、グノーシス主義は大きく二つに分類される。*9 第一に、単純に、両者が外的に対立すると見なすタイプがある。要するに、霊的な世界、叡智界に対応する善なる神と、物質の世界に対応する悪なる神とがいて、両者が闘争状態にあると見なすのだ。この対立は、（バビロンの）マルドクとティアマトの対立、（シュメールの）タムムズと悪魔の対立と同じ形式を取る。第二に、対立が内的であると見なすタイプがある。善と悪とを一つの神の二つの側面と見るのだ。この場合、本来の善なる神が、どうして悪へと堕落するのかが説明されなくてはならない。霊的な世界、叡智的なものについての完全な知識をもっているとすれば、悪に至るはずがない。それゆえ、堕落は、あるべき知識の欠如、一種の忘却によって生ずる。前者は、善の神が悪の神に打ち負かされ、その犠牲になることから物語を始める。後者のタイプは、神の一種の失敗、神の罪がことの発端である。前者が、囚われの光の神への同情を生むとすれば、後者が誘発せざるをえない感情は、創造神の盲目性に対する軽蔑である。前者は、真の神の解放によって終わるとすれば、後者は、啓蒙による自己変革によって結末を迎える。要するに、前者の外的な闘争を、神自身の内面のドラマに転換すれば、後者が導かれるのだ。[*10]

このように整理すると、グノーシス主義とキリスト教的核との相違が、グノーシス主義とイエスがその身でもって示したこととの相違が、明白になる。グノーシス主義が全力をもって否認していること、それは、神（＝キリスト）が人間（＝イエス）だということにほかならない。グノーシス主義の前者のタイプにおいては、真の神、つまり善なる神が、物質的な悪なる神から、つまりは人間的な神からは厳然と分離されていることは明らかである。後者のタイプにおいても、神は、その本来の姿にあるときには、つまり真の知の所有者としてある限りにおいては、肉欲をもった「人間」的なアスペクトからは、きっぱりと区別される。しかし、こうした区別は、磔刑《たっけい》のイエス・キリストにおいて示されたこととは、まったく異なっている。

イエス・キリストは神である。このことを認めなければ、キリスト教のインパクトは、およそなくなってしまう。だが同時に、イエスが、なすすべもなく、盗賊と一緒に十字架上で殺されてしまったということは、彼が人間であったということである。キリストは、そのまったき神性において人間なのである。それゆえ、十字架の上で死んだのは、人間で、人間であるというより、神そのものである。死によって、彼が人間であったことが示されれば、そのとき、ほんとうに無化されたのは、彼の神性の方だからである。グノーシス主義がどうしても認めようとしないことは、神（としてのキリスト）の人間性である。実際、イエスがグノーシス主義の中に取り込まれたとき、彼が生理的な肉体をもった人間であることが、徹底的に否定される。それは、抽象的な意味においてではなく、まったく純粋に卑俗な具体性において否定されている。たとえば、グノーシス主義の中で、イエスは、性欲を抱くこともなく、また排泄すらしない。イエスは、飲み食いしたものをすべて神的なものへと消化＝昇華してしまい、決して汚物など排泄しないと考えられたのである。

キリスト教とグノーシス主義は、それゆえ、真っ向から対立する。にもかかわらず、両者は、相互に転換しうるきわどい隣接性をも有している。「神は人間である」とか「キリストはあの男イエスである」といった命題（①）と、「人間は神である」とか「イエスはキリストである」といった命題（②）とを比較してみればよい。①と②では、主語と述語、前件と後件とをひっくり返しただけで、ほぼ同じ意味だと見なされがちだ。しかし、そのコノテーションは、①と②では、まったく逆になってしまう。イエスが現われ、この地上を歩き回った後に殺されたことによって示されているのは、①である。それは、神が嘲笑されながら死んでいった惨めな人間だということを意味する命題であって、神の破壊という劇的な結果を伴っている。それに対して、②は、「人間にこそ神性の高貴さが宿っている」といった意味であり、人間についての月並みの賛美を意味している。こちらが、グノーシス主義の命題になる。われわれは、しばしば、①を②の意味で理解する。しかし、両者はまったく反対のことを含意しているのである。

＊

だが、そもそも、どうして、この物質的な現実を超えた高次の霊的な現実があるはずだ、という（グノーシス的な）発想が出てくるのだろうか？ なぜ、肉体をもってこの世界を生きるわれわれは、本来の霊的な世界から転落して来た、と考えなくてはならないのだろうか？ 『存在と時間』のハイデガーがどうしてファシズムへと没入していったのか、という転換の論理を規準にしてみると、この点をわかりやすく説明することができる。

ハイデガーが起点においた根源的な感情は「不安」である。不安が深化した状態を、ハイデガーは、「不気味 unheimlich」と形容している。[*11]「unheimlich」とは、文字通りには、故郷・家 Heim にはいないことの居心地の悪さである。不安であったり、不気味であったりする感情から誘発される自覚が、「被投性 Geworfenheit」である。被投性とは、特定の具体的な歴史的状況の中にどうしようもなく投げ込まれている、ということだ。これらのことを念頭において、順を追って考えてみよう。

一般には、人間はまずは、自分が生まれ育った故郷や家族に親しみを感じ、そこに強い所属意識を抱くだろう。要するに、彼は、この地上に所属していることを深く実感するのだ。彼は、自己の潜在的能力が、地上での活動において開花すると信ずることができ、地上での生活に快楽や幸福を覚えるに違いない。そのような快楽や幸福を覚えながら生きることができる場所や共同体を、人は、「故郷」と呼び、また「沃野」によって表象するだろう。

だが、人間は、今ここにいるということに、居心地の悪さを覚えることがある。自分がいる状況に疎遠さを感じることがある。それが、不安であり、不気味だという感情である。このとき、彼は、この疎遠でどこか敵対的な環境へと——自分自身が望んでもいないのに——「投げ込まれている」と考えることになるだろう。それこそ、ハイデガーの言う「被投性」の自覚である。居心地の悪さや疎遠さを覚える領域が、ときに、この経験的な世界、この物質的な世界の全体にまで及ぶことがある。人間が「ここ」で居心地が悪いのは、この経験的な世界で肉体をもつものとして、自分でも制御しがたい、しかも満たされることのない欲望を有するからである。とすれば、この経験的な世界のすべてが、自分が所属すべき場所ではない、ということになる。

ところで、人間が、この疎遠な世界へと投げ込まれているとすれば、「どこから」投げ込まれているのか？　もしこの経験的な世界、物質的な世界のすべてが疎遠であるとすれば、自分が、そこから投げ込まれたところの世界、自分が本来所属していた世界、自分が親密さを覚えることができる世界は、経験的な世界を超えた霊的な世界でなくてはならない。その霊的な世界は、直接には経験できないのだから、ただ知の対象――想起すべき知の対象――としてのみ実在的である。こうして導かれるのが、グノーシス主義である。

さらに付けたすならば、ハイデガーのファシズムへの支持は、ここにもう一段のひねりを加えたときに出てくる。本来所属していたはずの天上的な世界を、再び、経験的な世界の上に、つまり地上の共同体の上に再投射すれば、そこに得られるのは、「民族」、来るべき本来的な民族である。ハイデガーの考えでは、そのような本来的民族を取り戻すことこそ、ナチスに課せられた使命だったのである。こうすることで、不気味な unheimlich 状態、故郷にいないような居心地の悪さが克服されるはずだからである。[*12]

さて、右の三つの立場を簡単に整理してみよう。①直接に故郷や家族を所属の場所と見なす人間主義的な立場。②霊的な世界からの堕落を謳うグノーシス主義。③「民族」を求めるファシズム。これら三つの立場には、共通の前提がある。人間には、必ず、親しみを覚える、自然な所属の場所があるはずだ、とする前提である。その自然な場所は、①にとっては、直接にこの地上の世界であり、②にとっては、彼方の霊的な世界であり、そして、③にとっては、その彼方の世界を地上に再投射したときに得られる場所である。

しかし、もし疎遠であるという感覚、投げ込まれているという感覚が、それ自体で本源的であって、それらの感覚が解消される本来の場所などほかにどこにもないとすれば、どうであろうか？　被投の感覚も不気味さの感情も原初的なものであって、どこか別の場所で解消されるものではないとすれば、どうであろうか？　イエス・キリストの立場がグノーシス主義からははっきりと異なっているとすれば、その立場は、まさにこれである。比喩的に、次のように言ってもよいだろう。荒野とは別に沃野があるわけではない、と。行進する空間とは別に、安住できる場所があるわけではない、と。実際、ゲルト・タイセンは、イエス運動は、本質的に、遍歴するカリスマ集団の運動であった、と論じている。[*13] イエスと使徒たちは、どこをも定住の場所とすることなく遍歴したのである。イエスは、別に、エルサレムを目指して旅していたわけではない。

イエス・キリストがグノーシス主義とは対極にその位置を占めているということ、このことは、深い倫理的な帰結を伴う。グノーシス主義においては、善と悪との対立は霊と物質の対立と等置されていた。グノーシス主義に従えば、悪は、原理的には、自由意志の問題ではありえない。悪や過ちは、霊に属する真の知識の欠如に基づくものであって、善についての知識をもちつつ悪をなすということはありえないからである。

それに対して、キリスト教においては、神（キリスト）こそが人間（イエス）であって、この物質的な現実を超え、それから独立した霊的な現実の存在が否定される。このことは、グノーシス主義を構成していた対立(善:悪=霊:物質)を背景にして考えてみれば、論理的に、善と悪、善なる状態と罪ある状態との区別が失われるということを意味していよう。極論すれば、キリストと悪魔とは同一物に帰するのである。だから、イエスが、自分は義人ではなく罪人を招くために来たのだといったとき、すなわち神の国は罪人に属すると言ったとき、われわれは、これをまったく文字通り、額面通りに受け取らなくてはならない。イエスは、罪人が悔い改めて善人になったら神の国に入ることができる、と主張したわけではない。神の国は、直接に罪人に属しているのである。

*1　田川建三『イエスという男(増補改訂版)』作品社、二〇〇四年、一六七—一六八頁。

*2　たとえば、「民数記」に次のようにある。「種をまく所もなく、いちじくもなく、ぶどうもなく、ざくろもなく、また飲む水もない。」あるいは、旧約聖書の別の箇所には、次のような記述もある。砂漠では「土は石と塩穴だらけで、おどろといばらがはびこり」(イザヤ書、ゼファニヤ書)、そこにある焼けた裸の山には、「熱風が吹き荒れ」(エレミヤ書)、水のない荒地には「火のへびやさそり」(申命記)が巣くっている、と。

*3　「第一イザヤ」は、神の呪いによって砂漠化した町・耕地を次のように描く。「エドムのもろもろの川は変って樹脂となり、その土は変って硫黄となり、(中略)主はその上に荒廃をきたらせる測りなわを張り」。あるいは「エレミヤ書」でも、次のように書かれている。「わたしは見た。/見よ、大地は混沌とし/空には光

がなかった。／わたしは見た。／見よ、山は揺れ動き／すべての丘は震えていた。／わたしは見た。／見よ、人はうせ／空の鳥はことごとく逃げ去っていた。／わたしは見た。／見よ、実りの豊かな地は荒れ野に変わり／町々はことごとく、主の御前に／主の激しい怒りによって打ち倒されていた」。

＊4　Johannes Pedersen, *Israel, Its Life and Culture*, vol. Ⅰ-Ⅱ, Copenhagen: Povl Branner, 1926, p.457.

＊5　山形孝夫「砂漠の変貌——治癒神イエス誕生の構図」『思想』六六一、岩波書店、一九七九年。

＊6　バビロンの新年祭であるアキトゥ祭儀については、行事日程を記した碑文が残っており、それをもとにほぼ復元することができる。Heinrich Zimmern, *Das babylonische Neujahrsfest*, Der Alte Orient, 25/3, 1926 参照。

＊7　以下、シュメールの神話については、山形、前掲論文および、以下の論文を参照。Alfred Haldar, *The Notion of the Desert in Sumero-Accadian and West-Semitic Religions*, Uppsala: Uppsala Universitets Årsskrift, 1950.

＊8　山形、前掲論文。

＊9　Hans Jonas, *The Gnostic Religion*, Boston: Beacon Press, 1958.

＊10　カントは、対立には三つの様相がある、と述べている。実在的対立、矛盾、二律背反の三種である。実在的対立とは、互いに互いを打ち消しあうような二種類の力の葛藤である。磁石の正極と負極の対立などがその典型である。グノーシス主義の物質と霊の対立は、この実在的対立に属する。グノーシス主義の第一のタイ

プでは、実在的対立が直接に外的に現われており、第二のタイプでは、一つの神に内面化されている。

＊11 厳密に言えば、ハイデガーの言う「存在忘却」に対応する感情が「不安」であり、存在忘却が重層化した状態、つまり存在忘却していること自体を忘却している状態に対応するのが、「不気味」である。ハイデガーが不気味だと見なしたのは、言わば、病が重すぎて、病であることを自覚する能力すらも失われている状態だと解釈することができるだろう。その意味で、不気味とは、不安以上の不安、不安を超える不安である。

＊12 大澤真幸『〈不気味なもの〉の政治学』新書館、二〇〇〇年、一一―三八頁。前注で述べたことを考慮に入れれば明らかなように、「民族」の自覚は、存在忘却への抵抗という哲学的な意義をもっていた。

＊13 ゲルト・タイセン『イエス運動の社会学――原始キリスト教成立史によせて』荒井献・渡辺康麿訳、ヨルダン社、一九八一年（原著一九七七年）。

第6章　ともにいて苦悩する神

1　神を信じない神

ナザレ出身の大工の息子イエスをめぐる出来事が、われわれの〈現在〉を規定するような意義を担ったのは、彼が、「キリスト（メシア）」と見なされたからである。しかし、イエス自身は、自分からキリストを名乗ることはなかった。しかし、第4章で述べたように、イエスはメシアを意味する呼称の一般を拒否したわけではない。メシアを指し示す名前は、いくつもある。「神」「神の子」「ダビデの子」「キリスト」……と。イエスは、これらをことごとく使用しなかったが、「人の子」という名だけは自称として用いたのだ。

人の子は、旧約の「ダニエル書」に由来する救世主のイメージであった。「その日」、怪物のようなものではなく、人間のような姿をもった者が、雲に乗って助けにやってくる、というわけである。と同時に、アラム語で「×の子」とは、「×」の集合のメンバーというほどの意味である。つまり、「人の子」は、単に「一人の人間」を意味する。イエスが、メシアを指示する数ある呼称の中で、「人の子」だけを使用したのはなぜだろうか？

この問いを想起しておいた上で、前章までの議論を引き継ごう。あらためて繰り返せば、前章および前々章の議論から、次のように結論できることになる。イエス・キリストとは、ある意味で、神そのものの根源的な否定である、と。神が、定義上、経験可能な現象の領域を超えたところに存在する他者であるとするならば、キリストと呼ばれたイエスの死は、まさに、そのような神の否定である。

したがって、十字架上のキリストの最後の言葉が、神への不信を表明する、次のような叫びになるのは、必然である。

「我が神、我が神、何ぞ我を見捨て給いし。」

ここでキリストは、神の存在を懐疑している。いや、「懐疑」という語ではなまやさしいだろう。キリストの叫びが端的に表現しているのは、神への深い失望である。したがって、この断末魔の問いは、もはや神は存在しないに等しいということの確認となっている。少なくとも、超越的な場所から奇蹟的な方法で介入して、苦境にあるイエスを救出できるようなタイプの神は存在しない、ということの。

　ところで、あらためて強調すれば、キリスト自身が神である。したがって、ここで、神が神自身の存在を疑っているのである。神すらも、神を信じてはいないのだ。これほど徹底した無神論がありうるだろうか。あるいは、こう言ってもよいかもしれない。ヨブ記における「ヨブ／神」の関係が、神自身の内に移され、神の中に分裂が宿ったのだ、と。したがって、ここで、ヨブの神への不信が、神自身の破壊的な自己不信へと転じている。

　こうした無神論は、結局、神と人間の関係、キリストとイエスの関係に由来する。「神は人間である」ということ、「キリストはあの男イエスである」ということ、ここにこそ、徹底した無神論へと転回する原点があるのだ。この「神（キリスト）＝人間（イエス）」という等式は、さらにもう一段、転回させることができる。第4章（の第3節）で、神は、現象に内在する自己否定性以上のなにものでもない、と述べた。「現象に内在する自己否定性」とは、前章の最終節（第3節）に、グノーシス主義と関連づけながら述べたこと、すなわち、原初的な疎隔感と同じものである。「私はここに所属し（きれ）ていない」「私はここで場違いである」という還元不可能な自己疎外感こそ、現象に内在する自己否定性の正体にほかならない。言い換えれば、「現象」とは、とりわけ、この経験世界に内在し、そこを生きる〈私〉、すなわち人間である。結局、〈私〉とは、「この身体」に現前する現象の総体によって定義されるほかないからだ。

したがって、神と人間との関係は、人間の自己自身との否定的な関係へと還元することができる。「人間＝人間」「人間は人間である」というトートロジーの中に、否定性が宿るのだ。人間が人間とは一致しないということ、人間が人間以外であるということ。「人間＝人間」というトートロジーが、まったく反対の含意「人間≠人間」と完全に合致してしまうということこそが、イエス・キリストの十字架上の死の真実ではないか。トートロジーが、メビウスの帯をたどったときのような反転を被るということに、それほど驚く必要はない。たとえば、「可能性は可能性さ」という言明は、「可能であるとされていることは実は不可能だ」という意味であろう。「人間」をめぐるトートロジーにも、これに類する反転が生ずるのだ。

イエスが、自称として、ただ「人の子」のみを用いた理由もこうしたコンテクストにおいて理解すべきではないか。今しがた述べたように、アラム語の「人の子」が単に「一人の人間」という意味であるとすれば、「私は人の子である」という宣言は、「人間は人間である」というトートロジー以外のなにものでもない。このトートロジーが孕む自己否定性、それこそが神＝メシアである。

2　私≠私

前章の第1節で、イエスの病気治療の方法は、ただ、病人の身体に触れることであった、と述べておいた。このことの意味を評価すべき場所は、まさにこの論脈である。というのも、「人間は人間である」「私は私である」というトートロジーに否定性が宿るとして、その原点は、〈触れる〉という体験にこそあるからだ。

〈触れること〉を通じて〈私〉が現われるとすれば、〈私〉の存在が示されているのは、言うまでもなく、〈触れること〉の中に含まれている、〈この身体〉への帰属、自己帰属においてである。ところで、〈私が（何かに）触れる〉ということは、既にして、〈私が（何かに）触れられる〉ということ、〈（何かが）私に触れる〉ということでもある。この反転を、われわれは、かねてから、身体的な志向性の一般に伴う、求心化―遠心化作用として概念化してきた。〈触れること〉は、一方で、〈この身体〉に求心的に帰属した相で現象する。しかし、同時に、他方で、それは、志向性の中心を他所へと遠心化した相でも――〈（あちらに）触れられる〉という形式で――現象する。重要なことは、求心化作用と遠心化作用は、二つの異なることではなく、同じ一つのことの二つの表現だという点にある。

求心化作用に必然的に随伴する遠心化作用において、〈他者〉が、つまり志向性の担い手となるもう一つの異なる身体が、たち現われる。〈私〉は、あちらにも（〈私〉に）触れる身体があることを、否応なく直観することになるのだ。と同時に、〈他者〉は、〈私〉がそれをまさに生ける〈他者〉として捉えようとすれば、必然的に、〈私〉のその捉える作用から逃れ、死せる事物へと転落してしまう。すなわち、〈私〉が、〈他者〉の触れる作用そのものに触れようとしても、気づいたときには、常に、それは、〈私〉に専ら触れられているだけの事物的な対象となってしまうのだ。〈他者〉は、それゆえ、〈私〉の志向作用、〈私〉の把握しようとする作用からひたすら逃れていくもの、離れていくもの、遠くに去るものとしてのみ現われるのである。

エマニュエル・レヴィナスが、「愛撫」について述べていることは、以上の説明によって正確に理解可能なものになる。『存在するとは別の仕方で　あるいは存在することの彼方へ』には、愛撫に関して、次のように書かれている。

愛撫にあって、そこにあるものが、そこにはないものであるかのように、皮膚が自己じしんの退引の痕跡であるかのように、探しもとめられる。愛撫とは、それ以上ではありえないというほどにそこにあるものを、不在として求めつづける焦燥なのである。*1

愛撫において、「そこにあるもの」として探しもとめられているのは、触れる〈他者〉、〈私〉へと触れ返してくる〈他者〉の皮膚である。ところが、〈私〉が触れたとたん、その皮膚は、ただ触れられているだけの表面に転じてしまう。つまり、〈他者〉の触れる作用は、すでに「そこにはないもの」になっている。〈他者〉の皮膚の、〈私〉の「触れること」からのこうした逃走を、レヴィナスは、皮膚の「自己じしんの退引」と表現したのである。

〈触れること〉をめぐる以上の連関を概念化すれば、「私＝私」というトートロジーの内に否定性が宿るとでも表現するほかなくなる。「私がまさにこの私である」ということの究極の保証は、求心化作用において与えられる。〈私〉に対して現象しているこの世界の全体が、〈この身体〉であるところの〈私〉（のみ）を原点とし、〈私〉の近傍に拡がっているということが、〈私〉が他に代えられない〈私〉であることの根拠だからである。前節で、〈私〉は現象の総体によってこそ定義される、と述べたのは、この意味である。が、同時に、求心化作用の必然的な裏面たる遠心化作用が、〈他者〉の存在・臨在を自明なものとして示すことにもなる。とはいえ、しかし、〈他者〉が、〈私〉を原点とする世界の内的な要素として定位されてしまった場合には、もはや〈他者〉としての資格、〈他者〉の他者性が奪われてしまう。〈他者〉は、定義上、〈私〉と同じ権利で、一個の包括的な世界の原点となっていなくてはならないからである。したがって、遠心化作用は、

〈私〉に現われている世界の包括性を、したがって「私が私である」ということの根拠を否定する要素＝〈他者〉の存在を、不可避に――〈私〉自身に対して――示すことになる。ここで、求心化作用と遠心化作用が、まったく同じ事態であったことをあらためて想起するならば、「私＝私」（求心化作用）そのものの内に、その否定性（遠心化作用）が含意されていることになるだろう。

イエスの、次の治療のエピソードは、〈触れること〉に関する、述べてきたような精妙な関係性のダイナミズムを例解している。

さて、ここに十二年間も出血の止まらない女がいた。（中略）イエスのことを聞いて、群衆の中に紛れ込み、後ろからイエスの服に触れた。（中略）すると、すぐ出血が全く止まって病気がいやされたことを体に感じた。イエスは、自分の内から力が出て行ったことに気づいて、群衆の中で振り返り、「わたしの服に触れたのはだれか」と言われた。そこで、弟子たちは言った。「群衆があなたに押し迫っているのがお分かりでしょう。それなのに、『だれがわたしに触れたのか』とおっしゃるのですか。」しかし、イエスは、触れた者を見つけようと、辺りを見回しておられた。女は自分の身に起こったことを知って恐ろしくなり、震えながら進み出てひれ伏し、すべてをありのまま話した。イエスは言われた。「娘よ、あなたの信仰があなたを救った。

安心して行きなさい。もうその病気にかからず、元気に暮らしなさい。」（マルコ五章二五―三四節）

ここで、イエスは、後ろから不意打ち的に触れられる。まさに〈触れられる〉ことにおいて、イエスは、〈他者〉の存在を直観する。だが、その〈他者〉（女）を〈他者〉として把捉しようとしたときには、彼女は、既に、その把捉の圏内から去っている。〈他者〉（女）は、イエスの触覚、イエスの視野から逃れ行くという形式で、まずはその存在を示しているのである。つまり、〈他者〉たる女は、自己自身の退引として存在しているのだ。

したがって、イエスの治療活動の中核をなす〈触れること〉は、イエス・キリストの死ということにおいて示される論理が、生命力をそこから汲み出すところの源泉である。キリストの死の論理とは、繰り返せば、「人間＝人間」というトートロジーと「人間≠人間」の自己否定性の間の、あるいは「私＝私」と「私≠私」の間の同値関係のことである。この奇妙な同値関係が、まったく自然である場として、たとえば〈触れる〉という体験があるのだ。

＊

〈触れること〉への参照は、神の存在、神への信仰ということに関して、われわれを新しい展望へと導いてくれる。今しがた引用した、長血の女を癒すエピソードの中で、イエスは、女に、「あなたの信仰があなたを救った」と言っている。しかし、他方で、十字架の上で、イエス自身が、神への不信を露にしている。二つの態度は矛盾していないだろうか。矛盾はしていないのだ。二つのケースで、信仰の対象となっている神の存在の仕方、神のあり方が異なっているからだ。鍵は、繰り返し述べてきたことの含意を、もう一度、肝に銘じておくことである。〈私が触れる〉ということは、〈私〉に触れる〈他者〉がいるということを必然的に意味しているということ、これをである。これこそ、求心化―遠心化作用ということの意味だった。

ヨブの物語を想い起こそう。義人ヨブを次々と不幸が襲うとき、われわれは、こう問わざるをえない。いったい、神はどこにいるのか？　神はどうしてヨブを助けてやらないのか？　イエスが冤罪によって十字架上で処刑されそうになったときにも、われわれは、同じことを問うだろう。

こうした状況に際して、神を救い出す伝統的な論法は二つである。第一に、神は、地上の出来事、世俗的な不幸にはまったく関心がなく、そうしたことがらが属している領域からは身を引いていると考えるのである。そのような神への信仰を通じて、われわれは、物質的な世界、人間の世界の究極的な虚しさを自覚しなくてはならない、というわけである。グノーシス主義は、こうした態度に属する。しかし、ヨブやイエスの不幸を眺めながら、そんなことはどうでもよいことだなどとうそぶく神を、われわれは必要とするだろうか。

第二に、人間の観点からすれば、不可解な不幸や苦難のように見えるが、神の観点から見れば、それには、十分に筋の通った意味や理由がある、と考える信仰がありうる。こうした信仰に立てば、人間の近視眼的な理解からすれば不公正な傷や不幸も、歴史を総体として眺めている神の視点の中で、十分に補償され、合理的に説明されることになる。第3章で論じた「苦難の神義論」は、こうした信仰の最も徹底した形態である。しかし、ヨブの不幸を前にして、それらには、何か深い意味があるはずだ、などと言うことは、皮相で冒瀆的な気休めであると言わざるをえない。前々章で、われわれが論じたことは、ヨブのあまりにも剝き出しの苦難は、ついにそれを補償しうる神の存在に対して、消すことのできない懐疑を呼び寄せることになる、ということであった。

十字架の上で、イエスが絶望の叫びを上げたとき、その存在が否定されているのは、こうした信仰に相関した神、すなわちわれわれの行為が最終的に幸福な形で報われることを保証する、超越的な世話人のごとき神である。それならば、神はどこにもいないのか？　そうではない。〈私〉が存在するとき、同時に〈他者〉が現前するということ、触れるものとしての〈私〉の存在は、不可避に、〈私〉に）触れうるものとしての〈他者〉の現前をともなうということ、このことがヒントになる。神がいるとすれば、それは、この〈他者〉のようにいるのだ。

この点を例示するのに、スラヴォイ・ジジェクによって感動的に解説されている、マイケル・ケイトン゠ジョーンズ監督の『ルワンダの涙』の最終シーンを引くのがよい。これは、一九九四年にルワンダで起きた、フツ族によるツチ族のジェノサイドを描いた映画である。キリスト教学校に逃げ込んだ、一群のツチ族の難民は、自らが、もうじき、フツ族の暴徒によって虐殺されることを知っている。この学校の若いイギリス人教員は、絶望のあまり、彼にとって父親的な保護者でもある、年長の司祭クリストファー（ジョン・ハート）に問う。キリストは、この虐殺を防ぐために今どこにいるのですか、と。クリストファーは答える。キリストは、今ここにおられる（現前している）、未だかつてないほどにここにおられる、彼はわれわれと一緒に苦しんでいらっしゃる、と。

〈私〉が触れているとき、〈私〉に触れている〈他者〉が、〈私〉に取り憑いた幽霊のように現前している。同じように、〈私〉が苦しんでいるとき、苦しんでいる〈他者〉がともにいる。彼は、別に私を救出してくれるわけではない。ただ、〈私〉と一緒に苦しむだけである。そう呼んでかまわなければ、この〈他者〉こそは神であろう。イエスが病人の身体に触れたとき、彼は、何か特別なことをしているわけではない。彼に魔法のような技術が備わっているわけではない。病人は、イエスの身体に触れたとき、自らに触れ返してくる身体が、それゆえ、自分と同じように苦しんでいる身体がそこにあることを実感しただけであろう。

3　キリスト殺害の二つの効果

ここで、第2章からここまでの流れを、整理しておこう。第2章で述べたこと、そして第4章以降に論じてきたこと、これらを考え合わせるならば、結局、キリストの死、キリストの殺害には、まったく対立的な次の二つの効果がある、ということになる。

①第三者の審級（としての神）を抽象化することを通じて、超民族的で普遍的な作用圏を有する実体として措定すること。

②右記の実体を、経験的な現象の世界（の自己否定性）の中に解消すること。

たとえば、十字架の上でイエスが絶望の叫びを上げるとき、不信の念のもとに斥けられ、言わば死んでいるのは、①の神である。しかし、第2章で述べたように、キリストの殺害には、抽象的で普遍的な、実定的なものとして措定する効果（①）もまたあるのだ。前章でも、グノーシス主義を論ずる中で、①と②が、対立的でありながら、同時に峠の分水嶺のように隣接もしているということを示唆しておいた。グノーシス主義の、超物質的な神は、①の神の極端な抽象化の一帰結として解釈することができる。グノーシス主義がキリスト教と融合したことには、それゆえ、キリスト教そのものに内在した根拠があったのだ。①が「人間は神である（人間の神への抽象化）」という命題に対応しているとすれば、②は「神は人間である」という命題に対応している。

キリストが死んだ後に復活したことを強調するときには、①の側面が主として参照されている。逆に、辱めを受けて死んでいったことを直視したときには、②に力点が置かれる。①の効果を得ようとするときには、②の側面は抑圧されなくてはならない。「ヨハネによる福音書」によれば、キリストの復活に立会い、それを喜んだマリアに、彼はこう言っている。「私に触れてはいけない。私は、天の父のもとに帰っていないのだから」と。①の効果を得るためには、〈触れること〉を禁止しなくてはならなかった。今述べてきたように、〈触れること〉は、②の水準に属する、もう一つの神を現前させるものである。

逆に、②の効果に視点をおいたときには、①の効果を生もうとするベクトルは、自らを、つまり②をキャンセルしようとする力として現れることになる。実際、キリストの死後[*2]、キリストが栄光化されたときに、①の効果による②のキャンセルの力が働いている。

ここでは、預言者と後代の律法学者について述べた、イエスのあの謎めいた言葉、前章の冒頭に引いた言葉を、あらためて主題化しておこう。イエスは、彼の時代の律法学者が過去の預言者の墓を建立することを、悪いことととして――過去の預言者にとって悪いことであるとして――律法学者たちを批判している。預言者の墓の建立はどうしてよくないことなのか？　預言者の墓を建立することが、まるで預言者を否定しているかのようにイエスが言うのはなぜなのだろうか？

この疑問は、イエス自身が、その死後、どのような扱いを受けたのかを考えれば、解くことができる。イエスの死後、言わば彼のために立派な墓碑を作ること、つまり十字架を麗々しく飾り立て、祭壇に置くこと、このことこそ、イエス・キリストの死の真の衝撃（②）を隠蔽し、忘却することであろう。つまり、それは、②としてのキリストの死そのものを殺すこと（無化すること）である。同じように、預言者のために立派な墓を建てることこそ、預言者の死の真の意味を排除することであり、むしろ、預言者殺しに加担したことになる、というわけである。ここで、イエスは、過去の預言者に託する形で、自分の死後に起こりうる懸念を先取り的に表明しているのだ。

＊

キリストの死は、互いに背反しあう関係にある二つの社会的効果をもつと考えられる。

このことの意味を別の角度から照らし出すために、ひとつの問いを立ててみよう。あれは悲劇なのか、喜劇なのか、と。イエスの殺害をめぐる福音書の記述・物語は、悲劇なのか、喜劇なのか？　答えは自明であるように思える。あれを悲劇と呼ばずして、何であろうか。

キリスト教が、悲劇の精神を基底としており、喜劇を忌避していたということは、一四世紀初頭の北イタリアの、あるベネディクト会系修道院の文書館長ホルヘならば、賛成してくれるだろう。ホルヘとは、ウンベルト・エーコの原作小説をもとにした映画『薔薇の名前』に登場する盲目の修道士である。この映画は、修道院で起きた連続殺人の謎を、客人としてここを訪れた、フランチェスコ会の修道士ウィリアムが、弟子とともに解く、というミステリーになっている。僧院では、文書館での写本や翻訳の仕事にかかわっていた若い修道士が、次々と不可解な仕方で死んでいく。文書館に、何か秘密があるに違いない。やがて、そこには、世界で一冊しかない、アリストテレスの『詩学』の完全写本が隠匿されていた、ということが明らかになる。ホルヘは、『詩学』の写本を隠し、その存在そのものを否認していた。写本には、毒が塗られており、その頁をめくった者が死ぬように仕組まれていたのだ。だが、ホルヘは、どうして、そうまでして『詩学』写本の存在を隠す必要があったのか？

このことを理解するには、中世ヨーロッパにおけるアリストテレスの地位を知っておく必要がある。アリストテレスのテクストは、聖書に次ぐ権威であり、そこに書かれていることは、絶対的に正当なものと見なされた。それならば、『詩学』には、何が書かれていたのか？

『詩学』には、喜劇について書かれており、その効用が説かれていたのだ。実は、この部分は、エーコの創作である。現実には、『詩学』の中の悲劇論は残っているが、喜劇について論じた部分はほとんど失われている。エーコは、北イタリアの某修道院の書庫の中の写本に、喜劇論がそのまま残っていた、という設定にしたのだ。しかし、どうして、アリストテレスの喜劇論を読まれると困るのか？　ホルへの考えでは、喜劇や冗談は信仰の敵だからだ。笑いは、神への畏敬の念を失わしめる、というわけである。だから、彼は、写本室での冗談やいかがわしいおしゃべりを禁じ、そこで仕事をする修道士たちに笑ってはならないと命じていた。

ここには、キリスト教の信仰は悲劇と連動している、とする観念がある。実際、イエスの殺害をめぐる出来事を記述した福音書は、すぐれた悲劇のように思える。たとえば、佐藤研は、新約聖書の冒頭の四福音書、中でも成立時期が最も早い「マルコによる福音書」(紀元後七〇年頃)は、アリストテレスの『詩学』に規定された悲劇の条件を見事に満たす、すぐれた悲劇になっている、と論じている。[*3]

キリスト教と悲劇の関係についての標準的な見解をまずは確認しておこう。悲劇は、キリスト教以前に、古代ギリシアの精神や生を代表するものと見なされてきた。ホルへはずいぶんと心配したようだが、仮にアリストテレスの『詩学』の中の喜劇論が残っていたとしても、悲劇論ほどには影響力をもたなかったのではないだろうか。ニーチェの『悲劇の誕生』を参照するまでもなく、古代ギリシアの演劇の中では、喜劇よりも悲劇の方が圧倒的に優勢だからである。悲劇の前提として、ギリシア的な生活においては、人間の限界が、すなわち人間の実存の最終的な地平としての過誤、弱点、予見不可能性などが受け入れられていた、というわけである。そうした限界がなければ、悲劇など起こりようがないからである。オイディプス王は、最初から先を見通していれば、あんな失敗をしなかっただろう。

それに対して、キリスト教はどうか。述べてきたように、キリスト教もまた、悲劇を基調音にしているように見える。とはいえ、キリスト教においては、古代ギリシアと比べて、悲劇がいくぶんか弱まっているように感じられる。キリスト教において、悲劇の非悲劇化（佐藤研）が、あるいはもっと端的に、悲劇の喜劇化が、始まっているように思えるのだ。というのも、キリスト教においては、超越的な神が、幸福で理にかなった最終結果を保証してくれているからだ。人間の限界、つまり人間の過誤や弱点は、神が約束している、最終的な勝利の中で克服され、止揚されるだろう。イエス・キリストの死の悲劇すらも、その後の復活によって相対化されてしまう。後で蘇生するならば、死は少しも悲しくはない。

このように、ギリシア悲劇を規準において捉えたとき、キリスト教は、弱められた悲劇に対応しているように思えるのだ。しかし、この常識的な見解は間違っている。先に、われわれは、キリストの殺害は、対照的・対立的な二つの効果をもたらす、と述べておいた。この常識的な見解は、すなわち、キリスト教においては幸福な帰結が約束されているという見解は、①の意味での神に依拠している。だが、キリスト教には、反面②がある。とすれば、常識的な見解は、見直されなくてはならない。そこで、もう一度、問おう。キリスト教は悲劇の宗教なのか、喜劇の宗教なのか、と。

4　悲劇の条件

悲劇とは何か？　無論、最小限の必要条件として、それは、「苦難」を筋の最終部に含む物語でなくてはならないのだが、この条件のみでは、十分ではない。悲劇の定義に関しては、アリストテレスが『詩学』で提起している条件に、文芸批評で言うところの「受容理論」の要素を加算した、佐藤研の整理が有用である。

受容理論的要素から入ろう。悲劇とされる作品を読んだり、観たりした読者／観客は、

「恐怖」や「心痛」といった感情を主軸においた衝撃と、そこからくるところの認識とを得る。それだけではない。悲劇に対した読者／観客は、最後に、生への勇気を得るのだ。たとえば、オリヴァー・タップリンは、ギリシア悲劇に関して、次のように述べている。[*4]

ギリシア悲劇は根源的な恐ろしい出来事に正面から取り組むことによって、最も戦慄すべきこと、二十世紀末の様々な恐ろしい事柄にさえいかにして立ち向かい得るのか、そしておそらくはそれをいかにして乗り切ることができるのかを示していると思う。

だが、恐怖や心痛を覚えているのに、どうして、勇気が出てくるのだろうか？　アリストテレスは、もっと直截に「悦び」という語を用いている。悲劇固有の悦びとは、「心痛と恐怖ゆえの悦び」である、と。悲劇において、どうして、読者／観客の「負の感情」は正反対の「正の感情」へと転換するのか？　このからくりを解明するためには、悲劇の筋そのものが満たすべき条件を検討しなくてはならない。

アリストテレスは、悲劇の構成要素として六つのことを挙げているが、その中で最も重要な要素が「筋（プロット）」であることは言うまでもない。物語が悲劇になりうるためには、筋の中に「苦難」が含まれていなければならないのは当然だが、そのほかにも二つの要素が必要になる。

悲劇的な筋には、まず、「逆転」の要素がなくてはならない。逆転とは、劇中の状況が正反対の状況へと転換することである。無論、悲劇として成功するためには、転換は、常に、幸福から不幸へという方向でなくてはならない。たとえば、オイディプス王は、スフィンクスの謎を解き、テーバイを救出した栄光の王であったところが、父を殺し、母と交わった犯罪者へと転換する。

「逆転」に関して、アリストテレスは、ある限定を加えている。それは、「もっともな成り行き」として、あるいは「必然として」生起しなくてはならない、と。つまり、読者や観客には、いかに激しい逆転であろうとも、それは起こるべくして起きているのだと思えなくてはならないのだ、と。この「必然性」という条件に一見したところ反するような印象を与えるもう一つの限定を、アリストテレスは、「逆転」に加えている。それは、主人公の悪徳や邪悪さによってではなく、過誤によって、偶発的な過誤によって生じるのでなくてはならない、と。必然の転換と偶然の過誤とは矛盾しないだろうか。悪い者がまさにその悪さゆえに不幸に陥るという展開の方が、必然の印象を与えやすいのではないだろうか。この点については、すぐ後で立ち返って考察しよう。いずれにせよ、ソフォクレスの『オイディプス王』が、まさにこうした性質を満たした逆転を描きえていることは確かである。オイディプス王の不幸への転落は、アポロンの神託によって予言されていたことの実現であって、必然である。と同時に、この逆転は、数々の偶発的な過誤の結果であった。嬰児を遺棄せよという命令への違反、三叉路でのつまらぬ諍いからの殺人、テーバイの不幸へのおせっかいな介入等の結果として、転換が招かれたのだ。

悲劇の筋が満たすべきもう一つの要素は、アリストテレスによると、「認知」である。認知とは、何も知らなかった状態から何かを知っている状態への移行のことであり、この移行は、状況の「転換」とともに生ずるのが望ましい。この点でも、アリストテレス自身がそう認めているように、『オイディプス王』が模範的である。彼は、出生の秘密の探究の末、突然、自分が父を殺し、母を妻としていたことを認知するのだ。認知とは、逆転を含んだ自身の運命の認知にほかならない。

アリストテレスや佐藤研の論述に依拠しながら、悲劇の条件を整理してきた。悲劇が成り立つためには、筋は、「苦難」「逆転」「認知」の三つの要素を含んでいなくてはならない。これらから、悲劇を悲劇たらしめる本質的な構成が自然と明らかになる。悲劇が成就するためには、二つの分裂した視点が必要であり、かつそれらが関係づけられなくてはならないのだ。

二つの視点が必要だという事実は、同じ「逆転」が必然と見えると同時に、偶発的な過誤の結果にも見えるという二重性のうちに現われている。一方では、逆転を、必然的な運命として規定し、選択している超越的な他者（第三者の審級）がいる。その超越的な他者の視点からすれば、逆転は、すでに自分が選択してしまっていることの展開なのだから、必然である。だが、他方で、主人公をはじめとして筋に内在している登場人物たちは、超越的な視点をもちえないので、彼らの個々の偶然の選択は、そうした運命をもたらすとは知らなかった「過誤」――超越的な視点をもちえていたら決してなしえなかったはずの選択――のように現われる。しかし、こうした二つの視点の分裂を、ただ放置したままでは、悲劇のまさに劇的な効果は生まれない。両視点を関係づける要素が、「認知」の契機である。認知とは、内在的な視点を有する主人公が、運命を規定している超越的な他者の視点の存在を知ることであり、同時に、その運命の中で自分に割り当てられた役割――自らに苦難をもたらすような役割――を受け入れることなのである。

ここから、悲劇の主人公に関して、ひとつの結論が導かれる。人が悲劇の主人公になるためには、最小限の人間的な威厳が保たれていなくてはならない、と。ある状況を悲劇的なものとして体験するということは、今述べたように、超越的な他者（神）が、必然の運命として割り当てた役割を引き受けることである。言い換えれば、それは、超越的な他者からの承認を得ることである。この承認によって、彼は、苦難の状況にあろうとも、尊厳を保ちうるのである。この文脈で、アリストテレスが悲劇の人物が満たすべき性格に関して述べていることを検討してみると興味深い。アリストテレスは、悲劇の人物の性格に関して、何とも微妙なことを述べている。その人物は、われわれよりも優れた人物でなくてはならないが、徳と正義において極端に優れた人物であってはならない、と。実際、オイディプスは、まさに、こうした中間的な水準の人物であろう。「徳と正義において極端に優れた人物」であったら、それはもはや、超越的な他者の域に達している。そのような人物であれば、過誤はありえない。だが、それでも、悲劇の中の人物は、やはり「優れている」のである。つまり、彼は、尊敬に値する人物なのだ。[*5]

ここから、悲劇において、他人の苦難を見ることが恐怖や心痛をもたらすのに、同時に、そうした負の感情が勇気や悦びにも転ずるのはなぜなのか、という懸案の問いへの解が導かれる。読者や観客は、主人公に自身を同一化させながら、悲劇を読んだり、観たりしている。したがって、彼または彼女は、まさに苦難の体験において、超越的な他者（第三者の審級）からの承認を得ているに等しいことになる。この場合、苦難を体験することが、そのまま、苦難を乗り越えることでもあるのだ。悲劇は、こうして、苦難という敗北において英雄を生み出すのである。

さて、それならば福音書に記されたこともまた、ひとつの悲劇なのか？　イエスはオイディプスのような悲劇の英雄なのか？

＊1　熊野純彦『レヴィナス入門』ちくま新書、一九九九年、一八五頁（Emmanuel Lévinas, *Autrement qu'être ou au-delà de l'essence*, Paris: LGF, 1974）。

＊2　キリストが、身近に「ユダ」という、忘れ去られる運命にある裏切り者を配する必要があった理由を、こうしたキャンセルの作用をあらかじめ防遏《ぼうあつ》するためだったと解釈することもできるのだが、この点については、後に論ずる。

＊3　佐藤研『悲劇と福音』清水書院、二〇〇一年。

＊4　Oliver Taplin, *Greek Tragedy in Action*, Oxford University Press, 1978.

＊5　ヘーゲルは、『精神現象学』で、「召使は召使である」というフランスの諺を引きながら、近代社会において「悲劇」が成り立ちにくい理由を考察している。近代社会は、人間を「単なる人間」に還元する社会、「人間（召使）は所詮人間（召使）である」という諦念の上に立つ社会である。どんなに英雄的に見えることでも、つまらぬ利害や欲望に動機づけられている、ということを暴くことが、近代的な振る舞いだということになる。そういう態度は、威厳を保つ悲劇的英雄を生み出しにくい。

第7章　これは悲劇か、喜劇か

1　悲劇としての福音書

イエスの死と復活を記した福音書の物語は、悲劇か、それとも喜劇か？　これがわれわれの問いであった。一見、この問いは、つまらない疑問に思える。福音書の物語は、悲劇に決まっているからである。それは、どの角度から眺めてもとうてい喜劇には思えない。

実際、佐藤研がていねいに確認しているところによれば、福音書の筋は、前章で見てきたような悲劇の定義的な要件をすべて備えた、完全な悲劇である。[*1]悲劇の筋（プロット）が満たすべき条件としてアリストテレスが挙げている要素の中で重要なのは、「苦難」「逆転」「認知」の三つであった。福音書は、これら三つをすべて備えている。

まず、当然のことながら、福音書には「苦難」が記されている。イエスの苦難、弟子たちの苦難が、である。「逆転（幸福から不幸への）」の要素も明白である。イエスは、最初、民衆に好意的に、ときに熱狂的に迎えられる。とくにエルサレムに入城した際には、「イスラエルの王」として、歓呼をもって迎えられる。しかし、最後に、イエスは、十字架刑という、当時としては最も恥ずべき刑罰によって殺されてしまう。イエスは、処刑の直前に、いばらの冠をかぶせられる等の後に、「ユダヤ人の王、ばんざい」というアイロニカルな嘲笑の声を浴びせられる。エルサレム入城時の真の王としての扱いから、王のパロディへのこうした転落は、悲劇に固有の「逆転」の要素を際立たせている。

「認知」はどうか？　認知とは、何も知らない状態から肝心なことを知っている状態への移行のことであった。たとえば、オイディプスは、最初は自分が父を殺し、母を娶《めと》ったことを知らなかったが、後でこれを知り、衝撃を受ける。福音書に関していえば、この「認知」という条件だけは、いくぶんかあいまいである。悲劇固有の「認知」の要素が、福音書においては、どうしてもあいまいなものになってしまうのは、イエス自身が「神」だからである。アリストテレスによれば、悲劇の人物は、徳と正義においてわれわれ（凡人）よりも優れていなければならないが、かといって極端に優れていてはならない。しかし、イエスは、神（キリスト）である以上、極端に優れた者として描かれるしかない。この点が、「認知」の要素を微妙で、あいまいなものにせざるをえない。

一方で、イエスは、神として、自分にやがて訪れる受難（と復活）をあらかじめ知っている。彼は、受難物語の前に、何度か、受難を予言している。「マルコによる福音書」では、イエスは、三回、受難・復活を予告している。たとえば、「人の子は必ず多くの苦しみを受け、長老、祭司長、律法学者たちから排斥されて殺され、三日の後に復活することになっている」（八章三一節）と事前に語っている。しかし、こうした予告の存在を、「認知」の要素の否定・不在を示すと解釈すべきではない。むしろ、イエスの予告において、「認知」が、現実の「逆転」の前に先取りされているだけである。実際、こうした予知や予感があるからといって、福音書の物語の悲劇的なトーンは、いささかも弱まったりはしない。つまり、「どうせあとで甦るのだから、ここはひとつ、あいつらに殺されておくか」といった気楽な調子で物語が展開していくわけではない。どうしてだろうか？　どうして、イエスは、復活することを知っているのに、彼の死へと至る過程が悲劇的なのか？　次のように考えればよいだろう。たとえば、『オイディプス王』においては、われわれは、アポロンの神託の意味を知りつつ、それを知らないオイディプスの行動をはらはらしながら眺めている。福音書では、この神託の役割とオイディプスの役割を、イエスがひとりで兼ねているのである。

それゆえ、他方で、イエスは、普通の人間のように、つまり自分の受難の運命を未だ知らない者のように振る舞ってもいる。イエスの人間的な極点が、ゲッセマネの場面である。イエスは、最後の晩餐の後、そしてユダヤ人官憲に逮捕される直前、ゲッセマネという名の土地に、弟子たちを引き連れて祈りに行く。イエスらはユダヤ人の長老たちの反発をひしひしと感じており、敗北の予感は、異様に高まりほとんど確信の域に達している。そんな中で、イエスは、大地にひれ伏して祈る。もしできることならばこのときが彼から去っていくように、と。「アッバ、父よ、あなたには何でもおできになります。この杯をわたしから取りのけてください……」と。これほど痛々しい場面がほかにあろうか。パスカルは、宗教的感情の源となるような秘義 mystère をこの場面に見ている。

しかも、この場面で、イエスの弟子たちは、彼の祈りの間起きて待っているようにとのイエスの命令にもかかわらず、眠りこけてしまうのである。イエスは、何度か弟子たちのもとにもどり、彼らを起こすのだが、イエスがいつ戻ってきても、弟子たちは眠っている。周知のように、イエスの弟子たちは、イエスが逮捕されるや散り散りになって逃げ去り、イエスを裏切る。ゲツセマネでの弟子たちの眠りは、この裏切りを強く予感させる。だから、イエスは、弟子たちに言う。「わたしは死ぬばかりに悲しい。ここを離れず、目を覚ましていなさい」。民衆に王として崇められ、歓呼の中で迎えられていた男が、やがて、彼を敬愛し、彼に付き従ってきた弟子にさえも裏切られてしまうとは。

ゲツセマネの祈りの場面には、悲劇に固有の典型的な「認知」を読み取ることもできる。イエスは、神に助けを請いながら、そのすぐあとに、こうも言う。

「しかし、わたしが願うことではなく、御心に適うことが行われますように。」

これは、悲劇を構成する「運命の受容」、神が定めた運命の受容である。アリストテレスのいうところの（悲劇の構成要素としての）「認知」とは、（幸福から不幸への）逆転を含んだ自分の運命を認知することであり、それゆえ逆転を必然として引き受け、受容することであった。これから自分が経験する過程を、「あなたの思い」、神の思いの実現と見なす、ここでのイエスの言葉は、それゆえ、悲劇の条件たる「認知」を表明するものと解釈することができる。

イエスは、「徳と正義において極端に優れた人物」だが、われわれよりいくぶんか優れているという程度の弟子たちの方に眼を転ずれば、そこには、さらに典型的な悲劇を認めることができる。イエスは、最後の晩餐の場面で、弟子たちに対して、彼らのイエスへの裏切りを予言する。

「あなたがたは皆わたしにつまずく。『わたしは羊飼いを打つ。すると、羊は散ってしまう』と書いてあるからだ。しかし、わたしは復活した後、あなたがたより先にガリラヤへ行く。」（マルコ一四章二七―二八節）

弟子たちは、口ぐちにそれを否認する。しかし、結局、彼らは、イエスを裏切ることになる。それは、佐藤研が指摘するように、アポロンの神託を避けようとすればするほど、逆に不可抗に、神託に予言されていた通りのことをやってしまうオイディプスの悲劇に比せられる。「わたしは羊飼いを打つ」で始まる神の言葉が、『オイディプス王』の神託に対応するのだ。『オイディプス王』の登場人物と同様に、イエスの弟子たちもイエスの予言を否認し、イエスに信従しようとすればするほど、背信は不可避なものになっていく。最も悲しく、そして美しくもある場面は、ペトロの否認のエピソードであろう。イエスが予言した通り、彼は、三度、イエスを否む。鶏が二度鳴いた瞬間、ペトロは予言が成就したのを「認知」して、泣き崩れるのだった。

このように、福音書は、完璧な悲劇、完備された悲劇である。それは、悲劇の「筋」が満たすべき三つの要素――「苦難」「逆転」「認知」――のすべてを有している。だが、最後に、死んだイエスが復活したことによって、悲劇はいくぶんか否認されるのではないか。悲劇の悲劇性は、この最終場面が付け加わることで、弱まっているのではないか。もしオイディプスが殺したと思っていた男（父）が、傷を負っただけで、まだ生きていれば、オイディプスの悲劇は、著しく軽くなっただろう。同様に、死んだはずのイエスが生きていたのだから、悲劇は緩和されるのではないだろうか。

そうではない。復活の場面が付け加わることで、悲劇は否定されるのではなく、逆に真に成就するのだ。どういうことか。前章で述べたように、悲劇は、必然的な運命を規定する、超越的な他者（第三者の審級）の存在を、前提にしている。登場人物たちの偶発的な過誤が、必然的な逆転を画すものとしても現われるのはそのためであった。偶発性という様相は、登場人物の内在的な視点に対して、必然性という様相は、超越的な他者の視点に対して（より厳密に言えば超越的な他者の視点の存在を前提にしたときの内在的視点に対して）現われる。悲劇における、あの「認知」という要素が、二つの視点を媒介している。「認知」とは、前者の視点（内在的視点）が、後者の視点（超越的視点）を、己の前提として引き受けることを意味しているからである。悲劇において避けようにも避けられずにやってくる苦難は、こうした他者（第三者の審級）の超越性の容赦のなさを示す媒体になっているのだ。しかし、通常の悲劇においては、このような超越的な他者の存在は、潜在的な前提となっているだけである。実際に行動するのは、そうした他者の定めた運命に翻弄される人間たちのみだ。しかし、繰り返せば、悲劇が真に示そうとしているのは、運命の必然性を定める、超越的な他者の存在である。

それならば、肝心な超越的な他者の方を顕在化させてしまったらどうであろうか。それこそ、自分の運命をあらかじめ予言し、まさにその予言通りに殺され、そして復活するキリストではないだろうか。一般の悲劇において潜在的でしかなかった真のねらいを顕在化したとき、新約の福音書が得られるのである。その意味で、福音書は、完成された悲劇と言うべきである。後で復活したからといって、福音書の物語の悲劇性が減じるわけではない。

2　喜劇としての福音書

だが、それにもかかわらず、福音書の物語は、同時に、悲劇のまったき否定、つまりは喜劇でもあるのだ。最後にキリストが復活して、ハッピーエンドになっているから、悲劇が損なわれている、と言っているのではない。まったく逆である。悲劇にとって最も重要な要素である「苦難」の要素があまりにも大きいがゆえに、逆に、悲劇は損なわれるのだ。苦難の過剰によって、悲劇は喜劇へと裏返ってしまうのである。この点には説明が必要だろう。

前章で、受容理論的な観点から、悲劇的作品を観たり、読んだりすることで、人は悦びを感じ、生きる勇気を得る、と述べておいた。悲劇は、一方では、恐怖とか心痛といった負の感情をともなう衝撃を読者／観客に与えるが、同時に、快感や悦びといった正の感情や、生への勇気をもたらしもする。たとえば、『オイディプス王』や『ハムレット』を観て、人は、カタルシスを覚え、何らかの快感を得るだろう。翌日からの仕事への意欲もわいてくるかもしれない。悲劇において、心痛のような負の感情が勇気のような正の感情へと転化するのはなぜなのか、そのからくりについても、前章で、説明しておいた。鍵は、悲劇における苦難への転回を、必然の運命として規定する超越的な他者（第三者の審級）の存在にある。悲劇の主人公に自己を同一化して、作品を鑑賞する読者や観客は、その超越的な他者からの承認を得たに等しい感覚を得るのである。

それならば、ここから思考実験を延長してみよう。たとえば、アウシュヴィッツの強制収容所に送られたユダヤ人の話は、「悲劇」だろうか。ナチスのユダヤ人強制収容所で、隠語で「ムーゼルマン（回教徒）」と呼ばれていた、生ける屍のようになってしまったユダヤ人たち、動物的な生への意欲すらも失ってしまったユダヤ人たちは、悲劇の主人公であろうか。あるいは、スターリン主義時代の見せしめ的なショウのような裁判で、あらゆる辱めを受けた被告を、悲劇の主人公と呼んでもよいのだろうか。もっとはっきり問おう。「ムーゼルマン」やスターリン的法廷の犠牲者を観て、あるいはその語りを聞いて、誰かが、確かに一方では痛ましさを感じるが、他方では、悦びや勇気をも得た、と発言したとしたらどうだろうか。ユダヤ人の強制収容所やスターリン主義のショウのごとき裁判を観たとき、『オイディプス王』や『ハムレット』を観劇したときと同じ感動や快感を得たと、誰かが言ったとしたらどうであろうか。倫理的にみて、これほど醜悪な冒瀆はない。ナチスの犠牲となった「ムーゼルマン」やスターリン時代に粛清された人々の苦難は、もはや悦びや勇気を誘発することはない。同じことは、ヨブの不幸やイエスの苦難に関しても言えるのではないか。次々と不幸に襲われるヨブの話を聞いて、同情しつつ同時に悦びや勇気の感情がわいてくるとしたら、それは、あまりにも不穏当である。まったく謂れなき罪で――それどころか数々の弱き人々の病を癒したことで逆に――十字架刑に処せられたイエスの物語に感動して、生きる勇気が出てくるとしたら、その人は、イエスの苦難の意味がよくわかっていないと言うべきではないか。

これらのケース（アウシュヴィッツ、スターリン時代の粛清裁判、ヨブ、十字架のイエス）は、言ってみれば、悲劇を通り越してしまっている。適切な悲劇の枠内に収まる出来事と、悲劇を越えてしまう出来事とは、何が違うのだろうか？　何が両者を分けているのだろうか？　悲劇を通り越した出来事は、いったいどこへ向かうのだろうか？

前章で、悲劇においては、主人公は、最小限の人間的な威厳を保持している、と述べたことを想起しよう。威厳が消え去ってしまえば、悲劇は成り立たない。威厳こそは、運命を規定する超越性の相関物だからである。言い換えれば、「威厳」は、ある人物が、彼にその運命を不可避なものとして割り当てた（と想定される）超越的な第三者の審級の肯定的な承認を得ていることの証である。たとえば、オイディプスは、その呪われた運命を敢然と引き受けることで威厳を保つのだが、このことは、まさに彼に悲劇的な役割を与えた運命の神の承認を受けているということを意味している。

それに対して、悲劇を通り越してしまったケースでは、登場人物たちに、人間的な威厳のかけらすら残ってはいない。たとえば、アウシュヴィッツの過酷な環境の中で、あらゆる気力も体力も失った回教徒に、「どんなに辛くても威厳を保て」などと言うべきではあるまい。あるいは、冤罪で、十字架刑という、当時としてはこれ以上はありえないほどの辱めを受けている人物に、人間的な品位や威厳を期待したとすれば、その期待こそ、むしろ、この上なく品位を欠いたものと言わざるをえない。「ムーゼルマン」や十字架のイエスに対して威厳を要求することは、あるいは、そもそも彼らを前にして自分だけ威厳を保ったり、上品さを保っているだけでも、恐ろしく反倫理的である。どうしてか。誰でも、「ムーゼルマン」や十字架上のイエスの立場に置かれたら、威厳や品位など保てるはずがないからである。言い換えれば、少しでも威厳や品位を保持できているとしたら、それは、自分がたまたま「ムーゼルマン」ではないから、十字架刑に処せられた犠牲者ではないからだ。

＊

このようにして悲劇を通り越した出来事が行きつく先、それは何か。それこそ喜劇である。つまり、悲劇以上の悲劇は喜劇になる。このことは、次のように考えれば、よくわかる。たとえば、かつての宮廷では、王のすぐ脇には道化が付いていた。王が、威厳を極大値において有する身体であるとすれば、道化は、その零度である。王と道化という対照を用いれば、喜劇の原型とは、次のような場面ではないだろうか。王の入場を伝える宣言が麗々しく発せられる。「王様の御成り」と。この宣言の直後に実際に入場してきたのは、不器用な道化であったとする。このとき宮廷に参集していた臣下たちが目にすることこそ、ミニマムな喜劇とも呼ぶべきものであろう。

これと同じことを、芝居としてではなく、現実の歴史的場面で実演したのが、イエス・キリストである。[*2]「ここに神様をご紹介します」と宣言したあとにやってきたのは、酒好きで、ふらふらと歩き回ってばかりいる、大工のせがれだった、というわけである。「これが神様です」と紹介された先にいたのは、名もなき盗賊と一緒に殺された惨めな青年だった、というわけである。実際、ローマ総督ピラトは、激昂するユダヤ人群衆の前で、イエスを指して、「この人を見よ ecce homo」と叫ぶ。これこそ、「ここに神様がいます」という宣言ではあるまいか。

このように、極大の威厳や超越性を帯びた対象が出現することが期待されていた場所に、それらのまったき欠如が、それらをいささかももたない対象が提示されたとすると、このとき喜劇的効果が生まれる。ユーモアとは、こうしたギャップによって、威厳や超越性を侵食する力であろう。しかし、以上の論述が示してきたように、このとき喜劇として提示されているものは、悲劇以上の悲劇、悲劇の内に収容しきれない苦難とも解しうる。悲劇の悲劇性を徹底して追求したとき、メビウスの帯を辿るような反転が生じて、喜劇の側へと出てしまうのである。「人間は人間である」というトートロジーを純化させたとき、「人間≠人間」という自己矛盾に至りつくのと同じ論理（前章参照）が、ここで作用している。

このような悲劇から喜劇への転回に関して、ヘーゲルはすこぶる重要なことを述べている。この転回は、表象作用の限界にかかわっているのだ、と。悲劇においては、役者は、何らかの普遍的な特性（人物）を演じ、表象している。最終的には、悲劇の役者は、人間を遍くとらえる運命を表象しているのだ。第5章で、「荒野の行進」と関係づけたような、異教の神々の物語も、広い意味での悲劇の範疇に属しており、こうした表象作用に依拠している。たとえば、バビロンのアキトゥ祭儀では、マルドクとティアマトは、それぞれ、創造（善）と破壊（悪）を表象している。それに対して、喜劇においては、表象作用が、その機能を停止してしまう。表象作用に必要な距離が、すなわち表象するものと表象されるものとの間の差異が消えてしまうからである。イエス・キリストのことを思うと、このことは直ちに理解できる。イエスという人間は神を演じ、表象しているわけではない。イエスが直接に神（キリスト）なのだから。

それゆえ、整理すれば、福音書の物語は悲劇でもあり、かつ喜劇でもある。ただし、両者が同時に成り立つわけではない。それを悲劇として見たときには、喜劇の側面は後景に退き、喜劇と見なしたときには、悲劇としての側面は排除される。こうした分岐は、前章の第3節で示した、「キリストの殺害」の二つの背反しあう効果に対応している。神を十分に抽象的実体として措定する効果（①）とそうした実体を解消する効果（②）が、それらであった。①の効果によってもたらされる神に準拠したときには、福音書は、まさしく、よくできた悲劇である。復活の場面も含めて、それは悲劇の範疇に属している。悲劇が、運命を規定する超越的な他者（第三者の審級＝神）の存在を前提にしてはじめて成り立つことを思えば、これが、①に対応していることが理解できるだろう。しかし、②の効果に即してとらえれば、福音書の物語は喜劇である。神をみじめな人間へと還元することが喜劇の原型であったことを思えば、②が喜劇に対応していることは明らかであろう。悲劇の局面でのイエスの典型的な言葉は、先に引用した、ゲッセマネにおける殊勝な祈りの言葉、「わたしが願うことではなく、御心に適うことが行われますように」という恭順の言葉である。喜劇に対応したイエスの言葉は、前章の第1節に引用した、神への絶望の言葉、「エロイ、エロイ、レマ、サバクタニ（我が神、我が神、何ぞ我を見捨て給いし）」である。

3　キリストとともにいるユダ

イエス・キリストは、どうしてそのすぐ脇に、自分を裏切る弟子たちを引き連れているのか？　イエスほどの洞察力をもった男ならば、弟子たちは覚悟も勇気も足りず、危機的な状況のもとでは、彼を裏切ることになることを見抜いていたはずだ。というより、よく知られているように、イエスは、弟子たちが自分を裏切ることを、自ら積極的に予言してさえいるのだ。それなのに、どうして、イエスは彼らを護衛のように、最後まで伴っているのだろうか？　もっと不思議なのは、イスカリオテのユダがその中にいることだ。ユダは、イエスを敵に、ユダヤ人官憲に売り渡す。イエスは、ユダが彼をこれほどまでに手ひどい仕方で裏切ることを、つまりユダがいかがわしい人物であることを、見抜けなかったのだろうか？　ユダがいなければ、イエスはユダヤ人官憲に捕らえられなかったかもしれないというのに[*3]。福音書テクストの悲劇的かつ喜劇的な性格をめぐる、ここまでの考察は、これらの疑問にある回答を示唆する。

ユダは祭司長たちから銀貨三十枚を受け取ってイエスを裏切った、というのが「通説」である。だが、福音書の記述はさまざまなので、ユダの裏切りの実際は、詳しくはわかっていない。たとえば、銀貨の量を「三十枚」と特定しているのは、マタイ福音書のみである。マルコ福音書やルカ福音書では、ただ「銀貨」とあるだけだ。マタイ福音書の記者は、イエスの値踏みを、預言者エレミヤ（実際にはゼカリヤ）を通して語られたことの成就であったと解したかったので、「三十枚」と記したのだろうが、おそらく、この数字は事実ではなかろう[*4]。いずれにしても、ユダは、祭司長たちからいくらかの金を受け取って、イエスを裏切ったのではないだろうか。それがいくらだったとしても、この裏切りの歴史的な影響力の大きさと比すれば、破格に安いと考えられる。

ユダの手引きによって、イエスがユダヤ人官憲に引き渡されるのは、ゲッセマネの祈りの直後である。イエスが、眠っていた弟子たちを起こし、立ち去ろうとしていると、ユダが、最高法院から派遣されたユダヤ人の群衆とともにやってくる。群衆の中の誰もイエスの顔を知らないので、ユダが、「この人がイエスだ」と示すために、師イエスに接吻する。[*5]そのため、イエスは難なく捕縛されてしまう。

追究してみたくなる事実の一つは、イエスと同行していたはずのユダがいつイエスのもとを離れ、ユダヤ人たちのもとに走ったのか、ということである。述べてきたような状況から判断すると、イエスがゲッセマネに行ったとき彼に同行した弟子たちの内にユダが入っていなかったことは間違いない。問題は、その直前の「最後の晩餐」の場面で、まだユダはイエスたちと一緒にいたのか、ということである。

ヨハネ福音書によれば、イエスは、晩餐の最中に、「イスカリオテのシモンの子ユダ」を名指して、その裏切りを予言している。自分を裏切る者はこのパンを受け取る者だとして、イエスは、パンをユダに差し出すのだ。そこまで直接に指定されてしまえば、ユダとしてもパンを受け取るほかない。彼は、パンを受け取った後、ただちに食事の場を去って行ったことになっている。このような記述を根拠にして、裏切り者のユダは、この神聖な食事にはふさわしくない者であって、最後の晩餐をともにしなかった、と解釈する傾向があるが、ヨハネ福音書は、勧善懲悪的な粉飾が多いので、その記述はあまり信用できない。福音書中最古のものであるマルコ福音書では、イエスは、晩餐の途中で、ある弟子の裏切りを予告するが、その弟子が誰であるかを特定してはいない。この予告は、弟子たちを動揺させる。弟子たちの一人ひとりが、「まさかそれはこの私では」という不安に襲われるのだ。しかし、ユダが裏切り者と指し示されているわけではないので、彼も晩餐を最後まで共にしたと解釈するのが自然だろう。ルカ福音書では、ある弟子の裏切りが予告されるのは、晩餐の後とされている。この記述に従った場合には、ユダが最後の晩餐の終わりまでいたことは確実になる。

このように——詳細は不明だとしても——、ユダは、わずかな金銭と引き換えに、イエスを裏切ったとされている。だが、ユダだけを大悪人のように見なすのは不当で、裏切りという点では他の弟子も大同小異ではないか。イエスが捕縛されたとき、弟子たちは全員、イエスを見捨てて、逃げ去ってしまった。イエスの直弟子を誇ったところで、実際には、誰一人として、イエスを命がけで助けようとはしていない。そして、先にも述べたように、ペトロは、イエスの仲間であることを三回否認する。このように他の弟子たちもイエスを裏切っているのだから、ユダとの差は相対的なものに過ぎないのではないか。最も優れた弟子とされているペトロと最悪の弟子ユダとの差異は、決して絶対的なものとは見なしえないのではないか。その通りである。われわれは皆、ある程度はユダだと言ってよい。

とはいえ、しかし、それでもユダと他の弟子との間には、ユダとペトロの間には、ある根本的な差異がある。簡単に言えば、他の弟子たちの裏切りや変節は、まだ悲劇の範疇に属しているが、ユダの裏切りは、もはや悲劇の中に収めることができないのだ。鶏が鳴く前に、イエスを否認したペトロの弱さには、まだ最小限の威厳が残っている。その証拠に、ペトロは、鶏の声を聞いたあと、悔い改めて号泣するのである。だから、われわれもまた、その弱さに共感し、カタルシスを得ることもできる。しかし、ユダの場合には、そうはいかない。ユダの裏切りにも、共感できるところ、許せる部分がある、とはとうてい言えないのだ。ユダの裏切りは、悲劇以上の悲劇の領分へと、つまりは喜劇の領分へとすでに入り込んでいるのだ。

その後、つまりイエスを裏切り、敵の手に委ねた後、ユダはどうなったのか。それには、さまざまな伝承がある。たとえば、二世紀前半の「パピアスの断片」には、次のように記されている。*6


ユダは不信仰の代表的見本として、この世で生を送った。彼の肉体は大層ふくれあがったので、車が容易に通り抜けるところを、彼は、それもその頭すらも、通り抜けることができないほどであった。彼の目のまぶたは大変はれあがったので、彼は光を全く見ることができず、また医者が器具を使って彼の目を見ることもできないほどであったという。それ（＝目）は（彼の身体の）外表からこんなにも深く（おちこんで）いたのである。彼の恥部はあらゆる恥ずべきものよりも不愉快、かつ大きく見えた。そして、それを通して身体中から流れ集まる体液とうじ虫とが、ただ（身体の）必要性によって運び（出され）て、恥ずべき有様（となっていた）。彼は多くの責苦と（罪に対する）むくいと（をうけた）後で、自分自身の地所で死んだといわれる。その土地は（彼の）においのゆえに、今に至るまで荒れていて、人が住まない。また今日に至るまで誰も、鼻を手でふさがないでは、そのところを通りすぎることもできない。彼の肉を通して、地上で、このような流出がおこったのであった。*7

このように描かれたユダは、あまりに悲惨であるがゆえに滑稽だと言うほかあるまい。ここで、ユダは、喜劇の登場人物である。

＊

さて、問題は、イエスがなぜユダを随行させたのかである。イエスは、どうして、ユダの邪悪な性格を見抜けなかったのか。あるいは、彼がユダのこうした悪に気付いていたとしたら、なぜ、彼はユダに同行を許したのか。

ところで、少し前に述べたように、マルコ福音書・ルカ福音書によれば、イエスは、最後の晩餐の最中か、あるいはその後に、弟子の誰かの裏切りを予言して、弟子たちを動揺させている。これに対して、ヨハネ福音書では、イエスは、ユダを直接に裏切り者として指し示すのであった。実は、これらの中間、すなわち裏切り者のまったくの不定と完全な特定との間の中間を描いているのが、マタイ福音書である。ここで、キリストは、まず十二弟子に対してこう言う。「あなた方に言っておくが、あなたがたのうちのひとりが私を裏切ろうとしている」と。すると、弟子たちは不安を掻き立てられる。ここまでは、マルコ・ルカ両福音書と同じである。このあと、おそらく弟子たちの中でも最も気が弱かった人物ユダが、イエスに問うてしまう。「先生《ラビ》、それは私ではないでしょうね」。イエスの答えは、こうだ。「あなたは、そう言いましたね」（マタイ二六章二一節、二五節）。ここでイエスは何をしているのか？　ここで、イエスは間接的に暗示をかけて、ユダを裏切りへと誘惑しているのではないだろうか。今、誰もが自分こそは先生が言うところの「それ」かもしれない、という不安におののいている。まさに、そんな不安の中で、先生に「あなたはまさに『私はそれではない』と言ったな」などとわざわざ念を押されてしまえば、逆に、ユダは、操られているかのように裏切りに走ってしまうのではないか。ちょうど、何かをしてはいけない、いけないと思えば思うほど、逆にそれをしてしまうときがあるのと似ている。イエスは、こういう人間の心理の仕組みに精通していたに違いない。おそらく、イエスは、「あなたがたのうちのひとりが……」と発言しているときには、まだ、誰が自分を裏切るのかわかっていない。最も脆い精神の持ち主が、こらえ切れなくなって、彼に質問してくるのを待っているのだ。その露呈した弱さに便乗するように、彼は暗示をかけたのである。もし現実がこうであったとすると、イエスの予言は単純に中《あた》ったわけではない。いわゆる「予言の自己成就」のメカニズムにしたがって――予言自体が予言されている状態に主体的に介入することを通じて――、予言と合致した事態が生み出されているのだ。

この場面についてのマタイ福音書の記述は、すべての福音書を総合するようなものになっている。予言時における「裏切り者の不定性」と「特定性」の中間とも見なすべき、「結果的・間接的な特定性」を描いているのが、マタイ福音書だからである。こうした折衷性のゆえに、その記述には真実味がある。だが、もしそうだとすれば、謎はますます深まってくる。イエスは、あれほど恐れていた自分の死をもたらすかもしれない裏切りへと、弟子の一人をわざわざ誘惑していることになるからだ。イエスは、なぜ、ユダに裏切らせたのだろうか。

鍵は、福音書に描かれた物語の、悲劇的でもあり喜劇的でもある、という二重性にこそある。キリストの殺害が、二つの対照的な帰結をもたらす、という二重性である。しかも、両者は背反的であり、一方が迫《せ》り出せば、他方は退いてしまう。と同時に、両者は相互に反転可能であって、①（悲劇）から②（喜劇）へと、あるいは②（喜劇）から①（悲劇）へとすぐに裏がえってしまうのである。このことを考慮に入れたとき、イエスがそのすぐ脇に、とてつもない裏切り者を作り出した理由がわかってくる。

　イエスの――おそらく自分自身でさえも意識はしていない――最終的な狙いは、②の方にある。つまり、神でもあるような人間の、悲劇を通り越した喜劇的なまでの惨めな死の方にある。イエス・キリストは、あらゆる死の中で最も惨めな死を死ななくてはならない。実際、確かに、十字架上の彼の死は、当時としては、この上なく悲惨なものだ。だが、まさにそれゆえにこそ、キリストの死は人類のための死として崇高化され、万人の模倣の対象ともなったのだ。こうした後からの崇高化によって、キリストの死の悲惨さ、惨めさはキャンセルされてしまう。結局、それは、一介の人間の哀れな死ではなく、超人間的で英雄的な殉死へと転換する。つまり、ここで、キリストは、まさに死という様相において存在する抽象的な神として保持されるのである。これこそ、キリストの復活ということであり、①の効果に他ならない。こうして②（喜劇）へのベクトルは、①（悲劇）の方へと簡単に反転してしまうのである。

　だが、死にゆくキリストのすぐ脇には、最後まで、喜劇的な惨めさを貫く人物がいる。ほかならぬユダである。ユダの犠牲的な行為――キリストへの裏切り――は、後からの崇高化によって補償されることがない。誰も、彼を褒めてはくれないだろう。誰も、それに憧れないだろう。ユダの犠牲は、徹頭徹尾惨めであり、たとえば殉死者のように死後の栄光化を想像することで喪失を埋め合わす、ということもできない。だから、ユダの死は悲劇にすらなりえないのだ。だが、それこそは、本来は、キリストの死のあるべき姿ではないか。イエスは、自身の死が、後に栄光化されることで、その意義を無化してしまうことを知っていた。②が①へといつでも回帰しうることを知っていた。だから、彼は、純粋に喪失的な行為を生きる人物を、まさに無償の犠牲を生きる人物を指名し、自身のキリスト性をその人物に転移したのではないか。[*8] 彼の死は、①へと反転することなく、②の水準に留まり続けるはずだ。ユダの裏切りは、②から①への反転を通じて（再）措定された（抽象的な）神を、再び殺すものだからである。

　マルコ福音書によると、イエスは、裏切りの予言をした後で、弟子たちに実に恐ろしいことを言う。

> だが、人の子を裏切るその者は不幸だ。生まれなかった方が、その者のためによかった。（マルコ一四章二一節）

イエスを裏切ることになる人物の人生を全否定するようなこの言葉は、普通、イエスのその裏切り者への呪詛の言葉として解釈されている。確かに、この解釈は正しいだろう。イエスからこれほどの呪いの言葉を浴びせられるということは、神の究極の怒りにふれるということである。なぜなら、イエスはキリスト（神）なのだから。神に「お前は生まれてこなかったほうがよかった」などと言われたら、もう救いようがない。しかし、キリストの死がその意義を完全に成就するためには、このような神の怒りに曝される、惨めで嫌悪すべき状態へと還元される、裏切り者がどうしても必要だった。そうだとすると、この呪詛は、同時に、裏切り者を不憫に思う愛の表現でもあったのではないか。キリストの愛とは、英雄化されうる悲劇の人物への愛ではなく、喜劇的な惨めさに打ち捨てられている者への愛なのだから。

＊1　佐藤研『悲劇と福音』清水書院、二〇〇一年。

＊2　Slavoj Žižek, *The Parallax View*, Cambridge, Massachusetts: The MIT Press, 2006, p.105.

＊3　ユダについては、以下の二著を参照。荒井献『ユダとは誰か――原始キリスト教と「ユダの福音書」の中のユダ』岩波書店、二〇〇七年、荒井献『ユダのいる風景』岩波書店、二〇〇七年。

＊4　「ゼカリヤ書」に、主（ヤハウェ）から託されていた羊飼の職務を返上したとき、「私」は、羊商人たちから値踏みされ銀貨三十枚という「輝かしい価」の報酬を与えられた、とある。「輝かしい価」は、完全な皮肉で、屈辱的なまでに低額という意味である。荒井献によれば、この金額は、古代ユダヤでは、奴隷一人分の

値段にあたる。したがって、ユダが、ユダヤ人祭司長からの銀貨三十枚でイエスを敵に委ねたということは、イエスの値段と奴隷の値段を等置しているということである。

＊5　この接吻は、「この人を見よ ecce homo（これは神だ）」のユダ・ヴァージョンである。しかも、「この人を見よ」が、ピラトの場合のように、離れたものを指で指し示す形式によってではなく、つまり主客が分離している形式によってではなく、接吻という直接の身体接触によってなされていることが重要である。

＊6　パピアスは、「ヨハネ福音書」の著者とされている長老ヨハネと近しい関係にあったとされる人物である。

＊7　佐竹明訳、荒井献編『使徒教父文書』講談社、一九九八年、二五六頁。

＊8　ここで、注5で述べたこと、つまりユダ版の「この人を見よ」は接吻という身体接触によって実現されたという事実を、もう一度、思い起こそう。触覚は、身体の求心化－遠心化作用が最も明確に現われる知覚のモードである。そして、前章で述べたように、求心化－遠心化作用において、「これは〈私〉であること〈私〉がいること」と「〈他者〉がいること」とが相互に反転可能な同値的事態として出現する。言わば、接吻による「これはキリストである」という指し示しによって、キリストとイエスが交替し、ユダこそがキリストの身代わりになったのである。

第8章　もうひとつの刑死

1　ヘレニズムとヘブライズムの融合

われわれの探究を駆動する基本的な謎は、普遍性という問題であった。普遍性が、その反対物、徹底した特殊性や特異性によってこそ喚起されるのはなぜなのか？　特異的であることの普遍性というこの二重性を、この上なくあからさまに提示している社会現象は、資本主義である。一方で、資本主義——産業資本を核においた体系的な資本主義——は、きわめて特殊な文化的な背景を土壌としてのみ生まれえた。しかし、他方で、資本主義は、今や、どのような文化的なコンテクスト、どのような宗教的な慣習にも適応しうる、中立的な機構《マシン》でもある。しかし、われわれは直ちには資本主義を探究の対象とはせず、ヴェーバーの有名な示唆をも念頭におきながら、資本主義をさらにその源流とも言うべきキリスト教にまで遡り、まずはキリスト教という宗教の独特な性格を考察してきたのであった。

資本主義の二重性、きわめて特殊的でありながら、他方で普遍的な波及力をもっているように見えるという二重性は、〈西洋〉という文化現象の二重性の一断面である。西洋もまた、他の文明と同様に、特殊な歴史的な経緯の産物である。しかし、西洋という文明だけが、地球的な規模の影響力を発揮した。その結果こそ、「近代」にほかならない。

ところで、西洋とは何であろうか？　西洋を規定する文化的源流は二つであることがよく知られている。そのうちの一つは、言うまでもなく、キリスト教、あるいはヘブライズムである。もう一つは、ヘレニズム、言い換えれば古代ギリシア文化である。両者が、見事に調和的に融合することで、西洋が成立する。

両者の融合は、キリスト教の誕生の直後から始まっている。それどころか、ヘレニズムとの合体があって、キリスト教は初めてキリスト教になった、と言っても過言ではない。というのも、キリスト教を言わば理論的に整備したのは、イエスその人ではなく、パウロだったからである。パウロは、ギリシア的な教養を身に付けた人物であり、新約聖書の最も重要な著者である。パウロがいなければ、キリスト教は宗教としてのアイデンティティを持つには至らなかっただろう。だが、よく知られているように、パウロは、いわゆる十二使徒の一人ではない。つまり、彼は、イエスに直接つき従っていた弟子ではないし、生前のイエスに会ったこともなかった。逆に、パウロはもともと、熱心なファリサイ派のユダヤ教徒として、キリスト教徒の弾圧にあたっていた。しかし、彼は、劇的な回心の体験によって信仰に目覚め、キリスト教の教義を整えるに至ったのである。イエスの死後、十二使徒の中の一人が消え去る。ほかでもない、ユダである。その空隙を埋めるかのように、パウロが現われ、キリスト教に理論的な骨格を与えたのである。

以降も、ヘブライズムとヘレニズムは、緊密に結びつき、統合され、西洋を形成した。だが、そうであるとすると、ひとつのことが大きな疑問として浮上する。まったく出自を異にする二つの文化的伝統——ヘブライズムとヘレニズム——が、なぜかくも見事に調和的に融合し、一つの文明を形成することができたのか？　一方から他方が派生したわけではない。まったく独立に生まれた二つの流れが、見事に調和的に補い合って、一種の弁証法的な総合を成し遂げているのである。この謎に迫ってみよう。

2　二つの刑死——類似と相違

興味深いことに、どちらの流れも、その源泉に、中核的人物の冤罪による刑死がある。キリスト教の場合には、言うまでもなく、イエスの十字架刑がそれである。これについては、われわれは、すでにていねいに論じてきた。ヘレニズムの場合には、原点にある刑死として、ソクラテスの死を挙げることができるだろう。二つの刑死は、一方ではよく似ており、他方では非常に異なっている。

いくつかの点で、ソクラテスの刑死は、イエスの刑死と類似している。アテナイでソクラテスが告訴され、死刑になったのは、紀元前三九九年である。それは、古代イスラエルでは、イエスの贖罪思想の前史とも言うべき「第二イザヤ」の時代に対応する。ソクラテスが法廷に告訴された理由は、彼が「青年に有害な影響を与え、国家の認める神々を認めない」ことにあるとされている。イエスの場合よりはいくぶんかましだとはいえ、この罪状も、決して明快とは言えない。さらに、ソクラテスが実際にやったことと対照させれば、イエスと同様に、ほとんど冤罪であることが明らかである。

「青年に有害な影響を与え」たという点に関しては、ソクラテスの弁明演説によれば、彼はアテナイの街角で人々と哲学的問答を交わして、彼らに、自身の無知への自覚を促しただけである。青年に害を与えるどころか、それは、善き人の善い行為であると解すべきものであろう。これは、イエスが、罪人を救ったことで、また人々の病を癒したことで、罪に問われたという事実を連想させる。ソクラテスは、賢人を装うものが、つまり何かを知っているかのように思っている者が、実は、まさにその知っているとされていることを知らないことを暴きだした。ソクラテスへの訴えは、自らの無知を「エレンコス〈論駁的対話)」と呼ばれる議論によって証明されてしまい、恥をかかされた者たちの、ソクラテスへの憎悪に端を発している、と考えるべきであろう。これは、イエスへの訴えが、イエスの人気に対する、ユダヤ人のリーダーたちの嫉妬に淵源しているのと似ている。「国家の認める神々を認めない」という告訴理由は、ほとんどでっち上げの罪に近い。ソクラテスは、自分はダイモニオンの存在を認めており、ダイモニオンとは神ないし神の子を指しているのだから、こうした告訴理由は当たらないと反論している。イエスもまた、瀆神罪の疑いをかけられている。無論、イエスへのこの嫌疑には何の根拠もない。この点でも、ソクラテスのケースとイエスのケースは並行している。

もうひとつ、二つの事件で類似しているのは、判決がともに民主主義的な決定の形式をとっているということである。イエスの場合には、長老によって扇動されたユダヤ人群衆の満場一致の判断によって、十字架刑が確定している。ソクラテスの判決は、民主主義によって知られたアテナイの法廷によってもたらされた。ソクラテスの裁判は、アテナイ市民五〇〇人が参加した、公開の裁判だった。原告となったのはメレトスという名の詩人で、アニュトスなるポリスの有力者がその背後にはいた。票決は二回行われており、有罪／無罪を決定する最初の投票は僅差で有罪となったのだが、量刑についてのソクラテス側の申し出が——すぐ後に述べるように——あまりにも法外であったため、陪審員たちの反感を買い、(量刑を決める) 二度目の投票では、大差で死刑が確定した。[*1] イエスの十字架刑においてもソクラテスの裁判においても、熱心な少数の扇動者がいたとはいえ、判決は、決して、特定の権力者の専断に基づいたものではない。

しかし、イエスの刑死とソクラテスの刑死では、いくつかの点で大きく異なっており、ときに対照的でさえある。まず、弟子たちの対応が、まったく逆である。ソクラテスの弟子や友人は、脱獄を勧める等、ソクラテスを救出しようと努力する。それに対して、イエスの弟子たちは、イエスが逮捕されるや一目散に逃げ去っている。いや、それどころか、イエスの場合は、彼に最も鋭く敵対した者、彼の息の根を止めた者は、ある観点からすれば、直接の弟子（ユダ）であった。もっとも、弟子たちの対応の違いは、状況の単純な差異に依存している。イエスの弟子たちは、自分たちも一緒に処刑される恐怖を抱いているが、ソクラテスの弟子たちには、そのような恐怖心はない。

ところで、周知のように、ソクラテスは、結局、弟子たちの勧めを断り、脱獄することなく死刑を受け入れた。この事実を考慮に入れた場合、ソクラテスのケースとイエスのケースの対照は、さらに微妙なものに見えてくる。前章で述べたように、イエスの振る舞いは、弟子（ユダ）を誘惑して、彼に対して裏切らせているようにすら見える。そうであるとすれば、次のように構図を描くことができる。ソクラテスもイエスも、自身の死刑を受け入れている点では同様である。ソクラテスにおいては、弟子たちは、師のそうした決断を阻害するように行動している。それに対して、イエスは、彼を愛する弟子までも利用して、自らを死へと追い込んでいる。そうであるとすれば、イエスとソクラテスの対照は、徹底性の相違として描いておくことができるかもしれない。つまり、イエスは、ソクラテスの徹底した反復である。無意識のうちに目指されているもの（刑死）は同じであり、ソクラテスにおいては負の要因（弟子がソクラテスの決断を翻そうとしている）だったものが、イエスにおいては正の要因（弟子がイエスの暗示にかかって、イエスを処刑へと導いている）へと転換しているのである。

このように考えた場合には、イエスの方が、ソクラテスよりも強く死を希求していることになるだろう。それならば、「死」が、イエスにとって、ソクラテスにとってよりも強くポジティヴな意味をもったものとして現われているということなのだろうか？　そうではない。むしろ、まったく逆であり、まさにこの点においてこそ、イエスのケースとソクラテスのケースは、最も顕著に対立しているのである。どういうことか？

イエスもソクラテスも、さしあたっては、自分の行為が死刑のような重い処罰に値するものであるとは思っていない。まったく逆に、彼らは、自らの行為を善いことと見なしていたに違いない。ソクラテスは、公開の裁判で、自身の無罪を堂々と主張する。さらに、有罪の票決後、自身に相応しい量刑を問われたときのソクラテスの回答は、あまりにも意外なものであった。当時、アテナイの裁判では、被告人が有罪と決まった後、告訴人と被告人の双方から、量刑の提案がなされることになっていた。告訴人アニュトスの求刑は、無論、死刑であった。それに対して、ソクラテスは、死刑という最悪を逃れるために、一ランク低い追放刑を要求すると思われていた。ところが、ソクラテスが自身の行為に相応しい「刑罰」として提案したのは、「公会堂での無料の食事」であった。公会堂での無料の食事は、刑罰ではなく逆に、当時のアテナイでは、最高の称賛を公的に表現する方法——オリンピアの競技での優勝者などがこれに与《あずか》った——であった。ソクラテスの言い分は、自分がやったことは、魂への配慮を人々に促すことであって、それはポリスへの最上の奉仕であり、それへの報いは、当然、公会堂での無料の食事であるべきだ、というものである。一片の反省の色すら見せない、この傲岸な要求に、アテナイの市民は憤慨し、先に述べたように有罪か無罪かの票決では僅少差であったにもかかわらず、死刑を圧倒的な多数で議決してしまう。したがって、ソクラテスにとっては、死刑は、これ以上はありえないほど不当な判決であったはずだ。自らに科せられた死刑を、まったく不当であると見なしていたという点では、イエスも同様である。ゲツセマネで、死を免れることができるようにと、命乞いの祈りを捧げたのが、その何よりの証拠である。イエスのこの祈りは、ソクラテスの「(彼自身の) 量刑の提案」に対応している。

したがって、当然ながら、どちらも、自分に対する死刑の判決を、不当なものと感じている。しかし、にもかかわらず、刑死の意味が、両者にとって、まったく異なってもいる。そのことは、クリトンの勧めにもかかわらず、ソクラテスが脱獄しなかったのはなぜなのか、死を逃れようとしなかったのはなぜなのか、と問うことで明らかになる。クリトンの勧めに対するソクラテスの回答は、こうである。「大切にしなければならないのは、ただ生きるということではなく、善く生きるということなのだ」と。つまり、脱獄という明白な違法行為よりも、たとえ不当であるとの最初の印象を避けえないとしても、合法的に判決に服することの方が善い、ということである。圧倒的に不当でバランスを欠いた判決の根拠になっていたとしても、ソクラテスの観点からすれば、なおアテナイの法には一片の価値があるのだ。それに対して、イエスの十字架上の死には、この「一片の価値」がない。ユダヤ教の律法に従って――と言いうるかどうかは微妙だが、少なくともユダヤ人たちが求めるところに従って――、十字架上で惨めに死ぬことは何かよりは善い、とは断じて言えないだろう。十字架上の断末魔の叫びの中で自ら表明しているように、イエスが神に見捨てられたと感じたのは、そのためである。ソクラテスの「善く生きるということなのだ」とイエスの「エロイ、エロイ……」との間には、目を覆いたくなるほどの距離がある。ソクラテスの刑死には、ポジティヴな価値があり、イエスの磔刑には、それがまったくないのだ。

そうであるとすれば、ここには逆説がある。イエスにとっては十字架上の死は、ソクラテスの刑死とは異なって、まったく無価値なものであったはずなのに、どういうわけか、彼は、わざわざ弟子を誘惑してまで、自分を、その無価値な死の方へと追いやっているように見えるからだ。ソクラテスは、そこまで手の込んだ関係性を、弟子や友人との間に築いてはいない。

3　告白とパレーシア

さて、われわれの疑問は、ヘブライズムとヘレニズムというまったく出自を異にする文化的契機が、調和的に融合しえたのはなぜなのか、という点にあった。イエスの磔刑とソクラテスの毒殺刑は、それぞれの文化的契機を隠喩的に代表する二つの死である。われわれは、今後の考察のための道標のようなものとして、両者の類似と相違とを確認しておいたのである。

ここで、考察を深めるための骨太の補助線を引いておこう。骨太の補助線とは、ミシェル・フーコーである。どうして、フーコーによる探究が、それほど役に立つのか？　フーコーの探究の全体の歩みが、まさに、ヘブライズムとヘレニズムという主題を軸としているからではあるが、ことがらの繊細な意味を理解するためには、少しばかり彼の研究の内部に立ち入ってみる必要がある。フーコーの探究の主題は、本来は、西洋における「近代」の、とりわけ「近代的な主体」の出現を跡付け、そのことを通じて、それらを相対化し、超克することにこそあった。フーコーの仕事を全体として概観したことがある者には、このことは明らかであろう。

初期のフーコーの研究は、彼が「考古学」と呼んだ、独特な方法に基づいている。考古学とは、事物や言説（発言の集合）がいかなる無意識の規則（希少化、排除、制限、拘束）に従って配置されてきたかを歴史的に探究することである。考古学的研究の最大の成果は、『言葉と物』（一九六六年）である。『言葉と物』は、西欧の知の配置を支える台座となった観念が、ルネッサンス期の「類似」、古典主義時代（一七―一八世紀）の「表象」、近代（一九世紀以降）の「人間」の順に転換してきたことを論証した書物である。このように考古学は、それぞれの時代の言説の配置とその不連続な転換を示す。だが、そうだとすると、まさに言説を特定の形態へと配置させる原因は何なのか？　たとえば、近代の言説を、「人間」という形象を準拠点として配置させ、体系化する原因は何か？　それを、まさに「権力」と見定めることから、フーコーの後期の研究が始まる。後期の研究は、しばしば、「（権力の）系譜学」と呼ばれる。

系譜学に属する代表的な著作の一つが、『監獄の誕生―監視と処罰―』（一九七五年）である。フーコーは、この書物の中で、それまでの考古学的探究が示してきた知の断絶線に対応する地点で、つまり古典主義時代から近代への越境がなされる一八世紀末期に、権力のタイプの大きな転換があったことを鮮やかに示してみせる。そのとき登場した近代的な権力は、ベンサムが考案した監獄のモデル「パノプティコン」によって隠喩的に表現される。フーコーが示しているように、パノプティコンに原型を有するような権力は、監獄、病院、学校、家族に張りめぐらされ、それが可能にする身体の規律訓練《ディシプリン》によって、個人の身体が主体（人間）として形成されていく。

続く、『性の歴史』の第一巻『知への意志』（一九七六年）とその直後のフーコーの研究は、個人を主体化するこの近代の権力の系譜を、西欧のキリスト教の伝統にまで遡って探っていくことにあてられた。ここで、フーコーは、中国、インド、日本、アラブ等の他地域でそれぞれに見出される「性愛の術」に代わって、西洋だけが固有に「性の科学」を発達させたという事実に注目した。西洋にだけ「性の科学」が出現したのはなぜなのか？フーコーによれば、「性の科学」を可能にしたのは、「告白」の伝統である。ここで言う告白とは、カトリックの中で、つまり西洋のキリスト教世界の中で生まれた独特の言語行為である。信者は、聴聞僧に対して、そして究極的には神に対して、徹底した執拗さで、自己について、自己の罪について、自己の欲望について告白しなければならなかった。こうした告白への要請に従うことの結果として個人が主体化する、というのがフーコーの立論である。性は告白の中心的な主題である。フーコーによれば、告白から真理を導き出す、主体の解釈学として、西欧は一個の知を構築したのだ。

フーコーの研究を、教科書的な標準に従って概観してきた。これによって明らかなように、要約してしまえば、フーコーは、近代の規律訓練型の権力の源泉には「告白」がある、と見なしたのである。以上のフーコーの議論のポイントを理解するためには、ほんとうは、少なくとも、パノプティコンによって表象されるような規律訓練型の権力は、どうして、個人の身体を主体化することができるのか、また規律訓練型の権力と「告白」とはどのような論理的あるいは歴史的な関係があるのか、なぜ後者は前者の先駆形態と見なしうるのか、といったことを説明しなくてはならない。しかし、目下の文脈でわれわれにとって必要なことは、まずは、フーコーが、近代をもたらした権力の原点に、ヘブライズム（キリスト教）に由来する文化的要素を見出していた、という骨格を確認しておくことだけである。

さらに後のフーコーの研究では、個人の身体を主体として形成していく権力の系譜の原点に、支配者（神、王）と従属者の関係を牧人と羊の群れに喩えた、古代のヘブライズムの考え方が見出される。神や王を、羊の群れを従えた牧人と見なすイメージは、ギリシア人やローマ人の間ではほとんど馴染みのないものであった。それに対して、古代オリエント社会では、王や神は牧人に比せられてきた。とりわけ、牧人のテーマを好んだのは、古代ユダヤ人であった。彼らにとって、真の牧人は、神《ヤハウェ》である。羊の群れの一頭一頭に、個別化された慈愛の眼差しを向ける牧人は、一人ひとりの告白に耳を傾ける神に似ている。こうして、人を告白へと促し、さらに近代的主体を結晶する権力の源への系譜学的遡行は終わる。そこには、古代ユダヤ教の世界が見出されているのだ。

しかし、権力についてのフーコーのこのような認識には、政治実践上の閉塞が含意されていることが明らかであり、フーコーのエピゴーネンたちを悩ませてもきた。一般に、権力の抑圧や構成作用に対する反抗の可能性の論理的根拠と見なされているのが、権力から自由な主体である。だが、フーコー的な系譜学が斥けたのは、こうした通念である。それが示したことは、権力への抵抗の拠点となるべき、個人という主体は、それ自体、権力の――古代のヘブライズムの世界で誕生し近代において完成した権力の――産物であって、そうした権力にとってはいささかの脅威でもない、という事実である。とすれば、権力の捕捉から人は逃れられないのか？

フーコーの晩年の研究が、こうした懸念を払拭してみせる。規律訓練する権力への従属から逃れて、自己が自己（の身体や欲望）の真の主人であるような状態は、つまり自由はいかにして可能か？　この問いに、フーコーの最晩年の二著――『性の歴史』の第二巻・第三巻にあたる『快楽の活用』『自己への配慮』（ともに一九八四年）――および同時期の講義は、ほかならぬ西洋の伝統の中に、規律訓練する権力から逃れる「自由」を可能にする要素があったということを、明らかにすることで答えてみせる。その要素は、西洋を構成するもう一本の糸の中に、ヘブライズムとは異なる流れの中に、つまりヘレニズムの糸の中に、古代ギリシアの思想の内に見出される。「自己への配慮 le souci de soi, epimeleia heautou」という観念こそが、それである。

フーコーによれば、自己への配慮は、全ギリシア思想に貫通している中核的な観念である。たとえば、ギリシア思想の中心的なテーゼとして、とりわけソクラテスの名と結び付けられているテーゼとして、「汝自身を知れ」という命令がある。しかし、この命令は、自己への配慮の一部でしかない。ソクラテスが、アテナイの道行く人をつかまえては説いたのは、自分にとって付属物であるようなもの――富や地位など――を自分自身に優先させてはならない、自分自身に気をつけて、できるだけ善い者となるように、思慮ある者となるように配慮しなさい、ということである。もう一例、挙げておこう。フーコーは、ストア派が、自己への配慮のために、自己吟味の四つの技術を提案していることに注目している。同志の間で互いの生活の細部を記述しあう書簡、自己の良心の点検、自己認識のためのアスケーシス（禁欲）、そして夢の解釈がそれらである。

このように、自己が自己自身に対して統治可能であるように自己への配慮を保持するための生の技法があれば、やがて規律訓練型の権力へと成長していく牧人型の権力の支配を逃れる、抵抗の拠点が確保できるだろう。フーコーは、そうした技法をヘレニズムの伝統の中に発見した。だが、このようにフーコーの探究を全体として概観したとき、誰もがうすうす気づきながら、あえて声を大にして言うことがなかった疑問が頭をもたげる。自己へと配慮する個人と近代的な主体性とは、どう違うのだろうか？　自己自身に自己言及的に配慮する個人とは、主体の定義そのものではないか？

無論、「自己への配慮」と、近代的な主体を産出する機制とは、単に歴史的な起源において異なっているだけではなく、その論理的な構成においても異なっており、フーコーは、そのことをきちんと指摘している。自己への配慮という観念は、真理に到達するためには、主体は、自分自身を全体として修正し、自分に変形を加えなくてはならない、自分とは別のものにならなければいけない、という要請を含意している。自己への配慮は、この意味で、認識と実践の統一を目指している。それに対して、近代的主体においては、真理に到達するために必要な条件は、ただ認識のみであって、そこにあっては、主体の総体的な変形は必要がない。

このように、「自己への配慮」と近代的主体の条件とは、確かに異なってはいる。しかし、両者は、甚だしく異なっているわけではない。「近代」への対抗の拠点として見出されたものが、意外なほどに近代的な主体と類似している、という事実は否みがたい。しかし、まさにこの類似性こそ、われわれの考察にとっては教訓的なのではあるまいか。なぜか？　われわれの問いは、出自をまったく異にしている二つの文化的契機、ヘブライズムとヘレニズムが、なにゆえに、調和的に統合しえたのか、ということにあったからである。ヘレニズムの原点にある「自己への配慮」という観念と、ヘブライズムの伝統の最終産物である近代的主体の構成とが、異なりながらも、基本的な形式においてはむしろ類似しているということ、この事実は、ヘブライズムとヘレニズムとが融合しえた理由を解明するための重大なヒントを蔵しているように思えるのだ。

*

古典古代における「自己への配慮」という観念を探究する中で、フーコーの最終的な関心は、「パレーシア parrêsia, parrhêsia」というギリシアの概念に集中していった。死の直前の二年間を、フーコーは、パレーシアの研究に費やしている。[*2] パレーシアとは、率直な語り、真実を語ること、真理への勇気等を意味するギリシア語である。自己への配慮を通じて、真理へと到達した主体は、パレーシアを実践するはずである。「自己への配慮」がギリシア思想の中心的な観念であるとすれば、「パレーシア」は、その中心の中の中心である。

この概念は、われわれの考察にとっても、きわめて有利な戦略的な拠点となるだろう。パレーシアは、あの「告白」と、一見したところではよく似ているからである。先に述べたように、告白は、キリスト教（カトリック）に由来する実践であり、フーコーの考えでは、近代の規律訓練する権力の前段階にあたる。告白とパレーシアとはどう違うのか（どう同じなのか）？

それが何であるかを知るには、それが何でないかを知るのが、最も手っ取り早い。パレーシアが、どのような意味で告白ではないかを示す前に、古典古代（ヘレニズム）の文化の内部で、パレーシアとパレーシアならざるものとの区別を付けておこう。古典古代の文化の中で、フーコーがパレーシアと鋭く対立する実践と見なしているのは、「レトリック」である。パレーシアとは、端的に言えば、「真理を語ること dire-vrai」である。それに対して、レトリックの眼目は、「うまく語ること bien-dire」にある。

パレーシアとレトリックの対照を際立たせるためには、それらの社会参加の在り方を比較するのがよい。第一に、パレーシアは、真理を語ることである。レトリックにおいては、語られたことが真理かどうかは二義的で、最も重要なことは語り方である。それに対して、パレーシアは、真／偽の分割を本源的なものとして前提にしている。パレーシアとは、ある事柄を率直に、そして明快に、いかなるごまかしや虚飾も抜きに語ることなのである。第二に、パレーシアという語りは、個人的で内的な確信を言表することである。自分がまぎれもなく信じていることを語らなければならないのだ。それに対して、レトリックにおいて肝心なのは、自分が信じているかではなく、相手を信じさせること、つまりは説得することである。パレーシアとレトリックの対照は、語る者が信じているのか、語られる者が信じている（ことになる）のかの差異である。第三に、パレーシアは、しばしば危険にさらされる語りであり、その危険を引き受ける勇気を必要としている。パレーシアが危険なのは、真理は、しばしば他者の感情を傷つけるからである。それゆえ、真理を語ることは、他者の怒りや憎悪といった、他者からの否定的で攻撃的な反応を引き起こす。それに対して、レトリックにおいては、他者に追従すること、他者の肯定的な反応を利用することが重要である。

レトリックの教師の典型は、言うまでもなく、ソフィストである。それに対して、ソフィストに対抗し、彼らの欺瞞を暴いたソクラテスこそは、パレーシアの人だと言えるだろう。だから、われわれは、まずソクラテスに注目したのであった。

だが、パレーシアが、内的な確信に裏付けられた真理の語りであるとするならば、それは、告白とよく似ているのではないか？　パレーシアと告白はどう違うのだろうか？

まずは、両者の根本的な共通性を見ておくことにしよう。両者は、ともに、何らかの意味での他者、超越性を帯びた他者との関係における語りである。告白が可能なためには、告白を聞き、また告白を誘発したり指導したりする他者が必要である。その他者は、究極的には神だが、現実の場面では、懺悔を聴聞する司祭とか、良心の指導者といったかたちをとる。同様に、パレーシアにおいても、指導者や師として意味づけられる（超越的な）他者が前提になる。人は、自分を激励したり、応援したり、あるいは指導したりしてくれる他者がいて、初めて、真理に到達できるのであって、一人では何もできないのだ。要するに、自分に呼びかけてくれる他者の導きの中で、真理を語ることができるようになるのだが、しかし、この点では、同じことが、キリスト教世界にもいくらでも見出される。

それならば、違いはどこにあるのか？　パレーシアと告白の違いは？　簡単である。告白においては、語るのは、つまり言説を産出するのは、従属的な位置にいる者、導かれる者である。超越的な位置にいる「他者」は、ただ沈黙している。その「他者」がいなければ、告白は決して始まらないのだが、しかし、彼は何かをするわけではない。つまり「他者」は、自分の内的な確信も、欲望も、思考も明かすことはなく、中立性を装うのだ。

パレーシアにおいては、逆である。まずは指導者が語らなくてはならない。少なくとも最初は、師の方が語るのであって、弟子の方は沈黙していなくてはならないのだ。パレーシアでは、指導者が、積極的に語り、またその発言に合致した形で行動することが、絶対的な条件である。その指導者の語りと行動を媒介にして、真理が明らかになるからである。

告白とパレーシアの間のこうした対照――あるいはもっと慎重に言い換えれば共通性と差異――は、ヘブライズムとヘレニズムの相補的な関係を解き明かすための重要な手掛かりとなるだろう。

4　天才の真理／使徒の真理

告白もパレーシアも真理についての語りである。両者の相違が含意していることを十分に引き出すには、そもそも、真理とは何かを考察しておく必要がある。実は、キリスト教と古代ギリシアでは、真理の在り方がまったく異なっている。その異なりこそは、ヘブライズムとヘレニズムの差異の根幹にかかわっている。真理をめぐる相違を明確に、劇的に示すには、もう一度、ソクラテスとキリストに回帰するのがよい。ソクラテスにとっての真理、キリストにとっての真理を比べてみるのだ。キルケゴールの『哲学的断片』が、考察の最も重要な導き手になるだろう。

よく知られているように、ソクラテス（そしてプラトン）にとって、真理は、常に、想起の形式で見出される。何か新しいことのように学ぶことも、実は、それを思い出している、とされるのである。なぜ、このような論理が採用されているのだろうか？　それは、探究ということに基本的にあるアポリアがあるからである。そのアポリアは、『メノン』の中での、メノンのソクラテスへの問いの中に、端的に表現されている。「いったいあなたは、それが何であるかが、あなたにぜんぜん分かっていないとしたら、どうやってそれを探し求めるつもりなのですか？」

一般に、人は知っているものも、知らないものも探究することができない。知っているものを探究できないのは、当然である。すでに知っているのだから、探究など必要がないからだ。しかし、まったく知らないものも探究できないのだ。たとえば、われわれが何かを探すことができるのは、それについて、ある程度、知っているからである。失くした財布を探すときに、その財布がどんなものか——どんな形状でどんな色をしているか等——を知っているから探すことができるのである。財布がどこにあるかだけを知らないのだ。少なくとも、どこかに財布があることは知っている。ところが、ソクラテスが探究しようとしていること、哲学が探究しようとしていることは、そもそも「それは何か」ということである。「それが何であるか」——たとえば「財布とは何か」——を知らなければ、探究そのものが成り立たないのではないか？

この困難を乗り越えるためには、それが何であるかをあらかじめすでに知っていたのだ、と考えればよい。潜在的にはすでに知っていたのだが、それを忘れていた、と見なすわけである。したがって、真理は、常に、想起という形式で発見されることになるのだ。魂が不死であって、永遠に輪廻を繰り返している、という要請は、この文脈で、特に活きてくる。不死の魂は、あらゆるところ、あらゆる時間を経巡ってきたので、すでに何もかもを知っているというわけである。不死の魂が、すでに知っているはずのことを想起すること、これが真理を知る、ということである。この場合、真理に対応する知識は、言わば、時間を超えた過去、時間に関係のない過去、という形式をとっていることになる。その過去への回帰こそが、想起ということである。

ソクラテスの理論において、興味深いのは、師の両義的な価値である。もし、真理の探究が、永遠の過去の想起という形式をとっているのならば、ほんとうは、誰の力も借りず、独力で想起してもよいはずである。だが、実際には、古代ギリシアの想起説では、探究=想起のためには、師が必要だと考えられている。師を省略することは、できないのだ。かと言って、師が真理を知っているわけではない。あくまで、真理は、探究者自身による想起によって、つまり探究者があらかじめ知っていたはずのものの復元によって、見出される。たとえば、ソクラテスは、ただ質問するだけで、無学な召使の少年に幾何学の定理を証明させたという。この関係は、前節で述べた、パレーシアの構成をとっている。まずは、師（ソクラテス）が語る。それに触発されて、弟子（少年）が語ることになるのだ。弟子が真理にいったん到達してしまえば、師は必要がなくなる。ソクラテスにとって、師の価値が両義的だと述べたのはこのためである。一方で、真理を想起するために、師の媒介が必要だが、他方で、真理が明かされてしまった後には、師は排却されてもかまわないのである。それゆえ、ソクラテスが自らを産婆に喩えたのは、きわめて適切である。

キリスト教の――というより厳密にはイエス・キリストの――真理は、述べてきたようなソクラテス的な真理とは、根底から異なっている。キルケゴールの『哲学的断片』がこの点を指摘している。キリスト教の真理も永遠の普遍的な真理には違いないが、その永遠の真理が成り立つためには、絶対の条件がある。神=キリストが、人間として受肉し、この世界に顕現したということを信じ、認めることである。つまり、永遠の真理が、イエス・キリストの受肉という、特異的で歴史的な出来事に結びつき、支えられているのである。ここに、普遍性（永遠の真理）と特異性（歴史的出来事）との間の短絡という、われわれが注目してきた現象の、これ以上にはありえないほどに極端なケースがある。

だから、キリストは、ソクラテスの産婆とはまったく違う。つまり、キリストの言っていることの内容を理解してしまえば、キリストの存在などもうどうでもよい、ということにはならない。キリスト教徒は、まずは、キリストが人間（イエス）として現前しているという事実を信仰しなくてはならない。キリストの言葉への信仰は、その後にやってくるのだ。キルケゴールは、この点を示すために次のように論じている。一介の神学生が言った「永遠の生がある」という命題と、キリストが言った「永遠の生がある」という命題は、その命題内容だけを取り出して比べたら、どちらもまったく同程度に正しく、同程度に思慮深く、同程度に美的であるが、それにもかかわらず、両者の間には、圧倒的な質の差がある。後者には、神＝人としてのキリストの特別な質が刻印されているからである。

キルケゴールは、「天才」と「使徒」という概念対を提起している。「天才」はソクラテスの方に、「使徒」は、キリストの方に対応している。「天才」は、真理を言ったり、美しいものを創ったりできる、その能力のゆえに尊敬されている。しかし、神学生との比較の例でもわかるように、キリストは、正しいこと、鋭いことを言う能力のゆえに尊敬されているわけではない。キリストには、能力には還元できない、それ自体としての超越的権威がある。キルケゴールが「使徒」と呼んでいるのは、このような超越的な権威を有する人物である。

イエスもソクラテスも、冤罪によって死刑に処せられた。彼らが無実の罪を着せられたのは、彼らが人々に提示した真理に、人々が逆に憤激したからである。しかし、両者において、その真理の在り方は、まったく違っている。その相違は、ヘブライズムとヘレニズムの相違に引き継がれている。これほど異なった二つの文化的伝統が、どうして、互いを排除することなく融合することができたのだろうか？

＊1　実は、イエスの処刑にあたっても、ある意味で、二度の票決が行われている。ピラトに「（釈放すべきは）バラバか、イエスか」と問われたとき、ユダヤ人群衆は、何も答えていない。言わば、最初の投票では決着が付いていない。群衆は逡巡し、決断できずにいるのだ。しかし、その後、長老たちに説得されて、ユダヤ人群衆は、イエス断罪へと大きく傾いた。二度目にピラトが同じことを質問したとき、彼らは、迷うことなく「（釈放するのは）バラバを」と答えている。つまり、二度目の投票は大差で決した。

＊2　「パレーシア」についてのフーコーの考えについては、次の二著を参照。Michel Foucault, *Le gouvernement de soi et des autres: Cours au Collège de France, 1982-1983*, Paris: Gallimard, Seuil, 2008. / Michel Foucault, *Le courage de la vérité (Le gouvernement de soi et des autres II): Cours au Collège de France, 1984*, Paris: Gallimard, Seuil, 2009.

第9章　民主主義の挫折と哲学の始まり

1　外交官としての使徒

ヘブライズムとヘレニズムの調和的な総合、古代パレスチナに起源を有する文化と古代ギリシアに端を発する文化の——まるでジグソーパズルの二つのピースを合わせたかのような——合流、これがいかにして可能だったのか？　われわれは、このような問いを——既に思想史や歴史学の中であきるほどに繰り返されてきたこの問いを——、あらためて提起しておいた。この問いに明快な解答を与えるためには、二つの文化の差異と相補性とをともに見極める必要がある。両者がまったく対立的であるのであれば、かくも見事な合流は不可能であっただろう。両者の差異の中に、互いを引き付けあう要素があったはずだ。

この問題を探究するために、われわれが呼び出したのは、キルケゴールの『哲学的断片』である。そこで、キルケゴールは、ソクラテス（ヘレニズム）とキリスト（ヘブライズム）とを対比させ、両者を隔てている距離を、さらに「天才」と「使徒」という概念の対を用いて説きなおしている。天才に対応するのがソクラテス、使徒に対応しているのがキリストである。天才が尊敬されるのは、彼の性質、つまり彼の人間としての能力――たとえば創造力や知的能力等――の故である。それに対して、使徒は、そのような能力によって人々を惹きつけているわけではない。つまり、使徒は、価値あるものを創ったり、発見したりする能力とは無関係に、尊敬されている。逆に言えば、使徒の存在そのものにそれ自体として随伴している超越的な権威、これが天才には欠けていることになる。

前章で示唆しておいたことをあらためて確認しておこう。「ソクラテス（天才）／キリスト（使徒）」という対は、われわれの主題である「普遍性」ということへの二つの対照的な理解を代表している。ソクラテスにおいては、普遍的な真理は、想起の形式で、つまり時間を超えた永遠の過去として見出されるのであった。真理は、常に既に存在していることとして到達されるのだから、一旦、それをつかんでしまえば、人生の中のいつ、どこで、どのようにしてそこへと到達したのかということは、真理そのものの内容にとってはどうでもよいことになる。屋根に登ってしまえば、梯子はいらなくなる。生まれた子供の価値は、産婆が誰だったかということに影響されない。これは、普遍的な価値は特殊的・特異的な出来事とは無関係だという、普遍性についての常識的な理解に合致した構成である。だが、キリストの真理は、これとはまったく異なっている。キリストの語ったことを真理として知るためには、二〇〇〇年近く前にパレスチナを遊動し、最後にはゴルゴタの丘で処刑された男が神であると信ずることを絶対的な前提としている。つまりある特異的な出来事を認めることが、真理がまさに真理として、普遍的に妥当する命題として発効するための条件になっているのである。それは、後ではずしてよい梯子どころではない。特異的な出来事と普遍性との間の切っても切れない関係、これこそが、われわれの探究を動機づけた驚異であった。ここには普遍性についてのもう一つの理解がある。

この対照は、存在論の中の伝統的なダイコトミー——ハイデガーも拘り続けたダイコトミー——と厳密に対応している。そのダイコトミーとは、本質存在 essence と事実存在 existence との対立である。本質存在とは、「Xである」という意味での存在であり、事実存在は、「Xがある」という意味での存在だ。本質存在が事実存在に対して優位にあるのが、ソクラテスのケースである。ソクラテス的な視座からすれば、真理は、「YはXである」という、普遍的に妥当する命題の形式を取るであろう。その妥当性に、誰がいつどのようにその命題を発話したかという出来事は、影響を与えない。これとは逆に、キリストのケースでは、事実存在が本質存在に対して優位にある。というのも、キリストの言葉の真理性は、イエスという男がそれを特定の時期に特定の仕方で発話したという出来事が、あるという事実に、つまりそのような仕方で発話した男がいたという事実に全面的に依存しているからである。

ハイデガーの言う「存在忘却」とは——厳密さを犠牲にして第一次近似的に単純化してしまえば——、本質存在の優位の中で事実存在が抑圧されることである。したがって、ソクラテス的な真理の捉え方は、存在忘却への道だということになる。ソクラテス―プラトンは、想起の形式で真理に到達できるのだとした。その際、「産婆」の事実存在は、打ち捨てられ、忘却される。想起は忘却とセットになっている。キリスト的な観点からすれば、想起されたことよりも、忘却されたことの方がより重要だった、ということになるだろう。

＊

さて、キルケゴールが、ソクラテスとキリストの差異を天才／使徒という概念対によって説明した、と論じてきた。天才の場合には、彼が尊敬される根拠は、彼が言ったことの真実性や妥当性に関する説得力にこそある。それならば、使徒の権威は何に由来しているのだろうか？　この点についてのキルケゴールの説明は、われわれを当惑させざるをえない。キルケゴールの論述は、一見したところでは、彼がキリストに関して述べたことと完全に矛盾しているという印象を与えるからである。

キルケゴールは、まず、使徒は自らの権威を肉体的に証明することはできない、とする。「肉体的に証明する」とは、暴力や腕力によって裏付けるということである。そのような野蛮で剝き出しの力が権威の根拠にはなりえない、という論点については問題はない。肉体的・物理的暴力という規準に照らした場合に、権威ほど、徹底して無力なものはない。しかし、キルケゴールが権威の根拠が何であるかを積極的に論定しはじめたとたん、われわれ読者は躓かざるをえない。使徒は、自分が権威をもっている証拠を、彼の言明以外のどこにももつことはできない。キルケゴールはこのように断定するのだ。だが、使徒の権威は、天才のケースとは違って、彼が発話したこととの内容とは関係がないはずではなかったのか？　キルケゴールの論述は、自らが見抜いたこうした使徒（キリスト）の本質とはまったく背反していることにならないか？

われわれの当惑は、使徒の権威の根拠に関する自らの議論を例解するためにキルケゴールが用いた比喩を読んだとき、ますます大きくなる。キルケゴールによると、使徒、つまり神の権威を身にまとった人物は、外交官とかメッセンジャーに喩えられるというのだ。キルケゴールは、次のように書いている。

一通の手紙を携えて町に送り出された人物は、その手紙の内容には一切関知せず、ただそれを届けるだけである。外国の宮廷に送られた外交使節は、メッセージの内容にはまったく責任がなく、彼はただそれを間違いなく運べばよいだけである。使徒は、こうした者たちと同じである。彼は、己の職務に忠実であり、彼の仕事を遂行するだけだ。彼の人生の自己犠牲の本質は、まさにここにある。彼が迫害されたかどうかということは関係がない。彼自身は「貧しいにもかかわらず、多くの人々を富ませた」という事実の中にこそ、彼の人生の自己犠牲の本質はあるのだ。[*1]

これだけを読むと、使徒とされる人物はメッセージの透明な配達人に過ぎず、彼を権威あるものとしているのは、メッセージの内容の方にある、と解釈したくなる。こうした解釈は、キリストの前史とも言える古代ユダヤ教の預言者の記述としては、正鵠を射ている。彼らは、神の超越的なメッセージの中立的な運び屋であった。あるいは、ソクラテスの産婆に関しても、それを永遠の過去であるような記憶との仲介者と見なすならば、この比喩は適切だと言えるのではないか。

だが他方で、使徒＝キリストを権威ある者とし、人々をして彼に服従せしめているものは、彼の発話の内容の妥当性とは関係がない、ということも真実ではなかったか？　キリストとただの神学生とが正確に同じことを発言したとしても、前者の発言には権威が宿り、後者は権威からおよそ無縁だったのではないか？　使徒が中立的なメッセンジャーに過ぎなかったとすれば、こうした質的な差異は生じえないはずではないか？　一見したところあからさまなこうした矛盾を、どのように解いたらよいのだろうか？　この問いには、後で立ち返ることになるだろう。この問題を解くためにも、われわれとしては、まずは当面の課題、つまりヘブライズムとヘレニズムとの間の相補性はどこにあるのか、という課題を乗り越えておく必要がある。

2　パレーシアと民主主義の両義的関係

さて、前章で、晩年のフーコーの関心の対象となった、古代ギリシアの「パレーシア（真実を語ること）」という概念に、ヘブライズムとヘレニズムの相補的な差異を探究するための拠点を見るのがよいだろう、と提案しておいた。ソクラテスこそ、パレーシアの完成者、パレーシアの言わば人格化した姿である。パレーシアは、中期のフーコーが注目した「告白」と――確かに異なっているとはいえ――類似している。しかし、告白の方は、ヘブライズム（カトリック）の伝統の中から出てきた言語行為である。フーコーの晩年の講義を自由に参照しながら、パレーシアの由来、その歴史的起源を探っておこう。

パレーシアという言語的な実践を、個人の心意や態度の問題としてではなく、社会現象として捉えたときに何が見えてくるだろうか。つまり、パレーシアを、古代ギリシアの社会構造との関係の中で位置づけたとしたら、どうであろうか。こうした問いを立てたときに注目されるのは、ソクラテスの次のような発言、政治的な参加《アンガージュマン》を敢えて拒否すると宣したソクラテスの発言である。[*2] ソクラテスは、ポリスの行政や政治にたいした貢献をしておらず、そのことは、アテナイ市民の間ではよく知られていた。ソクラテスは、自分が公的に多数の市民たちの前に出てポリスに献策してこなかった理由を、独特の論理で説明する。ソクラテスには、幼い頃より、ときどき神《ダイモニオン》の声が聞こえてきた。その声は、不思議なことに、何かを積極的に命令したり、勧めたりすることは決してなく、ただ何事かを諌止《かんし》するときにだけ聞こえたというのである。つまり、ソクラテスにとって、神の声は、肯定的なものではなく、常に否定的であった。その声が、ソクラテスが政治にコミットすることを禁止したというのだ。

したがって、ソクラテスにおいて完成を見たパレーシアとは、政治から自覚的に身を引いた場所で真実を言うことを意味していた。こうした態度は、イエスの「カエサルのものはカエサルに」という言葉を連想させなくもない。ソクラテスのパレーシアが、それに対して距離をおこうとした政治とは何か？　それこそ、古代ギリシアのポリスの名高い民主主義にほかならない。それならば、パレーシアとは、民主主義の陰画、民主制の否定として生まれてきたと解してよいのだろうか？　そうではない。パレーシアと民主主義との関係は、単純に否定的なものではない。そうではなく、両者の間には肯定的かつ否定的な関係があると言うべきであろう。あるいは、パレーシアは、ポリスの民主制への肯定を介した否定の関係の上に築かれている、と言わなくてはならない。このことをもう少し繊細に説明しておく必要がある。

古代ギリシアのポリスが、民主主義の政治を確立したことは、あまりにもよく知られている。ここに政治の理想をみた思想家は、ハンナ・アーレントを初め、何人もいる。パレーシアは、本来、民主主義の対立項であるどころか、民主主義と密接に結びついていた。フーコーは、パレーシアこそ、本来的には、民主主義の倫理的な基盤であった、と述べている。いかなる虚飾も衒示もなく、自らが確信するところの真実を、危険をかえりみずに語ること、つまりはパレーシアが、民主主義が機能するための条件であるということは、容易に理解できるだろう。したがって、本来は、パレーシアと民主主義とは、同じことがらの二側面だったのである。ポリスを全体としてみたときに民主主義として現われることが、個人の水準ではパレーシアとして現われるのだ。

だが、パレーシアは、すべての個人に可能なことだとは見なされていなかった。ポリスが最も民主化されたときでさえも、参政権を与えられたのは、オイコス（＝家族）の家長のみであったことを考えれば、このことは明らかであろう。パレーシアは、つまり率直な語りを通じて他者たちに影響力を行使する特権は、よい血筋の家族に生まれた、男性市民にのみ割り当てられたのである。エウリピデスの悲劇『イオン』で、主人公イオンは、自らの出自を探ろうとし、最後に生き別れになっていた母との再会を果たす。イオンにとって出自が重要だったのは、アテナイ人の母をもつことを証明することだけが、他のアテナイ市民に対して自由に語る権利を、彼に与えたからである。オイコスにおいて、（ポリスの民主主義への参政権を有する）家長は、絶対の主権者であり、オイコス内の他のメンバーに対する生殺与奪の権をもっていた。要するに、オイコスの内部に限れば、家長は、あたかも神のように振る舞うことができたのである。したがって、われわれとしては、次のように言い換えることもできる。パレーシアとは、オイコス内において「第三者の審級」の位置を占める身体（家長）に与えられた特権だったのだ、と。

古代ギリシア社会は、オイコスの私的空間とポリスの公共的な空間の間の厳格な二元性によって特徴づけられる。それぞれの社会的な空間は、アーレントやジョルジョ・アガンベン等が指摘してきたように、古代ギリシアの二つの「生」の概念に対応している。ギリシア語には、「生」を表す語が二つある。「ビオス bios（生活）」と「ゾーエー zoe（生命）」がそれらである。今日の「zoo（動物園）」に連なっている後者は、単に生きているという事実、動物的な生を意味している。現在の「バイオ bio」の源流にある前者は、形式のある生、規範的に様式化された生を示している。オイコスはゾーエーの空間である。それは、メンバーの生命維持のための空間だ。ポリスはビオスの空間だ。そこでは、人間が生きているということは前提であり、その上で、生の善き形式が追求されるのである。ポリス（政治）は、ゾーエーを、オイコスへと排除することにおいて成立する。ポリスとオイコスとを繋ぐ蝶番の役割を果たしているのが、オイコスの中の第三者の審級、パレーシアの特権を与えられた家長である。

＊

このように、パレーシアは、本来、ポリスの民主制の本質的な一契機となっていた。民主主義こそ、パレーシアの培養地だったのである。だが、先に見たように、ソクラテスにとっては、ポリスの政治はパレーシアに抗する阻害要因として現われていた。パレーシアの民主制からの離反が、なぜ生じたのだろうか？ その回答の一部は、つまり十分な答えではないが必要条件は、デモステネスの人生の挫折の中に見出すことができる。

デモステネスは、ソクラテスの死の一五年ほど後に生まれたアテナイの政治家である。彼は、アテナイの大多数の公衆に対して、不快な真実を突き付けた。当時、ギリシアの諸ポリスの北方では、マケドニア王国がピリッポス二世の下で強大化しつつあり、諸ポリスは、マケドニアによって、いつ制圧され、独立を奪われても不思議ではないような危機的状況の下にあった。事実、デモステネスがその成立のために尽力したアテナイ—テーバイ同盟は、ピリッポス二世率いるマケドニア軍にあっさり敗れてしまった。だが、ポリスの市民の中には、この敗北を歓迎する者さえいた。当時、アテナイを初めとするポリスの市民たちは、独立自尊の戦闘的な気概をすっかり失い、多くの者が、ピリッポス二世のマケドニアに従属した方が安全と平和を享受できると考えていたのである。こうした中にあって、デモステネスは、市民たちがあまりに臆病であり、かつピリッポス二世の陰謀を看破するだけの明晰さを欠いていると指摘したのである。デモステネスのこうした発言は、多くの市民たちの怒りをかい、ついには、デモステネスの命が危険にさらされるほどになる。結局、彼は亡命を余儀なくされる。[*3] この事例がよく示しているように、古代ギリシア時代の後期に至って、パレーシアと民主制とが両立不可能なものになっていったのである。パレーシアを貫けば、人は死を覚悟しなくてはならなかった。

それならば、ソクラテスは、死を怖れたがために、政治への参加を自制したのか。一見、そのような印象を与えることを、ソクラテス自身が述べている。たとえば、『弁明』の中で、先に言及した神《ダイモニオン》の諫止の声について語った後、ソクラテスは、もし政治に携わっていたとすれば、自分はとっくに死んでいたはずであり、「民衆に対し敢然抗争して、国家に行われる多くの不正と不法とを阻止せんとする者は、何人といえどもその生命を全くすることが出来ないであろう、むしろ、本当に正義のために戦わんと欲する者は、（中略）かならず私人として生活すべきであって、公人として活動すべきではないのである」と論じている。

だが、ソクラテスが死への恐怖のために、政治から撤退し、パレーシアを私的な生活の中に封じ込めたという理解は、明らかに皮相に過ぎる。こう断ずる理由を、二つ挙げておこう。第一に、ソクラテスが死を怖れるような臆病者ではなかったことは、ソクラテス自身が『弁明』の中で挙げている事例――フーコーも講義の中で詳しく引用している事例[*4]――から判断しても明らかである。たとえば、ソクラテスは、彼がたまたま参政院議員の当番となったときの次のような経験を、アテナイ市民に思い起こさせている。そのとき、アルギヌサイ沖の海戦の後、死体の収容を怠ったかどで一〇人の将軍に対して、十把一絡げに有罪が宣告された。しかし、将軍たちが死体の収容に失敗したのは折からの暴風のせいであり、本来は、一人ずつ個別に裁判に付することが法的に規定されていた。にもかかわらず、裁判官たちは党派的な思惑から、法的手続を曲げ、一〇人をひとまとめにしてその有罪を議決した。このとき、当番議員の中でただ一人、ソクラテスだけが、この判決の違法性を明確に指摘し、反対票を投じたのであった。ソクラテスのこの行為は演説者たちの反発をかい、またアテナイ市民は演説者たちをけしかけようとして怒号したため、今度は、ソクラテス自身が投獄され、死刑に処せられる危険さえあった。しかし、ソクラテスは、死の恐怖に屈せず、法と正義への忠誠を貫いたのである[*5]。こうした事例は[*6]、ソクラテスが死を怖れて政治参加に消極的だったという解釈を、真っ向から否定している。

以上が事実的な理由であるとすれば、第二は、言わば、論理的な理由である。もし、単に死ぬことが怖いという消極的な理由から政治への参加が抑制されているのであるとすれば、もともとパレーシアという規範は、民主主義と深く結びついていたのだから、パレーシアの重要性そのものが低下するはずではないだろうか。最初は、パレーシアは、民主主義が機能するために必要な倫理的な態度として要請された。このようにパレーシアは民主主義の随伴物として生まれてきたにもかかわらず、今しがた見てきたように、パレーシアと民主主義の間には、やがて、構造的な両立不可能性が宿るようになる。とすれば、ここから単純に予想できることは、パレーシアそのものの衰退ではないだろうか。ところが、ソクラテスがアテナイ市民たちに対して要求したことは、パレーシアを政治から切り離して、それを私的な生活の内に再樹立することであった。民主主義という本来それが役割をもっていた故郷から追放されてもなおパレーシアが保持されなくてはならないのだとすれば、そこには、何か積極的な理由が、死の回避というような消極的なそれではなく積極的な理由があったはずである。

3　民主主義から哲学へ

なぜ民主主義の構造がパレーシアと両立できなくなるのか？　このことをもう一度考え直すところから、始めてみよう。古代のギリシア哲学の中で最終的に、政治が、とりわけ民主制がどのように扱われるに至ったのか、そうした帰結の方から遡及することで、事態の意義を闡明《せんめい》することができる。

古代ギリシア哲学の頂点は、誰もが認めるようにプラトンとアリストテレスである。両者の思索の中で、民主主義はどのような位置を与えられただろうか？　プラトンにとっては、政治は、すぐれて哲学的な主題であった。が、しかし、そこでは民主制は完全に排除されている。プラトンが理想の政体と見なしたのは、民主制の完全なる反対物だからである。プラトンが『国家』の中で提起しているのは、「哲人政治」と呼ばれる理想である。哲学者が王として統治の任にあたるか、逆に、王や権力者と呼ばれる人が十分に哲学するかしない限りは、言い換えれば、政治的な権力と哲学的な精神が一つの同じものにならない限りは、国家にとっても人間にとっても不幸はやむことはない、というのがプラトンの結論である。プラトンがこう結論するのは、哲学者だけが、イデアに、とりわけ善のイデアに立ち向かうと、彼が考えているからである。したがって、プラトンにあっては、パレーシア（真実を語ること）の可能性が政治との関連で話題にされてはいるのだが、その政治は、民主制の否定――選ばれた統治者の魂の教育と一体化している政治――という制約の中に閉じ込められている。

晩年のプラトンにおいても、事情は大きくは変わらない。大著『法律』において、プラトンは、あらためて政治を論じている。この中で、「アテナイからの客人」（プラトン自身の分身）は、次のような意味のことを語る。ひとりの人間の中で、最大の権力と思慮・節制の働きが一緒になるとき、最善の国制と法律が生まれるはずだ、と。ただ、ここでは、

『国家』からの微妙な転調が兆してもいる。もはや、統治者のことを直截に「哲学者」とはしていないからである。この点が、言ってみればアリストテレスへの橋渡しのようなものになっている。

アリストテレスは、プラトンとは違って、民主制を明確に考察の対象の中に含めている。その意味では、民主制は、あらためて救出されたとも言える。が、それには、ある犠牲が伴っているのだ。民主制が可能な政体の一つとして論じられはするのだが、その場合には、民主制を倫理的な前提とはまったく無関係なものとして扱わなくてはならなかったのである。だから、民主制は、哲学や倫理学の主題ではない。アリストテレスが論じているのは、統治者と被統治者の交代という、民主制の形式のみである。

したがって、プラトンとアリストテレスを両方ともに視野に入れたとき、パレーシアと民主主義との間に、背反しあう関係があるかのように見えてくる。パレーシアを重視するならば、民主主義は否定すべき政治のシステムであって、肯定的な議論の俎上には上らない（プラトン）。逆に、民主主義を積極的に主題にしようとすれば、そのときには、パレーシアのような倫理的な基盤からそれを解き放ってやらなければならない（アリストテレス）。パレーシアが本来民主主義と表裏一体であったことを考えると、これはまことに奇妙な帰結である。

プラトンにおいては、パレーシア――真実を語ること――は、民主制の中におかれた場合にはすっかり変質してしまい、「でたらめなことを語ること」「好き勝手なことを言うこと」と同じ意味になってしまう。これは、紀元前四世紀のアテナイで実際に起きていたことでもある。先に引いた、デモステネスの事例が暗示しているように。

哲学者の言説の中での民主主義の位置をこのように概観してみると、古代ギリシアの社会において、結局、民主主義とパレーシアが互いに離反し、両立しえない関係にまで至ったのはどうしてなのかがわかってくる。古代の哲学的な思考が、善き政治を構想しようとすれば、どうしても倫理的な差異を規準的なものとして措定せざるをえず、その差異は、民主制においてはまったく不可能なものとして現われていたのだ。差異は、外的なものと内的なものとの二種類が定められる。外的な差異というアイデアは、個人の集合を、「大衆 polloi」と「良き者たち aristoi」とに必ず分けられるとする考え方である。内的な差異というアイデアは、善き政体は、統治者の倫理的な卓越性や真実を洞察する能力を前提にしなくては確立できず、統治者は、卑俗な欲望から区別された卓越性や能力をその内面に確保しなくてはならない、とする考え方である。

こうした（外的・内的な）差異化は民主制とは相容れない。ごく簡単に言えば、それは、高徳の卓越した大衆というのは、形容矛盾だからである。しかし、ここから、それならば、大衆を徹底的に教育して、彼らに倫理的な卓越性や哲学的な洞察力を身につけさせればよいのではないか、と考えたとすれば、それは誤りである。問題は、各個人の内面的な鍛錬にあるのではなく、社会構造の方にあるからだ。哲学的な言説が定めた差異化とは、人間の集合の中に、神的・超越的な部分を切り出すことにほかなるまい。その最も端的で、究極の姿が、プラトンが夢見た哲学者としての王である。つまるところ、差異化とは、ポリスの全体に君臨する第三者の審級を措定する観念的な努力だったことになる。ギリシアの民主主義とパレーシアの理想との間の離反は、結局、現実の社会構造の中には、そのような第三者の審級が、単一的なものとして、安定的には措定されていなかったことを示している。パレーシアは、もともと、オイコスの上に立つ第三者の審級(家長)に与えられた特権であった。しかし、現実の政治の領域からのパレーシアの排除は、ポリスの民主的な集合の上には、同じような第三者の審級が作用してはいない、ということを示しているのではなかろうか。

＊

とはいえしかし、こうした説明は、まだラフな近似の域を超えておらず、事態は、もう少し複雑である。それこそ、パレーシアが、政治の領域から撤退しても、なお倫理的な探究の手段としては力強く保持されたという事実が含意していることである。こうした移行によって、パレーシアの目的も転換した。それは、ポリスの直接的な救済から、魂の試練へと——あるいは魂の試練という迂回路を経たポリスの救済へと——置き換えられたのだ。パレーシアのこのような変化を観察するならば、われわれは、単純に、ポリスの全体の上で機能する第三者の審級が不在だった、と断ずるわけにはいかない。

先に述べたように、政治の領域から身を引くことをソクラテスに指示したのは、「ダイモニオン（ダイモン的なもの）」と呼ばれている神である。ダイモニオンは、ソクラテスやソクラテスの家族の私的な神ではない。確かに、ソクラテスは、「国家の認める神々を認めない」者という言いがかりのような告発を受けてはいるが、この告発に応えてソクラテス自身が反論しているように、ダイモニオンもまた、国家の神と解釈することができる。さらに、ソクラテスは、法廷で挑発的にもこう断じている、「アテナイ人諸君よ、私は諸君を尊重しかつ親愛する者であるが、しかし諸君に従うよりもむしろいっそう多く神に従うであろう」[*7]と。ここで、注意深い研究者たちが指摘してきたように、「神《ホ・テオス》」は、「神々」ではなく、定冠詞付きの単数形で呼ばれている。こうした事実は、都市国家の全体を守備範囲としているような、第三者の審級がおよそ社会的な実効性をもってはいなかった、という断定は、行き過ぎであることを示している。

さらに付け加えておけば、ソクラテス的な真理の語りは、その活躍の場を、もはや政治の演壇とはしていないが、だからといって、オイコスの小部屋にひきこもったわけではない。その探究の場は、公共の広場である。われわれとしては、ポリスの全体に対して君臨する第三者の審級は、この段階ではまったく不在だったという単純な結論に飛びつかず、もう少し慎重かつ繊細に事態を捉え直しておく必要があるだろう。

とりあえず、この段階でも提起しうる見通しは、次のような構図である。ソクラテスにおいて――無論、厳密にはプラトンによって伝えられたソクラテスにおいて――、哲学が本格的なものとして確立されたという点に関しては、多くの者の判断の一致をみるであろう。*8 哲学は、ソクラテス流の真理の語り、つまり非政治的なパレーシアとして、それ固有の言説の形式を獲得したのである。そうだとすると、民主主義と哲学との間に、逆説的な接合の関係を認めることができるのではないか。哲学は、本来は民主主義と深く結託していた語りの形式、つまりパレーシアを継承した。しかし、そうした継承が成り立つためには、民主主義の方は衰退しなくてはならなかったのだ。民主主義の挫折が哲学の本格的な開始と合致するのである。古代ギリシアにおける民主主義の最終的な失敗は、――政治のサイドからではなく学知のサイドから捉えれば――生産的な否定であって、哲学という成果を残したのである。

4　失敗することで成功したク・デタ／成功することで失敗したク・デタ

もう一度整理しておけば、ソクラテスが活動した紀元前五世紀から前四世紀にかけての古代ギリシアにおいて、民主制を採用しているポリスの全体に対して、第三者の審級が有効に作用していたかどうか、という判断は、あいまいなものにならざるをえない。民主主義がとりあえずは継続していたという事実、ただし哲学者たちの理想からはほど遠い堕落した状態で継続していたという事実、この点からは、第三者の審級がそこにおいては不在であったという結論を導きたくなる。だが他方では、単一の神に従わんとするソクラテスの態度を見れば、第三者の審級の機能をそこに推定したくもなる。第三者の審級は、存在していなかったようにも感じられるし、逆に、存在し機能していたようにも見える。われわれは、その「あいまいさ」の実態を、正確に捉えなくてはならない。

しかし、その作業は後の議論にまわすことにしよう。ここでは、この両義的事態の内の一面の真実の方を、具体的な事実を参照しながら、明快に照らし出しておきたい。一面の真実とは、第三者の審級が、民主主義的なポリスの全体に対して、単一の実体としては確立していなかった、というアスペクトの方を指している。ここでは、似たような意図をもった、二つの「ク・デタ」を比較してみよう。どちらも独裁者の出現を阻止して、民主主義を守ろうという意図をもった政治的な抵抗の試みである。一つは、われわれが目下考察している、古代ギリシアの歴史の中から採った事例である。この事例の意味を照らし出すために、別の歴史的コンテクストの中にある、もう一つの別の事例を対比してみる。別の歴史的コンテクストとは、古代ローマ史であり、したがって、本章で論じてきた時代よりはずいぶん後の出来事である。

古代ギリシアの歴史からの事例とは、アテナイの政治家ソロンについての有名なエピソードである。それは、アリストテレスの『アテナイ人の国制』にも、またプルタルコスの歴史書の中にも、ラエルティオスの『哲学者列伝』にも記載されている。ソロンが活動したのは、紀元前六世紀頃であり、したがって、彼は、ソクラテスよりも一世紀半ほど過去の人物である。ここで参照したいのは、ソロンの若い友人でもあるペイシストラトスが「僭主」として己の下に権力を集中させようとしていたときに、ソロンが取った行動だ。ペイシストラトスは、護衛のための私兵をもつ権利を民会に認めさせようとしていた。私兵の取り巻きをもつことは、古代ギリシアの都市国家では、一介の市民が権力を握る伝統的な手法である。老ソロンは、ペイシストラトスに個人的な傭兵をもつことを断念させるために、そして民会がそうした権利をペイシストラトスに付与することを防ぐために、要するにペイシストラトスへの権力と暴力の集中を阻むために、自ら、一人の市民として民会に出席することを決意する。その際、ソロンは、わざと甲冑で武装して民会に姿を現わした。ペイシストラトスに、護衛兵を身の周りにおくということは、市民たちを潜在的な敵と見ていることを意味し、したがっていつか自ら市民へと槍を投げつけることになりかねない、ということを気付かせるためである。もし主権者が市民にとって軍事的脅威となるとすれば、今度は、市民の方が主権者に武器を向けることになるだろう。さらにソロンは、民会で、市民たちに堂々と語りかけた。「私は、ペイシストラトスの姦計に気づかぬ者よりはるかに賢明であり、姦計に気づきつつ怖れから沈黙している者よりはるかに勇敢である」と。

実は、フーコーが、このエピソードを、ソクラテス以前のパレーシアを示す例として、つまり政治的パレーシアの例として、引用している。*9 ここで、ソロンのパレーシアは、二重化している。第一に、それは、ペイシストラトスに向けられたパレーシアである。ソロンは行動によって、ペイシストラトスの傭兵取得の真実を暴露するものになっているからである。第二に、ソロンの演説は、民会へのパレーシアでもある。ソロンは、今度は言葉によって、民会の無思慮と臆病を暴いてみせる。結局、ソロンは狂人として嘲笑され、ペイシストラトスの傭兵は承認されてしまう。何度も述べてきたように、ソクラテスのパレーシアは、ソロンの（政治的な）パレーシアとは異なっている。ソクラテスのパレーシアは、むしろ、ソロンのようなタイプのパレーシアの否定によって得られたのだ。しかし、同時に、ソロン流のパレーシアを前史にもたなくては、ソクラテスのパレーシアは決して出現しなかっただろう。

このソロンの試みと対比してみたいのは、さらに一層有名な歴史的な事実、紀元前四四年三月に起きた、ブルートゥス等によるカエサルの暗殺である。当時、カエサルは、共和政ローマの下で数々の軍功をあげ、すでに終身独裁官の地位を得ていた。暗殺は、カエサルへの極端な権力の集中を怖れた者たちによって企てられた。その日は、元老院会議が開かれることになっていた。会議に出席するためにやってきたカエサルは、開会の直前に、ブルートゥスやカッシウス等によって刺され、絶命した。あえて細部にこだわっておこう。カエサルは、独裁官として、自分用の護衛兵をすでに持っていた。しかし、護衛兵を配備したがっていたペイシストラトスとは逆に、カエサルは、護衛兵を事前に解散してしまっていたのだ。わが身の安寧にばかり気を取られているようでは、生きる意味がない、というのが言い分だったという。無防備だったカエサルは、たやすく刺殺されてしまった。

二つのケースの比較がおもしろいのは、両者の結果がまったく正反対のベクトルを構成しているからである。ソロンのペイシストラトスへの反抗は、述べておいたように、さしあたっては失敗であった。だが、少しばかり長い目でとらえれば、むしろ、それは成功だったとも言えるのだ。結局、ペイシストラトスは、たいした独裁者にはならず、ペイシストラトス自身による、貧しい平民への経済援助策や、あるいは彼の死後のクレイステネスの改革（陶片追放制度の導入などを含む政治改革）を経て、アテナイの民主化や平等化は、その後、より一層進捗したからである。

カエサル暗殺のケースは、これとはまったく逆である。カエサルは死んだのだから、ク・デタは成功したように見える。だが、周知のように、この暗殺をきっかけとした一連の出来事を通じて、ローマの共和政から帝政への転換は、決定的なものになったのだ。最終的な帰結は、オクタヴィアヌスの皇帝就任である。共和政を取り戻すために暗殺が企てられたのに、実際には、共和政は帰ってこなかったのだ。ソロンの試みは、意図的には失敗だったが、意図せざる形で成功をおさめた。カエサルの暗殺は、逆に、意図的には成功だったのだが、意図せざる、真の意味では失敗であった。

カエサルの暗殺は、われわれの考察にとって、実のところ、すこぶる興味深い例となっている。カエサルは死んだ。具体的な身体としては。その代わりに得られたものは、まさしく「皇帝《カエサル》」であった。つまり、「カエサル」が、固有名詞から、皇帝一般を指し示す抽象的な一般名詞に転化しているのだ。カエサルは、具体的な身体として否定された後に、抽象的な地位として回帰しているのである。とすれば、この連関は、われわれが「キリストの殺害の第一の効果」と呼んだもの（第2、6章参照）と同一ではないか。キリストもまた、殺害されたことによって、抽象的で普遍的な神として復活する。ローマは帝国化した後に、やがて、キリスト教を国教として採用することになる。これによって、キリスト教とヘレニズムの伝統との融合が、文化的なレベルだけではなく、政治的なレベルでも完結する。このような後の歴史があるだけに、カエサルの殺害は、われわれの考察にとって欠かせない参照点となる。

カエサルの殺害を核におく歴史過程については、実は、ヘーゲルによる見事な分析がある。どうして、カエサルを排したのに、ローマは共和政を取り戻すことができなかったのか？　ヘーゲルの答えはこうである。カエサルが終身独裁官としてローマの頂点にいたとき、既に共和政は死んでいたのに、人々がそのことに気付いていなかったからだ、と。言い換えれば、カエサルが生きていたときに、既に、実質的には帝政が始まっていたのに、当事者たちは誰もそれに気づいていなかったのだ。後になってから、つまりオクタヴィアヌスが皇帝になってから、「あのときにはもう始まっていたのだ」と人々は初めて気づくのである。始まりの瞬間には、誰も気づかず、始まりは、常に、後からの回顧的な眼差しの中で、完了形の形式で発見されるのだ。したがって、生身のカエサルが君臨していたとき、その具体的なカエサルと抽象的な地位としての「皇帝《カエサル》」は一体化して見えており、両者の差異はローマの人々には見えていなかったことになる。この抽象的な「皇帝《カエサル》」の場所を、カエサル自身が、オクタヴィアヌスが、そしてティベリウスが……占めていく。カエサル存命中に、ローマ人たちは彼らの行動《パフォーマンス》を通じて、無意識のうちに「皇帝」という場所を既に措定していたことが、カエサル暗殺によってかえって帝政が確立したという事実から遡及的に照射されたというわけだ。この抽象的な場所こそ、第三者の審級である。

この考察を、今度は、ソロンのケースに応用してみるのだ。ソロンは、ペイシストラトスを打倒することに成功しなかったのに、アテナイに強い独裁制が生まれることなく、むしろ民主化が進捗したのはなぜなのか？　ローマにおいては、（表向きの）共和政の末期において既に、「皇帝」という第三者の審級の場所が用意されていた、と述べた。アテナイの場合は逆である。個々の具体的な僭主たちが占めるべき抽象的な場所が、つまり第三者の審級が、未だ生まれていなかったのである。ローマにおいては、正式な皇帝の登場の前に、彼が占めるべき抽象的で超越的な場所は既に生まれていた。アテナイにおいては、具体的な僭主がいるのに、彼を強力な独裁者として機能させるための抽象的な場所が、未だなかったのだ。第三者の審級が、ポリスの全域を覆う単一の実体として未だ形成されていないように見える、というのはこの意味である。

＊1　Søren Kierkegaard, "Of the Difference between a Genius and an Apostle," *The Present Age*, New York: Harper Torchbooks, 1962, p.106.
＊2　プラトン「ソクラテスの弁明」『ソクラテスの弁明　クリトン』久保勉訳、岩波文庫、四一頁。
＊3　澤田典子『アテネ　最期の輝き』岩波書店、二〇〇八年。
＊4　Michel Foucault, *Le courage de la vérité (Le gouvernement de soi et des autres II): Cours au Collège de France*, 1984, Paris: Gallimard, Seuil, 2009, pp.72-73.
＊5　プラトン、前掲書、四二頁。
＊6　ソクラテスは、「弁明」の中で、もうひとつ、例を挙げて、自分の勇気を証明している。ソクラテスは、寡頭政治期、いわゆる「三十人」に、サラミス人レオンを、死刑に処するために連れてくるように命令さ

れた。しかし、その死刑の判断は正当なものとは思われなかったため、ソクラテスは、命令に背いて――一緒に命令を受けた他の四人はレオンを連れてきたにも拘わらず――、一人家に帰ってしまった。ソクラテスは、後に政府が崩壊したため助かったが、もし政府が持続していれば、彼の命はなかっただろう（プラトン、前掲書、四二―四三頁）。

＊7　プラトン、前掲書、三七頁。

＊8　アリストテレス以来、哲学の歴史は、タレスから説き起こされるのが標準的である。タレスが最初の哲学者であったことにも意味がある。いずれにせよ、「ソクラテス以前の哲学者」は、哲学以前の哲学として、別扱いされることが多い。

＊9　Foucault, op.cit. p.70.

第10章　観の宗教

1　観の宗教

誰もが讃嘆するように、古代ギリシアは、哲学的思考に関してだけではなく、芸術的創造に関しても、傑出した成果を上げている。両者は、しかも、ほとんど同時期に絶頂期を迎えた。すなわち、ソクラテスやプラトンを輩出した時期は、ギリシア芸術の円熟期と見事なまでに一致しているのだ。プラトンは、造形芸術を侮蔑し、たとえば、芸術を「見かけを与える技術」と呼び、芸術作品を魂の低劣な部分に快楽を与えるものとして斥けているが、古代ギリシアにおいて、哲学と芸術が手を携えるようにして成長してきたことは間違いない。実際、すぐ後で確認するように、芸術を評価しなかったプラトンでさえも、その思考の中核部分を、すなわち「イデア」についての哲学の大部分を、造形芸術についての体験からくる洞察に依拠して形成しているのである。

われわれは、ヘブライズムとヘレニズムの相補性がいかなるからくりによって可能だったのか、を問おうとしている。この探究のためのヒントを、今度は、造形芸術の領域に求めてみよう。というのも、多くの人々が認めてきたように、両文明の対照が、この領域ほどにくっきりとしている場面は、ほかにないからである。ユダヤ教の伝統の中では、造形芸術は、肯定的な評価の対象にはなりえない。言うまでもなく、あの偶像崇拝の禁止の規定が作用するからである。それに対して、古代ギリシア文明は、造形芸術を最も豊かな展開の場として見出した。こうした対照を考えると、今しがた述べた、プラトンの両義的な態度は、いっそう興味深いものになる。彼は、一方で、造形芸術を嫌悪しつつ、他方では、それに依存していたからである。

ユダヤ教にあっては、神は見てはならないし、見ることができない。[*1] 神を見た者は死ぬとされている。つまりは、重要なものは見ることから遠ざけられているのである。それに対して、古代ギリシアの宗教の経験においては、見ること、あるいは観ることこそが、中心を形成している。カール・ケレーニイは、端的に、次のように述べている。

ギリシア宗教の様式を、その内部を支配している経験という視点から特性づけようとすれば、それを〈観の宗教〉と呼んでもよいだろう。[*2]

ギリシアにおいて、神々を観ることこそが宗教的な体験の核にあったということは、たとえば『ホメーロス讃歌』の中の「デーメーテール讃歌」によく現われている。女神デーメーテールは、天界を出て、老女の姿をとってエレウーシスに下った。そこで、彼女は、エレウーシス王の子の乳母を務めたのだが、その子を不死身にしてやろうと、子の身体を火中に投じてしまう。この激しい養育法によって、老女は、女神としての己の正体を包み隠さず、出現させる。それを観た王の妻メタネイラの印象は、讃歌の中で、次のような文句で語られる。「彼女〔メタネイラ（引用者注）〕は羞恥《アイドース》と畏怖《セバス》と蒼白なる恐怖に襲われた」と。神の正体を見たメタネイラの印象は、「畏怖」という明白に宗教的な含蓄のある語によって形容されている。[*3]

この女神デーメーテールに因んで、エレウーシスには秘儀が導入されたのだが、古代の詩人は、「畏怖《セバス》」と同じ語源の語「おごそかな《セムノス》」で、その行事を表現している。その行事の様を詩人は伝えていないが、ケレーニイは、そうした沈黙の理由は、声を奪い去るほどの「神々への大いなる〈畏怖《セバス》〉」のために違いなく、その畏怖の感情を引き起こしたのは、秘儀の中の「光景」「ヴィジョン」だったと断じている。

こうしたことに暗示されているように、古代ギリシアにおいては、神々を明断に観ることこそが、宗教的な体験の中心にあった。ユダヤ教においてまさに禁止されていることこそ、ギリシアでは最も敬虔なことだったのである。ギリシアで、造形芸術が開花したことも、こうした事実と深く関係しているだろう。芸術家は、神を観るときと同じように、対象を捉え、造形しようとしたのであろう。彼らは、自らが創作しつつある対象に、端的に神々を、あるいは少なくとも神々に連なる畏怖すべき何かを観ていた、と言うべきかもしれない。少なくとも、神々を明断に捉えようとしたその眼で、彼らは対象に向かったことは間違いあるまい。

2　純粋な立体芸術

さて、このように古代ギリシアの芸術のポジションを推定したとき、少しばかり奇妙な事実がある。古代ギリシアの造形芸術が、われわれを含む後代の者を驚愕させるのは、その写実性である。たとえば、ミュロンの作とされている、円盤投げ競技をする若者の像のことを想い起こしてみよ。投擲の直前の筋肉の緊張が、驚異的なまでに正確に再現されている。こうした細部にまで及ぶ写実性は、芸術家が、いかに熱心に対象を観察したかをよく示している。つまり、繊細な写実性は、神々を明断に捉えようとしているあの視線と同じものが働いていることをまざまざと物語っているのだ。

ところで、ヨーロッパの美術史の中で、写実に関する技法として最も重要なものは、言うまでもなく、遠近法である。遠近法とは、簡単に言えば、視点として定めた一点と、対象を構成する諸点とを結んでできる「視野のピラミッド」の底面に平行な切断面を画面とする、絵画上の技法である。このように対象を描けば、視点と対象との距離に正確に反比例した大きさで対象を描くことができる。こうして描いた絵画では、奥行き方向の線は正確に一点に収束する。その一点が「消失点」である。このような意味での厳密な遠近法は、ルネサンス期に確立されたとされている。だが、古代ギリシアの芸術が異様なまでに写実性に執着していたことを考えれば、古代においてすでに、遠近法は、相当程度確立していたのではないか、と推測したくなる。実際、古代の絵画は、その後の中世の平面的な絵画と比べて、はるかに写実的な奥行き感を与える。だが、意外なことに、保存されている限りでの古典古代の絵画には、一つとして、厳密な遠近法で描かれたものはないのだ。つまり、統一的な消失点をもっている絵画は、一つも見出されていないのである。

これは奇妙なことではないか。あれほど写実性に拘泥した古典古代の芸術、とりわけギリシアの芸術が、どうして、遠近法のような単純な技法を確立することができなかったのだろうか。幾何学が未発達で、原始的な粗雑さで描かれていたからだ、という見解は説得力がない。古代ギリシアにおいて、幾何学が非常な発達を遂げていたことは、周知の事実だからである。一九世紀に至っても緻密な論証の模範とされていた、エウクレイデス

（ユークリッド）の『原論』が出たのは、紀元前三〇〇年頃であり、アリストテレスの存命時期の少し後である。古典古代の芸術が、すでに遠近法を知っていたはずではないか、と思わせるような、文章ならばある。われわれの関心の中心にある時期よりは、少し後のもので、しかもギリシアではなく、ローマ帝国初期の時代に属する文献だが、ウィトルウィウスの有名な『建築十書』には、「『透視図法』、言い換えれば三次元の建築物の平面上への遠近法描写は、『すべての線がコンパスの中心に結びつけられている』ことにもとづく」とある。この「コンパスの中心」を、遠近法における視中心（視野のピラミッドの頂点）と解釈するならば、厳密な遠近法が得られるように思える。しかし、そうだとすると謎はますます深まるのである。というのも、ウィトルウィウスの時代にまで捜索範囲を広げても、なお、厳密な遠近法で描かれた絵画は、一点も発見されていないからである。

繰り返せば、大昔のことなので、奥行きや立体感を粗雑な印象だけで表現しており、きちんとした消失点が出ないのだろう、という推定は、明らかに間違っている。というのも、消失点はないのだが、別の厳密な計算に基づいて絵が描かれていた、と思わせる根拠があるからである。通常の遠近法の場合には、画面の垂直な——つまり奥行き方向の——平行線（の像）は、一点に収斂するわけだが、古代の絵画の場合には、それらの平行線（の像）が、画面を垂直に二分割する軸の上にきれいに収斂していくのである。つまり、消失点はないが、消失軸があるのだ。粗雑に描かれていたどころではない。この消失軸と奥行き方向の平行線とを描くと、まるで魚骨のような図が得られるので、古代の絵画が採用した技法を、パノフスキーは「魚骨状原理」と呼んでいる。それにしても、どのように描くと、消失点ならぬ消失軸が出てくるのだろうか。なぜ、古代の絵画は、こんな「不自然な」描かれ方をしているのだろうか。

この問いへの解答は、すでにパノフスキーによって与えられている。先のウィトルウィウスの言葉を、素直に解釈すれば、答えは自ずと導かれる。通常の遠近法では、視野のピラミッドを平面で切断するのだが、その代わりに次のようにしてみるのだ。すなわち、ウィトルウィウスは「コンパスの中心」と書いているのだから、視野の中心にコンパスの足を置き、円（または球）を描き、その一部であるところの「弧」を、視野のピラミッドの切断面（投影面）として採用するのである。こうして得られた切断円弧（切断球面）を、無理やり平面に展開すると、体系的な不整合が出てきて、消失点の代わりに消失軸が出てくる。[*4]

古代の遠近法は、われわれがよく知っているルネサンス以降の遠近法とは、異なった考え方に基づいていることがわかる。後者の、通常の遠近法は、対象の見かけ上の大きさは、眼と対象との距離に依存している——反比例している——と考えている。それに対して、古代の遠近法は、見かけの大きさは、対象を捉えるときの視角の大きさに依存して——比例して——決まると考えている。二つの遠近法のこうした相違に気づいてみると、古来、難解とされてきたエウクレイデス（ユークリッド）の「第八定理」の意味もわかってくる。第八定理は、後者の遠近法を前提にして、前者のわれわれに馴染みの遠近法を否定する内容になっているのである。[*5]

重要なことは、このような二種類の遠近法の差異が、どのような世界観の相違を反映するものなのか、である。この点に関して、パノフスキーが偉大な洞察力を発揮する。彼はこう断ずる、「古典古代の芸術は、純粋な立体芸術であった」と。すなわち、西洋の古代にあっては、視線に対して具体的な像を結ぶモノ、したがって手でつかむことができるモノだけが、描かれるべき現実と見なされたのだ。このことが、角度の遠近法（古代の遠近法）とどう関係しているのか。次のように考えてみるとよい。視野の中心から対象へと向かう視線を、仮想的な腕のようなものと見なしたとすれば、視角とは、立体の大きさを測るのに、その仮想的な腕が運動しなければならない量にあたる。視角は、ある固定的な一点から対象を見るとき、眼がどれだけの角度を運動するか――どのくらい見上げたり、見下ろしたりしなければならないのか――を示すものなのだから。

つまりは、視線によって「触知」しうるほどの具体的な対象性を有するモノだけが、（描かれるべき価値を有して）存在しているのである。「観ること」にこそ宗教性があったというケレーニイの論点をここに重ねあわせてみるならば、具象性を有する立体的な物にこそ、言わば神が宿っているのだ。このような古代の世界観に決定的に欠けているものは

——パノフスキーが述べているように——、物体と非物体の対立を越え、両者を横断している空間一般という概念である。古代の芸術家は、空間を描いたのではなく、物を描いたのだ。あるいは、こう言ってもよい。神は、空間一般を支配したのではなく、物の中に棲まっていたのだ、と。

3　造形芸術に範をとった哲学

古代ギリシアの哲学的思考が、見る／観る体験に深く規定されていたということを、あらためて確認しておこう。造形芸術を見下していたプラトンでさえも、見ることについての体験を基礎にして哲学したということを強調したのは、パノフスキーだった。プラトンにとって最も重要な概念は、言うまでもなく、イデアである。よく指摘されているように、「イデア」という語は、「見る」を意味する動詞「イデイン」からの派生語であり、「見られたもの」を意味している。

とはいえ、イデアは、眼で捉えられる具体的なモノそのものではない。たとえば、「椅子」のイデアということを考えてみよう。われわれが実際に眼にするのは、個々の、さまざまに特徴のある椅子の、しかも特定の位置から眺めた見え姿である。当然のことながら、どの個別の見え姿も、椅子一般と同一視することはできない。したがって、イデアそのものは、見ることができないということになる。

それゆえ、プラトンは、造形芸術を嫌ったのである。それは、眼に見えるものをイデアと取り違えさせるものなのだから。哲学は、「Xとは何か?」と問うところに特徴がある。「これこれの行為は善か?」と問うのではなく、「善とは何か?」と問えば、哲学的である。事例をいかに列挙しても答えにはならない。椅子の現われをいくら増やしても、椅子そのものには到達しないのと同様である。普遍的な定義を与えなくてはならないのだ。ここには、普遍性に到達するためには、個別性を否定し、個別性から離れなくてはならない、とする常識的な論理が作用している。そして、この普遍的な定義を表わしているのが、イデアである。

プラトンの、有名な「洞窟の比喩」が訴えているのも、イデアの本性上の不可視性である。プラトンによれば、人間は洞窟の中に囚われている囚人のごときものである。洞窟の中に生きる者は、外の光が洞窟の中に作る影だけを見て、それを実在と取り違える。洞窟は、人間が生きている世界そのものの比喩である。見えている物は、イデアではない。真のイデアは、影の原因となっているもの、つまり光である。洞窟の中にいる限りは、光を見ることはできない。光を見るためには、洞窟の外に出なくてはならない。つまり死ななくてはならない。そして、光とは、イデアの中のイデア、善のイデアである。

このように概観すると、プラトンの言うイデアは、「見られたもの」という意味であるにもかかわらず、むしろ、見ること／観ることの否定の上に成り立っているようにも感じられる。だが、実際には、そうではない。このことは、プラトン自身が自ら暴きだす、自身の哲学の内的な不整合によって示される。プラトンの中期の思考から後期のそれへの繋ぎの位置にあるとされる、対話篇『パルメニデス』は、プラトンの著作の中でも、とりわけ特異であるとされている。この中で、プラトンのイデア論そのものが論駁されているからである。他の対話篇と同様に、ソクラテスも登場するのだが、論が冴えているのは、その対話相手の「パルメニデス」である。パルメニデスは、イデア論の矛盾を、たとえば次のような論理によって暴きだす。美しいものはすべて美のイデアを分有しているがゆえに美しい。あの女性が美しいのも、あの星が美しいのも、ともに美のイデアを分有するからだ。ところで、美のイデアそのものも何にもまして美しいはずだ。美のイデアが美しいということは、美のイデアもまた美のイデアを分有していなければならないということを意味する。とすれば、美のイデアを美しいものにする美のイデアが別になくてはならないことになる。すなわち、個々の美しいものと美のイデアの他に、第三のイデアが出現せざるをえない。その第三のイデアは、つまり美のイデアを美しいものにする美のイデアは、さらにいっそう美しいのだから、第四のイデアが必要だ。以下、同じことが再帰的に繰り返されるので、イデアの数は無限に増殖してしまう。パルメニデスは、ソクラテス（＝プラトン）に対して、一であるべきイデアがいずれも無限に多になってしまうのは背理だと指摘する。

しかし、プラトンがパルメニデスの口を借りて展開するこの論理は、どこかおかしい。現代風の用語で指摘すれば、パルメニデス（プラトン）の議論には、論理階梯の間の混乱があるのだ。集合の要素と集合そのものを区別しなくてはならない。ラッセルが示したように、自ら自身を要素に含める集合を考えると、矛盾が生ずる。2とか4とかは、偶数の集合の要素だが、「偶数である」という性質は偶数ではない。同様に、美のイデアは美しいわけではない。論理階梯を区別しさえすれば、『パルメニデス』に記されたこの矛盾は消え去る。

だが、現代では周知の論理を用いて、古代の哲学を嘲笑するのが、ここでの目的ではない。現代的な観点からすると誤謬に思えるこうした論理に古代の哲学者を執着させた衝動をこそ、解明しなくてはならない。それぞれの個物は、見られうる物である（たとえば、美しい女性や星は見ることができる）。しかし、その個物が「何であるか」を規定する部分、すなわちイデアは、見られえないとされている。が、しかし、論理階梯の区分を無視する右記の論理が表現しているのは、他方で、イデア自体も個物に類する具体性を帯びているとの感覚（「美のイデアも美人と同じように美しいはずだ」）をどうしても脱しえない、ということである。とするならば、見えないはずのイデアも、別の観点からすれば、やはり見えるのである。少なくとも、イデアは、見えるものに類比できるような具体性を残しており、それがイデアがイデアであるための本質に属しているのだ。結局、イデアは、やはり字義通り、「見られたもの」であって、造形芸術を「見る／観る」経験に裏打ちされた概念なのである。*6

＊

プラトンだけではなく、アリストテレスの哲学もまた、造形芸術（あるいは制作行為）に範をとっている。このことを見事に示したのは、ハイデガーである（『現象学の根本諸問題』）。「質料《ヒュレー》（材料）／形相《エイドス》」という対立が、制作行為の隠喩で理解できることはあまりにも自明なので、詳述しない。*7 ここでは、ハイデガーに依拠して、アリストテレス固有の「可能態《デュナーミス》／現実態《エネルゲイア》」の概念対についてのみ、述べておこう。「エネルゲイア energeia」は、よく知られているように、アリストテレスの造語で、「可能態」である「デュナーミス dynamis」の反対語である。つまり、エネルゲイアとは、単に可能性として想定されているのではなく、現実に存在しているということだ。この語は、「ergon の中に(en)」という意味になる。「ergon」は普通、「活動」という意味で解釈されているが――この場合は「energeia」は「活動中」を意味することになるが――、ハイデガーによれば、「ergon」は、完成された「作品」を意味している。したがって、「energeia」とは、

「作品のうちに現われ出ている状態」という意味になる。すなわち、(可能態《デュナーミス》であるところの) 質料《ヒュレー》に対する制作が終わって、一個の自立した作品として静止している状態が、「エネルゲイア」なのである。ダイナミックな活動性を連想させる、今日の「エネルギー」という語は、それゆえ、古代の本来の意味とはまったく逆を向いていることになる。「エネルゲイア」とほぼ同じ意味の、アリストテレスのもう一つの造語「エンテレケイア entelecheia (完成態)」の場合には、よりいっそう、こうした含意がはっきりする。「中に」を意味する前置詞 en と、「終局・目的」を意味する telos、「身を置く」を意味する echein の三つを合成したこの語は、何かの運動 (つまりは制作) が終わって、静かに身を置いている状態を意味しているからである。

このように、アリストテレスにとっても、存在しているということは、制作され、見られうるものとして現前している、ということを意味している。もっとも、アリストテレスの制作的存在論については——とりわけプラトンとの対比において——留保を付けておく必要がある。制作的存在論という要約は、自然と人為の間の鋭利な対立を連想させる。事実、プラトンにあっては、そのような含みがあるが、アリストテレスの哲学の場合は、逆に、自然と人為の統一性・連続性こそが強調されている。簡単に言えば、自然の過程が、人間の制作行為を模倣しているのではなく、逆に、人間の制作や技術こそが、自然の模倣だと見なされているのである。

しかし、そうした捉え方がなされるためには、自然の過程が、目的論的に理解されていなくてはならない。この点を端的に示しているのが、有名な四原因論である。アリストテレスによれば、自然は、四種類の原因をもつ。質料因（素材は何か）、形相因（それは本来何であるか）、始動因（はじまりの一撃）、そして目的因（終わりは何か）である。つまり、自然に、目的が内在しているのであって、その意味で、自然の自律的な変化が、一種の制作の行為である。人為は、それを模倣するのだ。*8

4　存在としての無

今、プラトンとアリストテレスの哲学が、造形芸術をモデルにしている、ということを示してきた。造形芸術へと人を駆り立てていた世界観に立脚していたのは、彼らだけではない。彼らよりも前の原初の哲学者たち、いわゆるソクラテス以前の哲学者にしても、同じである。このことを論証しておこう。鍵になるのは、第2節で述べたこと、古典古代の芸術は何よりも立体芸術だった、という点である。

中世や古代の哲学、とりわけギリシアの哲学の主張の中には、ときに、きわめて論理的ではあるが詭弁だと感ずる命題が含まれている。あるいは、論理的には緻密だが、深みがない「頭の体操」のようなものだと思わせる命題は少なくない。そうした命題の代表が、ゼノンのパラドクスである。「飛ぶ矢は飛ばず」とか「アキレスはカメに追いつかない」という命題は、いかに厳密な論理によって証明が与えられたとしても、意義は小さいように思えるだろう。しかし、真に重要なことは、この証明が正しいか間違っているかということではない。そうではなくて、より重要なことは、これらの一見ばかばかしい命題を、非常な精密さで何としても証明しようとした古代の哲学者の情熱が何に由来していたかを理解することにある。

ゼノンのパラドクスは、パルメニデスの哲学を例証するためのものである。それならば、パルメニデスは何を言ったのか。パルメニデスは、その哲学的な思考を叙事詩の形式で残しており、ときにその内容は晦渋である。この叙事詩の中で、女神が二つの道を提示する。一方の道が、「有るとし、有らぬということはありえないとする道」であり、他方の道が、「有らぬとし、断じて有らぬとするべきであるとする道」である。後者は、何も無いということなのだから、何ごとも探究のしようがなく、ドクサへと至るほかない道である。前者だけが、真理への道である。

無がなく、存在者だけが存在する。さまざまな存在者が、さまざまに有る。「有る」ということにおいてそれぞれの存在者は同じであるとすれば、結局、存在だけが存在する、ということになるだろう。こうしたパルメニデスの主張は、まったくトリビアルなトートロジーにも思えるのだが、この命題の含意を徹底して引き出そうとすると奇妙な結論を引き受けなくてはならなくなる。ゼノンのパラドクスは、そうした結論の派生結果の一つである。どういうことか?

有るものだけが有って、無いものは無い、というパルメニデスの単純な前提を受け入れると、生成も消滅もありえない、およそ変化ということがありえない、という結論が導かれるのだ。今、存在するもの、最初に有るものを考えてみる。それが、別の有るものから生ずるということは、論理的にありえない。別の有るものが、最初に有るものより先に有ることはできないからである。また、それが無から生ずることもできない。無は端的に無いのだから、無いものからはなにも生じえない。一般に、変化するということは、一方で、今有るものが無いものになって、他方では、無いものから有るものが出てくることである。しかし、無いものは無いのだから、それへと変化することはできず、また、無いものは無い以上は、そこからは何も出てきようがない。こうしてパルメニデスの前提を受け入れたとたんに、ただ同じひとつのものが、まったく変わることなく、動くことなく、存在しているだけだ、ということになる。ゼノンの運動否定論(運動はありえないとする論)は、この大命題の具体例としての価値をもつ。

この命題は、無論、当時の人々にとっても奇天烈なものに映ってはいただろう。しかし、こうした主張を誘発する、原初の素朴な体験に遡ることは難しくはない。古代ギリシアの芸術は立体芸術である、という論点を思い起こしてみよう。(描いたり、制作されたりするに値するものとして) 存在しているのは、物、それを見たり、それに触れたりできるような具体的な対象性をもってそこに有る物のみである。ここに机が有り、そこに椅子が有る。ここには書物が有り、そこにはペンが有る。それならば、それらの間はどうなるのか? それらの間には何も無い。が、そう断ずるのも、奇妙に思える。それらの間には、何も無い空間が有るのではないか。つまりは、無が有るのではないか。しかし、これはやはり背理である。とすれば、有るもののみが有り、無いものは無いというパルメニデスの議論が導かれるだろう。

だが、この議論を受け入れたとたんに、世界は、永遠の静止画像のようなものになる。しかし、実際に、人が見ていること、経験していることは、絶えざる変化、絶えざる生成である。存在しているものは、まず何よりも、具体的な対象性を有する物のみであるとして、それでもなお、この世界の生成や変化を説明することはできるのか。パルメニデスやゼノンがわれわれを追い込んだような窮地から逃れることができるだろうか。こうした問いを、ランドマークのようにすると、ソクラテス以前の哲学者たちのさまざまな立ち位置を、おおむね整理することができる。

たとえば、――パルメニデスからさらに一〇〇年ほど過去に遡ることになるが――タレス。アリストテレス以来、タレスを最初の哲学者と見なすのがならわしである。タレスは、ソロン（前章）とほぼ同時代の人である。彼は、ソロンのアテネとはエーゲ海を挟んだ対岸にあたるミレトスで活動した。タレスが哲学の始祖であるとされるのは、彼が、世界の原理《アルケー》、万物の源泉は「水」であると同定したからである。すべての存在者が水から始まり、水へと回帰していくというわけだが、こうした主張を、今日のわれわれは、半ば軽蔑しながら、微笑ましい気分で聞きたくなる。哲学というより神話に近く、思考というより詩的直観のようなものが優越しているように感じるからである。だが、「水だ！」という断言を、パルメニデスの登場に先だって、来るべきパルメニデス的な問題提起に応える一つの術策であったと解釈しなおすと、ここには、にわかに哲学的な緊張が宿ることになる。

つまりこうである。一方で、見たり触れたりしうる具体性をもった同じ一つのものだけが存在している。他方で、しかし、世界は生成変化に満ちている。この両方の要請を同時に満たすにはどうしたらよいだろうか。その答えが「水」である。同じ一つのものとしての水の変異と循環によって、世界の生成変化が説明できる、というわけだ。実際、水はすべての物に浸透し、どこにでも有るように思える。人間の身体にも、植物にも、土の中にも水は有る。単に水が含まれているだけではなく、さまざまな物体は、水のさまざまな姿態なのかもしれない。

水は、触れたり、見たりしうるが、同時に、何にでもなりうる柔軟性をももっている。

パルメニデス的な問題提起に応ずるには、水のこうした性質は、きわめて好都合だったがために、水が選ばれたのではないか。哲学史のこうした解釈に傍証を与えるのが、タレスとほぼ同時代人で、同じミレトス学派の中に数えられるアナクシマンドロスの所論である。アナクシマンドロスは、タレスの「水」を「無限定なもの《アペイロン》」と言いかえている。つまり、「水」が原点に据えられる理由は、どのような述語をも付しうる無限定性にこそあったのだ。アリストテレスの伝えるところによると、アナクシマンドロスは、アペイロンを、すべてのものの始まり《アルケー》であり、「神的なもの」であると見なしている。

だが、「無限定性」という抽象的な概念が重要なわけではない。つまり、それは「無限定ではあるが具体的なもの」でなくてはならない。だから、アナクシマンドロスの後継者にあたるアナクシメネスは、「無限定なもの」を、もう一度、具体性の方に引き寄せる。すなわち、アナクシメネスは、それを「空気《アエール》」または「プネウマ」として捉え直すのだ。人間の身体の内と外を自由に往還し、身体と身体との間をつなぐ「空気」は、水よりもさらに一段階、無限定性のレベルを上げている。固体と固体の間の空隙がそれでも存在していると見なすとき、その空隙を埋めるモノとして、空気以上のものがあるだろうか。

パルメニデス以降の——しかしプラトンよりは前の——哲学者の方に眼を転ずれば、パルメニデス的な問題に対する解答は、よりいっそう洗練されたものになる。たとえば、レウキッポスやデモクリトスが唱えたとされる原子論は、パルメニデスが逢着したのと同じ困難を、パルメニデスとは反対方向に向けて乗り越えようとした結果であると解釈することができる。繰り返し確認しておけば、パルメニデスの哲学を駆動させた原初的な直観は、次のような状況から生まれるのであった。具体的な物が存在する。とすると、物と物の間には必然的に空虚が残る。それは、有らぬものなのであって、端的に無い、と考えねばならない。これがパルメニデスの哲学の出発点だ。

原子論はこれとは違う。可視的で具体的な物が存在するものの原型だとして、これから、「存在している」という最小限の条件だけを残して、余計なものをできるだけ削ぎ落としたときに得られる像は何か。それこそ、原子ではないか。固く、それ以上は分割できない、充実したものとしての原子である。さまざまな事物を原子の集合として描くことで、世界内の存在者の多様性や変化を説明することができる。変化は、原子の離合集散の結果だと見なすのである。だが、こうした世界の像を得るためには、ひとつ、重要な難点が残る。原子と原子の間に隙間ができてしまうのだ。原子間の空虚を、有らぬものとして思考の対象から排除してしまえば、パルメニデスの静的な世界へと舞い戻ることになる。それを回避するためには、空虚もまた有る、と考えなくてはならない。つまり、空虚（有らぬもの）もまた、物と同じような意味で有ると見なすことで、古代の原子論は形成されたのである。アリストテレスは、『形而上学』の中で、レウキッポスとその友人デモクリトスの原子論を解説して、こう言っている。「有らぬものは有るものにおとらず有るとも言われるが、それは、空虚の有るは物体の有るにおとらず有るという意味である」と。「空虚」も、物体さながら有るというわけである。見ることができない物までもが、見られうる物と同格的に存在しているとすることで、原子論は完成する。

有らぬものが有るとする、こうした原子論の論法を、レヴィ＝ストロースが言語について述べたことと類比させてみると、その意味がさらにわかりやすくなるだろう。レヴィ＝ストロースが問題にしたのは、言語のような象徴秩序は有限なものなのに、それによって「何でも言える」という意味では無限になるのは、どうしてなのか、ということである。シニフィアンの数は有限である。とすれば、当然、「言えないこと」が出てきそうな気がする。言わば、シニフィアンとシニフィアンの間に隙間ができてしまうからである。ところが、実際には、いかなる言語においても、何でも言える。これは不思議なことではないか。この謎に対するレヴィ＝ストロースの答えは、どのような言語にも、少なくともひとつ、自由に浮動するシニフィアンがあるからだ、というものである。浮動するシニフィアンとは、意味作用について開かれたシニフィアン、シニフィアンの欠如を意味するシニフィアンである。英語の「something」とか日本語の「モノ」等がその例にあたる。これらの語は、言わば、シニフィアンとシニフィアンの隙間を、自らに対応する「シニフィエ」としているのである。このように逆説的なシニフィアンが導入されることで、「名指しえないモノ」がそれ自体、他の意味や指示対象と同格の存在を獲得する。「有らぬものを有ると見なす」というのは、言語における「浮動するシニフィアン」と類比的な要素を自然学の領域に導入しているに等しい。

＊

こうした古代ギリシアの論争と思索の系列に、とりあえずの決着を付けたのは、やはりプラトンであった。プラトンは、原子論が恐るおそる踏み出した歩みを、行きつくところまで突き詰めてしまう。すなわち、『ソフィスト』において、プラトンは、無や非存在もまた存在するという命題を、力強く擁護しているのである。それは、次のような理路を辿る。プラトンは、まず、虚偽や誤謬があるという事実に注目する。虚偽・誤謬は、意図的にせよ、意図せざる形であるにせよ、「有るもの」とは異なることを語る命題である。実際に、虚偽や誤謬がある以上は、有らぬものもまたある意味では存在していなくてはならない、とプラトンは論ずる。つまり、無もまた存在していることを認めざるをえない、と。

どうしてだろうか？　有るものは、虚偽や誤謬の中で語られていることとは異なっていることにおいて、まさに有るものたりえているのである。とすれば、有るものが、それとの差異において有るものになっているところの「それ」が存在していなくてはならない。それが無くては、それとの差異もありえないからである。したがって、虚偽や誤謬によって言及されている対象、つまり非存在もまた、何らかの意味では存在している、としなければならない。これがおおよそのプラトンの論理であろう。存在は、非存在（無）との差異において存在たりえていることを考えれば、どのような存在にも、〈存在としての無〉が随伴者のように伴われている、と言うことができるだろう。

こうして、西洋哲学は、その原点のところで、〈無としての無〉を、その思考の守備範囲から完全に排除していることになる。パルメニデスは最初、〈無としての無〉を、単純に探究の対象から除外した。やがて、無は、哲学的な思考の中に取り込まれるが、そのためには、無そのものが存在化されなくてはならなかった。以後、哲学や神学の中で、無がときに言及されはするが、それは、一般には、〈存在としての無〉であって、純粋な〈無〉ではない。

このことの代償は大きい。無を存在化する限りにおいてのみ探究の対象としたとすれば、決して思考しえない――少なくとも思考することが著しく困難な――領域が創られることになるからだ。思考しえない領域とは何か。「仏教的な空だ」などという野暮なことを言うのはやめておこう。仮に西洋哲学の概念が、仏教的な空や東洋的な無なるものを巧みに把握しえないとしても、たいした影響はない。〈無としての無〉が排除されたことの最大の対価は、イエス・キリストを思考することが不可能に（困難に）なった、ということにある。キリストの受肉とは、神が、超越的な神無〉が、つまり存在が死んだということだからである。イエス・キリストとは、〈無としての無〉でなくて何であろうか。〈存在としての無〉の概念をもってキリストについて語るということは、キリストが死んでも、神は生きているということである。それは、キリストの受肉の真の衝撃を回避することになるだろう。常識的には、西洋の神学と哲学は、まさにキリストについて思考することを通じて豊穣な発達を遂げた、と考えられている。しかし、西洋哲学は、キリスト教と出会う前の段階ですでに、その真の意味に対して人を盲目にするような眼鏡を装着していたのである。*9

*1 ここには、見ることができないものに関して、わざわざ見ることを禁止する、という過剰な身ぶりがある。

*2 カール・ケレーニイ『神話と古代宗教』高橋英夫訳、ちくま学芸文庫、二〇〇〇年(原著一九六二年)、二九九頁。

*3 実は、一緒に用いられている、もう一つの語「羞恥」は、さらにいっそうギリシア的な宗教経験をよく特徴づけているのだが、その点については、次章で述べる。

*4 エルヴィン・パノフスキー『〈象徴形式《シンボル》〉としての遠近法』木田元監訳、哲学書房、一九九三年(原著一九二七年)。

*5 「比例した差をもって不等に置かれた等しい大きさは、見られえない」。これは、ルネサンス期のデュー

ラーが用いた、エウクレイデスの第八定理の翻訳である。無論、この文は、まったくチンプンカンプンであって、何を言っているのかさっぱりわからない。つまり、これはまったくの誤訳である。本来の第八定理は、見かけの大きさが距離の大きさに反比例しないということを意味する命題である。この定理が、後に、さまざまに誤訳され、まったく意味不明なものになってしまった――ときには削除されさえした――という事実こそ、二種類の遠近法の落差を示す徴候である。ユークリッド（エウクレイデス）幾何学は、古代の角度の遠近法を前提にしているのに、そのことに気づかず、強引に、近代的な遠近法を自明とする前提の中で解釈しようとしたがために、わけのわからない翻訳になってしまったのだ。

＊6　同じことを、「造形芸術」の方から言うこともできる。すなわち、今、私は、プラトンの論を使いながら、本来は見られないはずのイデアも、見られうる具体性をもった対象という側面を、本質的に脱しえないということを論じたのだが、逆に、造形芸術の方も、それは実際には無論見えている対象なのだが、見えないイデアたらんとする強い志向を宿しているように思えるのだ。先に、古代ギリシアの人物像は、たいへん写実的であると述べた。しかし、しばしば指摘されているように、逆に、それらの人物像は、あまりにも理想的であって、非現実的ですらある。手足等の身体の諸部分の比率があまりにも完全であり、いささかの贅肉もなく、現実の人間としてはありえない水準に達している。つまり、古代ギリシアの造形芸術は、個々の人間ではなく、人間の理想性を、イデアとしての人間を表現しようとしているのである。さらに付け加えておけば、造形芸術に批判的だったプラトンは、最晩年の著書『法律』では、エジプトの芸術作品を激賞している（熊野純彦『西洋哲学史　古代から中世へ』岩波新書、二〇〇六年、九五―九六頁）。

＊7　念のために入門書的なことを記しておく。プラトンもしばしば、「イデア」のことを「姿形《エイドス》」と言い換えている。「質料／形相」の二元論によって、アリストテレスは、プラトンのイデアについての哲学を受け継いだのである。

＊8　アリストテレスは、倫理に関しても、自然と人為を連続的に捉えている。徳とは、習慣つまり、人間の本性に基づいて獲得されている第二の自然だからである（熊野純彦、前掲書）。

＊9　哲学史の傍流としか見なされていないソフィストの議論でさえも、ここに論じてきた哲学者たちの思索の系列の中に組み込んで位置づけることができる。たとえば、最も有名なソフィストであるプロタゴラスのことを考えてみよう。プロタゴラスの主張としては、「人間は万物の尺度である」という命題が知られている。この命題はさまざまに解釈されてきたが、最も標準的なヴァージョンは、プラトンによる解釈である。プラトンによると、プロタゴラスが言わんとしたことは、何ものもそれぞれの人間に感覚されたまさにその通りに存在しているということである。つまり、人間の感覚が存在するものの尺度になっているというわけである。だが、このプロタゴラスの主張は、哲学の——学問一般の——自己否定だと言ってよい。何ごとも感覚された通りに存在しているのだとすれば、もはや、誤謬と真理とを区別できなくなってしまうからだ。しかし、同時に、プロタゴラスのこの命題は、プラトンへと至る本流の中に孕まれている危険な反面だとも言える。二つの意味においてそう言える。第一に、もともと、存在しているものやイデアとは、見られたもの（感覚されたもの）であった。プロタゴラスの命題は、この本来の状況を端的に表現しているだけだとも言えるのだ。哲学が自滅を免れるためには、正しく観ているということと誤って見ているということとを区別しなくてはならなく

なるが、それはいかにして可能なのか。第二に、本文で述べたように、プラトン自身も、誤謬や虚偽によって言及されている非存在も存在している、と認めざるをえなくなっている。もともと、真理は存在との対応によって定義されているのだから、非存在もまた存在しているとすれば、真理と虚偽の区別は、プラトンにおいても危うくなっているのである。

プロタゴラスに次いで著名なソフィストは、ゴルギアスである。ゴルギアスが主張したことは、煎じ詰めれば、「何も無い」ということである。ゴルギアスのテクストは、パルメニデスのパロディに他ならない。しかし、これもまた、アイロニカルな仕方で、プラトン的な哲学の弱点を照射していると解釈することができる。それは、ギリシアの哲学が、〈無としての無〉を語ろうとすると、いかにナンセンスなものになってしまうかを示しているからである。言い換えれば、ゴルギアスのふざけた議論は、〈無としての無〉に対する哲学の無力の証である。

第11章　闘いとしての神

1　「見ること」から「思惟すること」へ

ギリシア的な生《ビオス》の根幹を特徴づけているのは、視覚的体験である。われわれは、カール・ケレーニイの所論を手がかりとしながら、このように論じてきた。この論点を確保したとき、直ちにわれわれの連想が導かれるのは、あの『オイディプス王』の有名な結末部である。オイディプスは、己の知られざる秘密を——他人だけではなく自分自身すらも知らなかった秘密を——暴かれた後、なぜ、自らの眼を潰すという挙に出たのだろうか。彼は、なぜ、自殺するのではなく、盲目になるという道を選んだのだろうか。あるいは、なぜ、単に、テーバイの国を脱出するだけではなく、——脱出後の放浪の生活にとっては明らかに不都合だったに違いないのに——わざわざ眼だけを「殺した」のだろうか。この小さな疑問を銘記した上で、考察を進めていこう。

古代ギリシアの宗教的な経験が、見ることをこそ、その根幹に据えていたとすれば、それは、二つの最も重要な局面——ケレーニイは「二つの頂点」と呼んでいる——をもつことになる。第一の局面は、神々と対面し、神々を見ることである。ギリシア語の「神theós《テオス》」は、「見ること theoría」という述語的な意味を含んでいる。この語を、ラテン語にそのまま写せば、「見よ神を ecce deus」となる。すると、われわれは直ちに次のことに気づく。これとちょうど対応する、キリスト教側の表現があることに、である。無論、それは、ローマ総督ピラトが、ユダヤ人群衆を前にして、イエスを指していった言葉、「見よ（この）人を ecce homo」である（第7章参照）。ギリシアにおいては、見られるべき対象は神として措定されており、キリスト教では、それは人間である。もう少し繊細に言い換えれば、見ることの内に宿っている欲望のベクトルが互いに逆向きになっている、と捉えるべきであろう。キリスト教においては、神（キリスト）であるべきものが人間として提示される。ベクトルは、神から人間へと走っている。逆に、ギリシアにおいては、視線の指向性は、人間から神へと向かっている。われわれは、前章でギリシア彫刻の極端なまでに理想化された身体にふれた。こうした理想化は、人間であるはずのものに神話的な英雄を、そしてさらに神を見ようとしたことの結果である。

第二の重要局面は、神々が見る、あるいは神々のように見る、ということである。ケレーニイによれば、「〈観る〉ことを許された者は、〈神よ!〉《テオス》と呼びかける権利があ」った。他の多くの地域と同様に、古代ギリシアにおいても、太陽が神格化されている。ヘーリオスとアポローンが、ともに太陽神である。前者が可視的な太陽像に、後者が精神的な太陽像に、それぞれ対応している。ホメーロスの叙事詩は、その太陽を、「すべてを見、聞くもの」と呼んでいる。さらに『イーリアス』では、端的に、「神々の眼《テオン・オピス》」という語が使われている。

このように、古代ギリシアにあって、宗教的な経験の二つの極で神々には異なった役割が配分される。神々は、一方では視覚の対象であり、他方では主体である。両者はどのように関係しているのか。この問いには、すぐ後で立ち返るが、その前に、古代ギリシアにおいて、観ることと知ることが、視覚と知性とが、どのような繋がりと断絶において捉えられていたのか、この点をまずは確認しておこう。哲学の原点とも言うべき、ギリシアの古代において、視覚と知性との連続性と不連続性とをともに把握しておくことが、哲学の歴史を理解する上での要となるからである。

一方では、前章での議論がすでに十分に含意しているように、古代ギリシアにおいては、見ること・観ることと知ることとは、深く結びついていた。知ることは、観ることに基礎づけられており、ときにほとんど同じものでさえある。「知る eidénai《エイデナイ》」という営みに相関した対象は、「形相 eidos《エイドス》」である。形相は、プラトンのイデアと同じ意味だが、本来は、視覚的な対象（要するに「姿かたち」）を意味している。ケレーニイは、ギリシア人にとって、見る対象も知る対象もともに「ゲシュタルト」であるのは当然であり、知ることと見ることとの間のこうした繋がりは、「何もギリシア精神史のプリミティヴな初期段階などを示しているわけではなく、少なくともアリストテレスについても依然として妥当するギリシア特有のものであった」[*1]と述べている。知られた対象も、見られた対象と同様に現前するのである。

だが、他方で、知ることと見ること、あるいは感覚すること一般とが完全に同一であるとすれば、誤りと真理との区別もなくなってしまう。[*2]両者の間には、明確な区別が設けられていなくてはならない。真に知るべき対象は、イデアである。つまり、それは、無時間的なものであって、本来、目には見えないはずだ。ソクラテス＝プラトンにおいては、真理は、永遠の想起という形式で見出されるのであった（第8章）。ケレーニイは、極論すれば、ギリシア人にとって、学問epistēme《エピステーメー》は神々にこそ属していた、と論じている。だから、学問は、ギリシア人にとって敬虔さの表現である。少なくとも、学問を最大限に所有しているものは、神、ゼウスであった。ということは、通常の「知る《エイデナイ》」を超える強力な知が想定されているということになるだろう。そのような強力な知を意味する語が、「noeîn《ノエイン》（思惟する）」である。「思惟する」能力が、「nûs《ヌース》（知性・叡知）」である。

思惟することと見ること、知性と視覚、両者はどのように違い、どう関係しているのだろうか。思惟することは、確かに、見ること以上のものではあるが、しかし、見ることを否定するものではなく、依然として見ることの延長上にあると捉えるべきであろう。「思惟する」は、「見る」に欠けているものを補い、「見る」を真に完成させるものだからである。第一に、眼は、受容するだけだが、ヌースは、能動的である。つまり、眼で見るときには、世界にすでにあるものを受け取るという態勢が基礎であるのに対して、ヌースは、「思惟する」ことを通じて、世界に積極的に向かっていくのだ。第二に、見ることにつきまとう距離の限界を超えるのが、思惟することである。見るということは、無論、離れたところにある対象を見ることではあるが、しかし、あまりに離れたものはもはや視野に入らない。見ることによって現前させるためには、対象は十分に近くなくてはならない。それに対して、思惟することは、遠方にあるものを映し出すことを可能にする。ホメーロスの叙事詩では、旅人は、かつて行ったことがあり、もう一度訪問したいと願う所に、思惟の力によって行くことができる。ヌースは、見ることの距離的な限定性を超えて、それが関わりうる対象の範囲を普遍化する能力だと言ってよいだろう。言い換えれば、ヌースは、対象を見える範囲にあるかのように、「間近に引き寄せる」能力である。

　このように、「思惟する」は、「見る」の内に萌芽的にはありながら、まだ不十分であった契機を補完することで得られる。それをなしうる能力、すなわちヌースは、究極的には、神にこそ属すると考えられていた。たとえば、Hipponoos《ヒッポノース》 や Hipponoe《ヒッポノエー》 のように、

noos あるいは noe といった noein からの派生語で終わっている神話的な名が多いのは、神々が、思惟する力によって駆り立てられていると見なされていたからだ。すると、次のように解釈してもよいのではないか。先に、見ることをめぐるギリシアの宗教的な経験は、二つの頂点、二つの重要局面をもつ、と述べた。「神々を見る」と「神々が見る」である。後者の延長上に「思惟する」があるのではないか。つまり「神々が見る」その「見方」こそが、思惟することなのではないか。こうしたことを確認した上で、「観」をめぐるこれら二つの頂点、神々を見ることと神々が見ることとの関係を明らかにしよう。

2　羞恥（アイドース）

ケレーニイは、ギリシア特有の宗教的態度を理解するのに役立ちそうな現象を——その現象を表現するギリシア語の含みを復元することを通じて——解明している。たとえば、そのような現象の一つとして、「うやまう sébein《セベイン》」「尊崇する sébesthai《セベスタイ》」といった態度がある。「畏怖 sebas《セバス》」を惹き起こすのは、ギリシアにおいては、常に何かが現前している状態である。その意味で、「セベイン」は、「観」と深く関係している。しかし、これは、見ることをめぐる二つの頂点の内の一つ、つまり「神々を見る」という頂点の方にのみ関わっている。

二つの頂点の関係を見定めるには、もう一つの別の現象「アイドース aidós」を取り上げるほうがよい。実際、ギリシア的な宗教的態度を代表する現象として、ケレーニイが最も重視し、熱心に解説しているのは、ほかならぬこの「アイドース」である。アイドースとは、「羞恥」のことであり、動詞で言い表わせば「aideisthai（恥じ入る）」となる。ケレーニイによれば、――古代ギリシアにおいては――宗教的な態度の原点には、羞恥《アイドース》の感情がある。ここで、二六〇頁で引用した「デーメーテール讃歌」の文句を想い起こしてもよいだろう。これは、ケレーニイが「観の宗教」としてのギリシアの宗教を象徴する瞬間を表現する文句として紹介している箇所であった。それによれば、メタネイラは、女神デーメーテールの本性を観たとき、恐怖と畏怖《セバス》に加えて、羞恥《アイドース》を感じるのだ。

アイドースのありようをよく示す状況として、ケレーニイは、ホメーロスの『イーリアス』から次のような場面を引いている。ヘクトールが、アキレスとの決闘のために、トロイアの城外で一人アキレスを待っているときであった。ヘクトールの老いた両親プリアモスとヘカベーは、息子ヘクトールをトロイア城内に呼び戻そうとする。母ヘカベーは、乳房をむき出しにして、涙ながらに、ヘクトールに懇願する。

〈わが子ヘクトールよ、これに〉と、彼女は自分の乳房を示していう〈おんみは《アイドース》を感じてください。そしておまえに乳を飲ませてあげた私のことを憐れと思ってください。愛する子よ、これを思い出してください、そして城壁の内部に止まったまま敵を防いでください〉。（中略）ヘクトールは母の乳房、および乳房が意味しているすべてのものと対立するにいたる。このことが、彼の心中に〈アイドース〉を呼びさますにちがいないのである。[*3]

ここで、ヘカベーは、息子ヘクトールの内に、アイドースの感情を惹き起こし、さらにこれを両親への敬意《セバス》に転換しようとしているかのようである。つまり、親や神への「畏敬」のような、いかにも宗教的とわれわれが一般に見なしている感情を、さらに原初的な層に向けて遡ると、「羞恥《アイドース》」が見出される、というのがケレーニイの洞察である。『イーリアス』のこの場面では、ヘカベーは、まず、乳房を露出させることで自ら羞恥を覚え、相手（ヘクトール）からの感情移入を利用して、この羞恥を、言わば、ヘクトールに伝染させているのである。

　羞恥とは何であろうか。どうして、これが、宗教的な感情の原点となりうるのだろうか。羞恥は、精妙で複雑な現象である。ここでは、ケレーニイが留意しているアスペクトにだけ注目しておこう。たとえば、われわれは、裸でいることに恥ずかしさを覚える。「アイドース」には、「性器」の意味も含まれている。ヘカベーが感じているのも、裸体の羞恥である。〈私〉が裸でいることが恥ずかしいのは、〈私〉（の身体）を捉えている〈他者〉の視線を、〈私〉自身が直覚しているからである。〈私〉が〈他者〉を見る視線と、逆に外部の〈他者〉が〈私〉を捉える視線との間の対照的な双対性が、羞恥を感じるための必要条件になっているのだ。ケレーニイ自身は、次のように述べている。

〈畏怖《セバス》〉と同じことで、〈アイドース〉にも根柢に観るという経験があったが、これこそギリシア様式にふさわしいことであった。ただ、羞恥感を感じている人の方が、〈畏怖《セバス》〉を経験してそれを尊敬している人よりも、いっそう受動的である。羞恥を感ずる相手に対して、さらに尊敬をも示すというのであれば——尊敬の要素もこの現象〈畏怖《セバス》〉には含まれている——観る対象は彼自身なのであり、羞恥している彼が観られていることになる。この場合、彼は観る者ではなくて観られる者である。[*4]

このように、見ること（あるいは観ること）が同時に見られること（観られること）でもある。それが、羞恥を感じるための前提である。この関係は、かつて（第5章）、イエスの病気治療の活動との関連で、触覚において見出した構成とまったく同型的である。触れることは、（〈他者〉に）触れられることでもある。この二重性を、われわれは、「求心化—遠心化作用」なる概念で分析したのであった。それは、一方では、「この身体」であるところの〈私〉に求心化された相で現出する〈〈私〉が触れている〉。と同時に、他方で、それは、〈他者〉への遠心化された相でも現出している〈〈私〉が触れられている〉。両者は、別のことではなく、厳密に同一事である。これと同じ形式の関係が視覚をめぐって成立しているときに、アイドースが生まれうる。

しかし、求心化―遠心化作用の二重性は、しばしば、主観的な意識の後景に退いてしまう。たとえば、〈私〉が、「それ」をじっくりと触り、十分に享受しようとしていると、気がついたときには、〈私〉自身が、「それ」の受動的な対象であったという現実は感受されなくなる。すなわち、遠心化作用は、もはや現出しない。エマニュエル・レヴィナスが、愛撫の触診への頽落と呼んでいる事態は、われわれの用語を用いるならば、触覚の領域における、遠心化作用の排除である。だが、求心化―遠心化作用の二重性の、こうした抹消は、触覚においてよりも、視覚において生じやすい。視覚は、対象を、距離をおいて捉えるからである。見ることは、同時に見られること、見られうることである。顔を見ているとき、あるいは対象に「表情」を見ているとき、われわれは、こうした二重性を直覚している。だが、対象を冷静に「観察」しているときには、その対象は、もはや生ける〈他者〉ではありえない。

キリスト教は、イエスの治療の物語に集約されるような触覚的な寓話によって、宗教的な経験の原点を表現しようとした。それに対して、ギリシアの場合には、宗教的な経験の起源は、アイドースの視覚的な体験にある。触覚と視覚の今述べたような相違を考慮に入れるならば、次のように言えるのではないか。どちらにおいても、求心化―遠心化作用の双対関係が、宗教性がそこから発生するような力の源になっているのだが、その力の強度は、キリスト教において、(ギリシアより)大きい、と。[*5]

*

さて、考察をあらためて、ギリシア的な「羞恥《アイドース》」に集中させてみよう。われわれは、ここまで、視覚における求心化―遠心化作用は、羞恥の感情が生ずるための必要条件である、と述べてきた。言い換えれば、これは、未だに十分条件ではない。人が恥じるのは、〈他者〉に見られている自分のあり方が、特定の規範的な像とは合致していないと感じるときである。羞恥を惹き起こすのは、規範的な視線なのだ。それは、人が規範に合致しているかどうかを評価する視線、あるいは規範に合致した行為が出現することを期待する視線である。とするならば、その視線の担い手は、ただの〈他者〉ではない。それは、超越的な他者、規範の効力を担保する超越的な他者でなくてはならないのだ。すなわち、羞恥を惹き起こすためには、〈私〉を対象化する他者は、「第三者の審級」でなくてはならないのである。

以上から、次のような構図を、仮説的に描くことができるのではないか。すなわち、求心化─遠心化作用を通じて、〈私〉に対してたち現われる〈他者〉が、何らかの機制を通じて、言わば、第三者の審級へと変容したとき、羞恥《アイドース》の感情が〈私〉の内に生み出されるのではないか、と。羞恥が、宗教的な経験の原点になるのは、そこに、第三者の審級＝神との関係が前提にされているからだ。この関係を〈私〉の立場から捉えれば、つまり〈私〉が神を見るときに見出される感情に着眼すれば、それは、「畏怖《セバス》」と呼ばれるであろう。逆に、神が〈私〉を見ているという事実を前提にすれば、この関係に付着している感情は、「羞恥《アイドース》」である。われわれの疑問は、ギリシア的な視覚の体験の二つの頂点が、すなわち「神々を見る」と「神々が見る」とが、いかなる構造的な連関を形成しているのか、という点にあった。以上が、この疑問に対する解答となっているだろう。

　ケレーニイの次の議論が、このような解釈への傍証になっている。ケレーニイによれば、アイドースとテミス thémis は相互補完的な関係にある。テミスとは、法、習俗、規範を代表する女神である。アイドースに方向や限界を与えている規範的な秩序こそが、テミスに属する秩序であった。テミスの秩序に反することをやったとき、たとえば女性の裸を覗き見たとき、アイドースを惹き起こす違反と見なされた。要するに、女神テミスこそは、アイドースをもたらす第三者の審級に対応しているのである。

　こうした考察を経て、われわれは、本章の冒頭に記した問いに立ち返ることができる。どうして、オイディプス王は、自ら、己の眼を潰したのか。自分が父を殺し、母と交わっていたという事実を知ったときにオイディプスが感じたものこそ、この上なく深いアイドースだったに違いない。アイドースに抗するためには、あるいは少なくともアイドースに耐えるためには、オイディプスとしては、彼に注がれる他者たちの視線を、とりわけ神々の視線を遮るしかない。そのための手段が、オイディプスにとっては、自分の眼を抉り出すことだったのである。この一見不合理な自傷行為の意味は、求心化作用と遠心化作用との間の厳密な双対性のことを考えれば理解可能なものとなる。他者や神々が〈私〉を〕見ること〔遠心化作用〕と、〈私〉が〔他者や神々を〕見ること〔求心化作用〕とは、〈私〉自身にとっては、同じことの二つの表現でしかない。したがって、後者の否定は、そのまま前者の否定でもある。オイディプスが盲目となることで、他者たちの、そして神々の視線から逃れうると感じたのは、このためである。求心化作用と遠心化作用の表裏一体性が、オイディプスの最後の、自暴自棄にも思える自身体への攻撃を説明するのだ。

3 「万物は数である」

哲学の起源を、つまり古代ギリシアの哲学の歴史を調べたときに、誰もが覚える違和感は、ピタゴラス学派の位置づけである。ピタゴラスとその学派は、「万物は数である」というテーゼを提起したとされている。だがこのテーゼを、同時代の、あるいはその前後のギリシア哲学者たちの主張と並べたときに、どうしようもなく不協和に感じられてくるのである。

たとえば、万物は水だ（タレス）とか、空気だ（アナクシメネス）と主張した哲学者たちは、ピタゴラスとほぼ同時代人だと言ってもよい。あるいは、世界は、四つの元素――土と火と空気と水――の複合から成ると主張したエンペドクレスは、ピタゴラスより一世紀ほど後代に属する。原子論を唱えたデモクリトスやレウキッポスは、エンペドクレスとほぼ同世代である。彼らの主張は、もちろん、今日の物理学や化学の知見からすれば、まったく間違っている。しかし、当時の乏しい知識を考慮すれば、こうした主張も、わからないでもない、と思える。それらには、一定の合理性があり、神話的な思考からは一線を画した哲学的な思考がすでに始まっている、と考える理由も納得がいく。

だが、「万物は数である」というテーゼは、これらの主張とは違って、単に間違っているというより、論理的に見て無意味である。数は、物ではないからである。このテーゼを、しかし、現代風に解釈しなおし、これに一定の合理性を与えることもできなくはない。たとえば、「運動方程式は宇宙の原理である」とか、「光速不変は万物の原理である」とかいった命題と類比的に、「数は万物を貫く原理である」と解するのである。こうすると、ピタゴラス学派の主張が、われわれにも理解可能なものに変換する。しかし、周囲が

「水だ」「空気だ」「土だ」等と言って騒いでいるとき、ひとり「数だ」などと唱えるのは、奇妙ではないか。存在者の原基として措定されていることが、他に比して、あまりに抽象的に過ぎ、論争がまったく嚙み合わない。さらに、こうした解釈は、古代ギリシアにおいては、存在者の原型は触知可能な具体物であった、という前章でのわれわれの結論とも整合性を欠いている。

しかし、われわれが本章でここまで展開してきた考察を迂回路にして解釈すれば、ピタゴラス学派のテーゼは、古代ギリシアの哲学の歴史の中に、整合的に収めることができる。不協和音はただちに協和音に変わるだろう。その際、鍵になることは、テーゼに合理性を与えようとして一般に施されている変換とは逆方向に、テーゼを置き直すことであ る。今しがた述べたように、ピタゴラス学派の一見ナンセンスなテーゼを合理化するときには、神話や呪術から哲学へというベクトルを一段階強めるような形で解釈しなおすのが普通である。しかし、このテーゼは、むしろ、哲学から神話の方向へと送り返すことによってこそ、真に整合的なものに見えてくるのだ。

ここで、もう一度、ギリシアの宗教的な経験の原点をなす感情が、羞恥であった、というケレーニイの論点に立ち返ろう。羞恥が湧きでるのは、繰り返し述べてきたように、〈私〉の「見る」と〈他者〉の「見る」とが——求心化—遠心化作用を介して——同時に生起するからであった。このことの必然的な帰結は、まなざしの間の闘争である。たとえば、〈私〉が〈他者〉のまなざしの前で羞恥を覚えるのは、〈私〉が〈他者〉のまなざしに屈したからである。すなわち、〈他者〉のまなざしの内に読みこむことができる、〈他者〉の欲望や期待を受け入れ、自分自身の現在のあり方が〈他者〉によって欲望され、期待されている像に対して乖離していることを自覚したとき、〈私〉は恥じいるのだ。このように、複数のまなざしが共起し、共立しているとき、それらまなざしの間で、相手を自分の欲望や期待の内に収容し、成型しようとしあう、闘争が現出することになる。まなざしの間のこうした闘争は、サルトルの『存在と無』の中で、徹底して分析されている。

こうした点を確認した上で、ピタゴラス学派に戻ってみよう。彼らが「数だ」と主張しているときの「数」とは、今日のわれわれの概念を用いれば、言うまでもなく自然数のことである。テーゼの含意をもう少しだけていねいに展開しておけば、重視されているのは、単独の数ではなく、数と数との間の関係、とりわけ自然数の間の比であったことがわかる。よく知られているように、彼らのテーゼは、聞いて心地のよい音階をもたらす基礎的な音程が、弦の長さにしたとき、1：2、2：3、3：4といった自然数の比で作りだすことができるという発見に負っている。自然数の間の比とは、要するに、有理数のことなのだから、ピタゴラス学派のテーゼは、「万物は有理数である」というテーゼだと言い換えてもよいことになる。

比とは何であろうか。比という表現をもつような、体験的な事実とは何であろうか。それこそ、闘争であろう。二つのものの間の闘争が決着し、均衡している状態、それこそ、比によって表わされる。こうして、ピタゴラス学派の一見抽象的なテーゼを、〈私〉と〈他者〉の間のまなざしの闘争という生々しい現場に、差し戻すことができる。次のように考えたらどうであろうか。まずは、闘争が、〈私〉と〈他者〉たちとの間の闘争についての原体験が、実感されている。比は、その実感された闘争を掬いとる概念として、受け入れられたのではないだろうか。音程などの見事な比によって表現される数学的な事実は、背後に不断に闘争が生じていて、ふたつ（以上）の力が均衡・拮抗していることの徴として受け取られたのではないだろうか。

ピタゴラス学派についてのこうした解釈が牽強付会ではないということは、ピタゴラスとほぼ同時代に活動し、彼と交流もあったヘラクレイトスの主張を参照してみればはっきりする。ヘラクレイトスに帰せられるテーゼとしては、「万物は流れる（パンタ・レイ）」という命題が有名だが、世界のあらゆるものが変化し、生成消滅するという感覚は、前章でも示唆したように、ソクラテス以前の哲学者たちに広く共有されていたものであって、とりたててヘラクレイトスの思考を特徴づけるものではない。われわれが目下の文脈で注目しなければならないことは、ヘラクレイトスが端的に次のように断言している点である。「闘いは万物の父であり、王である」と。常識的には、主語の部分は、「闘い」ではなく、最高神ゼウスでなくてはなるまい。実際、たとえばヘシオドスであったら、そう言ったであろう。「ゼウス」がすわるべき位置に、ヘラクレイトスは「闘い」を据えたのである。ヘラクレイトスのこの断片に注目し、徹底した解釈の対象にしたのが、他ならぬハイデガーであった。

したがって、「万物は数である」という抽象的で観念的なテーゼと、「闘いは万物の父である」という具体的なイメージを喚起する詩的な言明は、同じことの二つの表現だったのではないか。あるいは、もう少し慎重に言い換えれば、前者が、スタティックな結果において捉えたことを、後者は、ダイナミックな過程の内に捉えたのではないだろうか。

ヘラクレイトスは、こう言っている。「闘いが共通のものであり、常道は闘いであって、一切は争いと負い目にしたがって生じることを知らなければならない」と。ここでヘラクレイトスが「負い目」と呼んだことと、ケレーニイが「畏怖《セバス》」や「羞恥《アイドース》」と結び付けて解明しようとした現象とは別のことではあるまい。われわれは、前節で、次のような仮説的な構図を提起しておいた。求心化─遠心化作用を通じて現出する〈他者〉のまなざしが、第三者の審級＝神へと変容するのではないか、と。この構図を用いるならば、闘い、〈私〉と〈他者〉たちとの間のまなざしの闘争こそが、神を生みだす原初の場、神にとっての親だということになるだろう。まさしく、闘いこそが、神をも含む万物の父なのである。あるいは、闘いこそは、神の神、神に先立つ神だったと言ってもよいだろう。さらに、「万物は数である」というピタゴラス学派のテーゼが、思弁的・哲学的であるよりも、むしろ、通常の哲学的な命題よりも——たとえば「万物は水である」といった命題よりもいっそう——神話的なものに近接していると解すべきだと述べたのも、こうした背景があるからである。このテーゼは、神々が誕生してくる場所へと眼を向けているのだ。[6]

ここにさらに、エンペドクレスによって唱えられ、やがてアリストテレスによって継承される、万物は四大（土、火、空気、水）から成る、という説を繋げてみると、以上の解釈をさらに補強することができる。四大説は、一見、あらゆる物質は有限種類の元素から成るという近代化学の先駆のような印象を与える。しかし、ギリシアの四大説を支持しているのは、四つの原基が愛・憎の闘争を通じて、ときに結合し、ときに分離するという感覚である。[7]四大説は、ピタゴラス学派が「万物は数である」という命題で一般的に指示していた闘争に、具体的なイメージを与えようとしているのだ。

4　テオーロス

最後に、以上に述べたことを、つまり「観の宗教」としてのギリシア宗教の性格を、全体として要約する現象として、「theorós《テオーロス》」と呼ばれた使者たちのことを論じておこう。テオーロスとは、公的な祝祭への訪問者、祝祭の使者たちである。どこか遠くの別の場所で、ある神が祝われていると、その祝祭を観るための訪問者が、国家のために派遣される。彼らは、遠国の祝祭を訪問し、それを観ることを仕事としている。

プラトンは、『国家』の冒頭で、ソクラテスの口を通じて、この訪問のあり様を伝えている。ソクラテスは、好奇心から、トラキアの女神の火を見るために、ピレウスに出かけた。ソクラテスは、女神を礼拝して帰ってくるのだが、これを、われわれが行っているような名所観光のようなものと見なしてはならない。ソクラテスは、「テオーリア」から帰ってきた、と記される。つまり、ソクラテスは、ここでテオーロスの役割を引き受けているのである。

なぜテオーロスが必要なのか。なぜ国家は、遠方の祝祭に、「観る人」を送る必要があったのか。この疑問には、次のように答えておこう。われわれは、第1節で、「神のごとく見ること」の延長上にある能力としての「思惟する《ノエイン》」について述べた。思惟することは、通常の「観」につきまとう距離的な限界を乗り越えることであった。つまり、それは、通常の視野が及ばない遠くを、まるで間近であるかのように観ることを含んでいる。国家の神の代わりに、遠くの神々を見に行くテオーロスたちは、「ノエイン」のごとき神の観を、律儀に実現しようとしているのではないだろうか。ケレーニイによれば、アポローンでさえも、遠方から信者たちのもとに訪問してきたときには、「テオーリオス」とか「テアーリオス」と呼ばれたという。言い換えれば、アポローンという神の観は、テオーロスの形式で実行されたのである。

こうしたテオーロスの派遣が、最も大々的に展開されるのが、劇場での祝祭やオリンピアでの競技である。祝祭を観るために、そしてとりわけオリンピアでの競技を観るために、ギリシア各地から人々が集まってくる。彼らは皆、テオーロスであり、神的な観客である。ちなみに、劇場、つまり「テアートロン」とは、これら神的な観客が観るための場所を意味している。

ギリシア的な宗教性の極点は、オリンピアの競技である。ギリシアの諸都市が、定期的にオリンピックを開催しなければならなかった理由は、ここにある。競技者は、一種の英雄である。観客は、畏怖《セバス》の念をもって、競技者たちの競技を見た。つまり、人々は、神々を見るかのごとく、競技者を眺めたのである。この場合、競技者が神々の位置に立っている。だが、よりいっそう重要なことは、競技は、観られた者の、つまり競技者たちの羞恥《アイドース》によって規定されていた、ということである。つまり、こうした規定関係を前提にした場合には、観客こそが神々であり、競技者たちは、その神々の視線を意識し、神々の前で決して恥をかくまいと必死の闘いに挑むのである。

観客たちは、ギリシアの各地の神々を代行するテオーロスである。テオーロスの前では、まさに闘いが演じられている。ここで重要なことは、この闘いからはまだ、単一の神は発生してきてはいない、ということである。観客たちの視線は、さまざまな場所、分散しているさまざまな都市国家に起点をもっており、決して、単一の原点に帰することはできないからである。闘いこそが万物の父である。しかし、闘いにとって代わる単一の神は未生である。この事実を確認しておけば、われわれは、本来の課題、すなわちヘレニズムとヘブライズムの相補性はどの点において成り立っていたのかという問題に、立ち返ることができる。

＊1　カール・ケレーニイ『神話と古代宗教』高橋英夫訳、ちくま学芸文庫、二〇〇〇年、一八七頁。

＊2　この困難を指摘したのが、前章の注9で述べたように、ソフィストのプロタゴラスである。

＊3　ケレーニイ、前掲書、一五四頁。

＊4　同、一五三頁。

＊5　ここで前章で遠近法に関して述べたことを、つまり古典古代においては、対象の見かけ上の大きさが「視角」の大きさに比例するように描かれていたという事実を、もう一度、想い起こしてほしい。「視角」（対象を見るときの視線が回転する角度）が対象の大きさを反映すると見なされているとき、視線そのものが、対象に触れる長い腕のようなものとしてイメージされているのである。つまり、ここでは、視覚が触覚に引き寄せられた形で解釈されているのだ。

＊6　以上の解釈を補強するために、ピタゴラスの名が冠せられている有名な定理、$x^2+y^2=z^2$という方程式によって表現される定理について述べておきたい。言うまでもなく、この式は、直角三角形の斜辺（z）と他

の二辺（x、y）との関係を表示している。今日のわれわれは、この定理を、x、y、zに代入される数字の種類に関係なく一般的に妥当する真理として受け取っているが、ピタゴラス学派にとって重要なことは、「比」の場合と同様に、ここでも自然数の間の関係であった。すなわち、彼らは、この方程式を満たす、自然数の組に興味があったのだ。最も有名なのは、（3、4、5）の組だが、こうした自然数の組は、無限にあることが、ピタゴラス学派自身によって証明されていた（エウクレイデスの『原論』に証明は記されている）。こうした自然数の組み合わせは、ピタゴラス数と呼ばれる。通常の比が、二項的《ダイアディク》な闘争の表現であったとすれば、ピタゴラス数は、三項的《トライアディク》な闘争、三すくみの闘争の表現である。

だが、ピタゴラスの名を広く知らしめたこの定理は、この学派にとって、二つの意味で躓きの石であった。第一の躓きの石は、すでにピタゴラス学派自身によって、ひそかに自覚されていた。この定理は、「万物は数（有理数）である」という彼らのテーゼを反証する命題としても利用できるのだ。確かに、この方程式を満たす自然数の組がいくらでも存在しているのだが、同時に、この方程式は、自然数の比によっては表現できない数字、つまり今日のわれわれが「無理数」と呼んでいる数が存在していることを否応なく示してもいるのである。たとえば、x＝y＝1とおけば、zは、分数（有理数）にはならない（$z^2=2$）。ピタゴラス学派の教えは、彼ら自身の発見によって否定されてしまうのである。彼らの主張は、二項関係においては成り立つが、三項関係の領域に突入したとたんに、限界を露呈させる。「比」は、闘争が均衡し、静止する点を表示している。三項関係においては、そのような均衡が成り立つことが、一般的には保障されないのである。

このことをより明確に印象づけるのが、第二の躓きの石である。この第二のスキャンダルは、ピタゴラスよりもはるかに後、一七世紀に入ってからフェルマーによって予言された。フェルマーは、ピタゴラスの定理を一般化した場合、つまり冪《べき》指数が3以上になったときには、もはや、ピタゴラス数のような整数の組み合わせは存在しないだろう、と予想したのである。次のように言われる。「$x^n + y^n = z^n$において、$n \geqq 3$であれば、この方程式は整数解をもたない」。フェルマーの最終定理として知られるこの予想が、数多の数学者たちの努力を経たのちに、実際に証明されたのは、一九九四年のことであった。証明したのは、アンドリュー・ワイルズである。ワイルズが証明を終えた瞬間は、およそ二五〇〇年前にスタートし、延々と受け継がれてきた知のバトンが静かにおろされた瞬間でもあった。

＊7　エンペドクレスは、こう言っている。「憎しみにおいて、これらすべてのかたちは分かれて、はなれ、／愛にあっては、たがいにあつまり、もとめあう」と。

第12章　予言からパレーシアへ

1　倫理的なパレーシアの三つの契機

自らは書き物を残さず、プラトンの師であるということによって知られているソクラテス、彼こそは、「主人」「哲学の主人」と呼ばれるに相応しい。ところで、ジャック・ラカンに「主人の言説」なる概念がある。ラカンは、この概念を用いて、奇妙なことを言っている。存在論は、主人の言説の圏域に属している、と。ラカンは、講義の中で、存在についての哲学的な言説は、「もしあなたが私〔主人〕の命令したことを理解していたらどうなるか」ということを、靴で踏み固めるのだ、と述べ、さらに次のように続ける。

存在の次元の全体が、主人の言説の運動の中で生み出される。主人は、シニフィアンを発話することによって、そこから、無視することができない連鎖の効果のひとつを、すなわちシニフィアンの命令を期待している。シニフィアンは、何にもまして命令文である。[*1]

存在論が主人の言説に属しているとは、どういう意味であろうか？　この謎めいた言葉を、考察のための導きの糸として提示しておこう。われわれの考察の目的は、ギリシアに由来するヘレニズムの文化とヘブライズムの文化との間の論理的な接合関係を解明することにあったからである。前者は、言うまでもなく、哲学の源流である。後者は、「ヤハウェ」、つまりは「存在」を意味する名をもつ神の宗教をベースにおいている。

＊

さて、われわれは、「告白」と「パレーシア（真実を語ること）」との間の類似と相違の中に、ヘレニズムとヘブライズムの相補的な関係のからくりを解明するための手掛かりを見出すことができるのではないか、との仮説を提起しておいた。両者は、外観上はよく似ているが、それぞれ異なる伝統に根ざしている。告白は、キリスト教の伝統の中で生まれてきた。パレーシアは、ギリシア的な理想の表現であった。これらに注目したのは、ミシェル・フーコーである。前者に関しては、批判的に乗り越えるべき、西洋的な権力の一側面として、後者に関しては、再発掘に値する、西洋的な倫理の様式として。

パレーシアの完成者、言わばパレーシア的な理想の分身とも見なすべき人物は、ソクラテスである。われわれはすでに、パレーシアが、民主主義の中から生まれながら、民主主義的な政治の場を否認することによって完成した、ということを確認してある（第9章）。民主主義こそが、最初は、パレーシアを、つまり自らが真実と確信することを、危険を顧みずに語る勇気を、必要とした。しかし、ソクラテス自身は、政治参加をあえて拒否したのであった。政治的なパレーシアから区別された固有の意味でのパレーシアを、つまりソクラテスの倫理的なパレーシアを特徴づける契機は三つである、とフーコーは述べている。[*2] それらは、いずれも、ソクラテスが導入した革新的な契機であり、それ以前には、見出せない。

第一の契機、最も重要で、他の二つを規定する基本的な契機は、神々との関係の中に、つまりアポロンとの関係、予言＝神託との関係の中に、見出すことができる。ソクラテスは、デルフォイのアポロン神殿からの神託を伝え聞く。「ソクラテスほどに知恵のある者はいない」と。神託あるいは予言を神々から受け取ったときの、伝統的な対応は何であろうか。解釈である。神託が言わんとすること、神が何を語ろうとしているかを解釈することだ。その後は、どうするのか。ただ待つだけだ。神託において言われたことが現実の中に出現するのを待つのである。しかし、ソクラテスの対応は、これとはまったく違う。

「解釈」（と「待機」）という伝統的な対応に代えてソクラテスが採ったのは、「検証」である。ソクラテスは、神託の真意は何か、神託に隠されている謎は何か、「ソクラテスほどに……」という言明によって神はほんとうは何を伝えようとしているのかなどと解釈しようとはしない。そうではなく、ソクラテスは、言明の真偽を直接に検証しようとするのだ。解釈と検証の相違を規定する要因は何か？　検証に付せられるということは、神託が反駁される可能性があるということである。つまり、検証という営為は、神託の意味内容とは独立に、それに規定されることのない「真理」という審級が成り立っていることを示している。言い換えれば、独立の「真理」の審級は、ソクラテス以前には存在していなかったのである。

第二の契機は、この検証のためのリサーチが、どのような形式でなされているのかに関わっている。そのやり方は、現代的に言えば、一種の社会調査である。ソクラテスは、都市国家のさまざまな市民と次々と対話することによって、神託の真偽を確かめようとする。つまり、政治家、詩人、職人たちと——自ら知恵をもっていると自任している市民と——対話することで、ソクラテスは、彼らがほんとうにソクラテス自身よりも知恵がないのか、を知ろうとするのだ。これが、まさに現代的な観点からすると「社会調査」のようだ、というのは、ソクラテスが検証にあたって対話する市民の身分にいささかもこだわっていないからである。したがって、都市の上層から下層までの市民が、差別なく対話の相手として選ばれている。まるで社会調査における、被調査者の「無作為抽出」のように。こうした検証方法は、アテナイの政治に、つまり民主主義に対応したものではないだろうか。アテナイの民主主義においては、男性市民は、完全に平等な権利を有する。それと同様に、ソクラテスは、市民を平等に遇しているのである。先にも述べたように、ソクラテスは、政治への関与を拒否した。だがしかし、彼のパレーシアは、民主主義と同じ平等観を前提にしているのだ。

第三の契機は、生/死の可能性を顧みない「勇気」である。ソクラテスは、相手を次々と論駁してしまうその知性によって、周囲の市民から大きな敵意や嫉妬を引き寄せてしまった。実際、彼は、これが原因で、アテナイの法廷で死刑の判決を受ける。このことは、ソクラテスが、「真実を語ること」の価値と命の重さとを秤にかけて比べたりはしなかった、ということを意味している。つまり、ソクラテスは、生き延びるチャンスを少しでも増すために(あるいは死の危険を回避するために)、パレーシアを手控えはしなかったのである。

命を惜しまない勇気をもって、一種の社会調査的な対話を続けることで、ソクラテスは、最終的に、神託がまさに真であることを検証する。つまり、ソクラテスは、どの対話相手よりも自分の方が知恵があることを発見する。どの対話相手も、善美のことを何も知らないのに、知っていると思いこんでいる。それに対して、ソクラテスだけは、事実知らないとおりに知らないと思っている、というわけである。論駁《エレンコス》的対話は、結局、ソクラテスの魂に、対話相手の魂を対置することである。言い換えれば、ソクラテスの魂は、他の人々の知恵を測る基準に、他者たちの魂にとっての試金石になったのである。

　このようなソクラテスの知のあり方は、伝統的に「無知の知」と呼ばれてきた。だが、「無知の知」という断定は、繊細さを欠き、事態の正確な記述とはなりえていない。この点を熊野純彦に従って確認しておこう。[3] そもそも、無知の知は可能だろうか。Xを知らないということを知ることはできるだろうか。Xを知らないと知るためには、Xとは何かを知っていなくてはならないのではないか。要するに、「無知についての知」という形式の知の自己言及は、矛盾を孕んでいるのではないか。実際、プラトンは、『カルミデス』で、無知の知は不可能だと結論している。翻って、『ソクラテスの弁明』を見直してみると、ソクラテスは、「知らないことを知っている」とは言っておらず、「知らないと思っている」と語っているのみである。

　だが、両者はどう違うのだろうか。その差は、規定しがたく、たいへん微妙だと言わざるをえない。確認できるのは、ここで遭遇している困難は、あの真理の想起説を動機づけたアポリアと同じものだということである。Xとは何かということの探究が始まるためには、Xを知らないことを知っていなくてはならず、それゆえ、結局、Xそのものを知らなくてはならないことになるからだ。この矛盾を乗り越えるために、真理は、すでに永遠の過去において知っていたことの想起という形式で見出される、とする説を、ソクラテス―プラトンは採用したのであった（第8章）。

ここから、われわれが引き出しうる教訓は、無知についての自覚という心的な構成が可能であるためには、異なる層位に所属する、知の二種類の主体――実体的に区別されうるかどうかは別として論理的には区別しうる二種類の知の担い手――をどうしても必要とする、ということである。想起説では、永遠の過去においてすでに真理を知っている、輪廻する魂と、忘却しており、それゆえ知らない現在の魂とが、知の二種類の主体である。「知らないと思っている」――「知らないと知っている」ではなく――とソクラテスが語っているとき、こうした知の主体の二重の水準が、あいまいに予定されている、と言うべきではないか。すなわち、無知について知っているべき主体は、予感はされてはいるが、未だ措定されてはいないのだ。

とりあえず、関連することがらとして、この文脈であらためて指摘しておきたいことは、古代ギリシアにおいては、「知る」ことのイメージは、「観」を中心として異なる層位に拡がっていたという事実である。ケレーニイに従ってかつて（第10章）論じたように、ギリシアにおいては、知ることとは、まずは見る／観ることであった。不可視のイデアでさえも、ある意味で、観られることにおいて知られるのであった。だが、一方では、「観」は、手で摑んだり、触ったりすることへと、つまりは「触」の水準へと降りたち、近接していく。たとえば、ハイデガーが述べているように、ギリシアにおいては、「存在している」ということは「制作されて手元におかれるようにある」ということである。あるいは、対象が角度（視角）の遠近法に従って描かれたのは、視線そのものが対象の輪郭をなぞる腕のようにイメージされていたからである（前章注5参照）。だが他方では、「観」は、「知性《ヌース》」の水準へと拡大してもいる。「思惟する《ノエイン》」は、「観」を超えているが、同時に、「観」そのものの延長上にある。ギリシア人にとって思惟の原型は、通常の視野の限界を超えた遠くを見るということにあるからである（前章）。したがって、極限の近さ、特異的な近接性において対象を捉える「触」から、特殊に限定された視野の内部であるとはいえ、遠くの対象までも捉える「観」を経て、距離の限界を超越することで、視野を普遍化する「知性」へとつながる、さまざまな「知」の層位が得られることになる。無論、「無知の知」というときに問題にされているのは、最後の、「ヌース」の意味での知である。

2　オリンピアの祝祭的な闘技

この「遠くを観る能力」としての知性を、律儀に、文字通り現実化したのが、先に論及した「テオーロス（神的観客）」であった。テオーロスは、遠くからやってきて、祝祭を観る。彼らは、遠方の国家の神々、あるいはその代行である。

テオーロスによって観られる祝祭は、しばしば、闘技の形式をとる。その典型が、オリンピアの祝祭である。そこで観られている闘技そのものもまた、「見ること／観ること」に関連している。つまり、闘いの原型は、自己と他者の間のまなざしの闘いにこそある。前章で、われわれは、このように論じた。闘いの原初的なイメージをまなざしの間の葛藤に見出す、こうした論は、決して強引な類推ではない。まったく同じような関連づけを、古代ヘブライズムの伝統の中にも認めることができる。

たとえば、「創世記」にある、ヤボク河岸でのヤコブの野営のエピソードを、思い起こしてみよう（第3章）。旅の途中、ヤコブが独り、川の此岸に残っていると、夜陰の中から謎の人物が出現し、ヤコブと一晩中闘った後に、去って行った。闘いの後に、ヤコブは、顔と顔とを合わせて神を見たのに、なお自分が生きている、ということに驚きを覚えるのであった。ここで、ヤコブは、謎の人物との闘いを「顔と顔を合わせる体験」として要約している。顔とは、〈私〉がそれを見ているとき、それもまた〈私〉を見ていることが自明であるような対象である。顔と顔を合わせることとは、まなざしの交錯以外のなにものでもない。したがって、ヤコブをめぐるこのエピソードは、まなざしの交錯を、一種の闘いとして、あるいは闘いそのものの意味となるような中核的契機として、提示していることになる。このエピソードが特に注目に値するのは、これが旧約聖書中の一挿話を超えた価値をもっているからである。ヤコブは、イスラエル十二部族の共通の始祖であり、このエピソードは、「イスラエル」という名前の由来の説明ともなっているのだ。

だが、オリンピアにおける英雄（競技者）／テオーロス（観客）の関係とヤコブのエピソードを対比したとき、看過しえない重要な相違があることにも気付く。前者における英雄同士の闘いは、無論、後者では、族長ヤコブと謎の人物との間のくんずほぐれつの争いに対応している。後者においては、謎の人物は、去ることによって、すなわちヤコブのまなざしの及ばない遠くへと消えることによって、まさに自らを「神」として実現する。彼は、去るにあたって、ヤコブを——神としての立場で——祝福し、ヤコブに「イスラエル」という信仰共同体に相応しい名を与えるのだから。そして、実際、去った後、男は、ヤコブに「神」と呼ばれている。闘いに敗れ、不可視の領域へと去ることで神になるというこの構成は、死によって——抽象化されることによって——神としての普遍性を実現するという、イエスのあり方の遥かなる予型と見なせないこともない。[*4]

さて、どこからともなくやって来て、不可視の領域へと去っていくこの神としての契機は、オリンピアの状況の中では何に対応しているのか？　日本の「まれびと」を連想させるような形で、遠くの国家からやってきた神々（の代理人）であるテオーロスたちこそ、それであろう。だが、ヤコブの神とテオーロスとでは、次の二点において、明確に異なっ

ても いる。第一に、前章の結末で指摘しておいたように、テオーロスたち(観客たち)は、分散したままであり、単一の神へと収束する場面をもたない。イスラエル十二部族の全体に君臨するヤコブの神のように、(たとえば多様な都市国家のすべてに君臨する)単一の絶対的な神として示されることはないのだ。ヤコブの神がまさに神となるのは、立ち去る局面だが、テオーロスたちにとって重要なのは、多様な地域から到来したという事実である。*5 第二の相違は、第一の点とはまったく対照的な局面に現われる。ヤコブのエピソードにおいては、神となるべき人物は、当初、ヤコブと対等な人間として現われる。つまり、彼は、ヤコブと顔と顔を合わせた二者関係の中にある。神は、この人間的な水準から一挙に上向するようにして——ヤコブが対面していた人物の変容を通じて——出現する。それに対して、オリンピアの世界では、人間(英雄たち)/神々(テオーロスたち)という区分は、最初から固定されたままである。*6

したがって、次のように整理することができる。第二の相違点に着眼すれば、ヤコブのエピソードでは人間=神の連続性が強調されており、古代ギリシアのオリンピアの祝祭では、両者の断絶が明示されているように見える。しかし、第一の相違点に定位した場合には、逆である。ヤコブの短いエピソードは、人間に対して、単一的な神が絶対的に超越していることを示唆しているように見える。しかし、オリンピア的な状況では、神々が対等に乱立し、誰も圧倒的な超越性を誇示することはできていない。

＊

さて、古代ギリシアにおけるオリンピアや劇場での祝祭の状況、すなわち基本的には対等な神々を代表する観客《テオーロス》たちが、勇者たちが相互に闘うさまを競技場で観たり、俳優たちが悲劇を演じているのを劇場《テアートロン》で観たりする、というこの構造は、われわれの考察の矛先を、再び、ギリシアのポリスの民主主義の領域へと導くことになる。なぜかと言えば、祝祭の構造は、ポリスの民主主義とまったく同一の形式を共有しているからである。

復習しておけば、ポリスでは、オイコス（≒家族）の家長たちは、完全に平等な資格をもって参加できる、直接民主制が採用されていた。家長は、オイコス内では、絶対的な権力をもっていた。彼は、オイコスの中で、さながら神のように君臨したのだ。しかし、彼ら同士は、――ポリスの民主主義の中にあって――互いに完全に平等であった。ポリスの民主主義とは、オイコスの家長たちがアゴラ（広場）に参集して、互いの間の討議を観察し、承認しあうことだった、と言ってよいだろう。ハンナ・アーレントは、実際、ギリシアの民主主義が保証したような公共空間にとって、死活的に重要なことは、各個人がその固有性において現われること――観られること――にある、と述べている。[*7]討議とは、無論、言葉による闘争である。とするならば、互いに対等な多数の神々が、闘争を観察するという形式において、ポリスの民主制とオリンピアの祝祭は完全に同一であると言ってよい。

なるほど、確かに、オリンピアの場合には、テオーロスが代理しているのは、オイコスの私的な神ではなく、ポリス（都市国家）の神々である。テオーロスは、一つのポリスの中から集まってきたのではなく、ギリシア全土のポリスからやってきた。したがって、参加者の内容からすれば、オリンピアの祝祭と民主主義は異なっている。しかし、参加の形式に関しては、両者は共通している。オリンピアの祝祭や劇場での観劇は、民主主義がポリスの中で実現していた形式を、ポリス間で再現しているのである。

今しがた、われわれは、オリンピアでの祝祭的な闘技と神的観客の関係を、ヤコブと謎の男との闘いと対比しながら、次のように論じた。すなわち、無政府的に多様な神々（テオーロスたち）を全体として統括するような超越的な神の場所は、そこでは用意されてはいない、と。この結論は、第9章の最終節で、ポリスの民主主義について論じたことと対応している。そこで、われわれは、古代ギリシアの表向きは失敗した（しかし長期的にはむしろ成功した）ソロンのク・デタと、古代ローマでの表向きは成功した（しかし長期的には明らかに失敗した）ク・デタであるカエサル暗殺とを比較して、ポリスの全域を統括するような抽象的な第三者の審級は、古代ギリシアにおいてはいまだに生まれてはいなかったのではないか、との仮説を提起しておいた。ローマにおいては、そのような第三者の審級が共和政期にすでに潜在的には機能していた。その場所を占めたのが、皇帝であり、また執政官や独裁官であった。しかし、古代ギリシアでは、これに対応する第三者の審級は、まだ登場してはいなかった。オリンピアの祝祭の状況で、テオーロスの全体を束ねるような超越的な神の場所がないのと、それはよく似ている。

さて、民主主義に議論が及んだことで、われわれは、ソクラテスのパレーシアという主題に回帰することができる。繰り返し強調してきたように、彼の倫理的なパレーシアは、民主主義の否定の上に成り立っているからである。と、同時に、その否定は、次の二点において、民主主義的なるものを保持し、継承する様式でもあったからである。第一に、それは、民主主義の内的な精神を受け継いでいる(命の危険を顧みずに、真実を語る勇気)。第二に、それは、外的な社会構造について民主主義的な前提をそのまま受け入れてもいる(市民を平等に扱う社会調査的な検証法)。

3　主人の言説としての存在論

フーコーによれば、古典古代には、真実を語る様式は、パレーシアの他に三つある。[*8] それら三つとの差異を見定めることで、パレーシアの根本特徴を浮かびあがらせることにしよう。他の三つとは、「予言」「智恵」「技術知」である。予言は、神託の形式で与えられる真なる言説である。智恵とは、共同体の外部に完全に撤退して生きている「賢者」によって語られる真なる言説である。それは、宇宙の諸事象に関する本質を意味するもののはずだが、秘儀的で、一般には理解しがたい。技術知は、——智恵が共同体から撤退した者に担われたのとは対照的に——共同体の中の機能的な一部門を担う専門家の知である。技術知は、智恵とは逆に、しかるべき手順を踏めば、誰にでも理解し、再現することができる。つまり、それは、教育のような伝達に最も親和性の高い言説である。

これら三つの中で、パレーシアとの相違という点で最も重要なのは「予言」である。第1節で、予言（神託）とパレーシアの相違について、すでに指摘しておいた。予言（神託）は解釈されることで真理に達するが、パレーシアが真理に到達するために用いる方法は検証である。ソクラテスのパレーシアは、予言と鋭く対立すると同時に、予言に由来していると見なすこともできる。というのも、ソクラテスのパレーシアは、デルフォイの神から与えられた予言の真偽を確かめることを通じて確立したのだから。そこで、予言の言説を規準にして、他の真理の言説の関係を考えてみよう。

本章の冒頭で、存在論は主人の言説に属しているという、ラカンの謎めいた命題を引用しておいた。神の予言こそ、ラカンによるこの規定を厳密に満たしている。この点については、しかし、いくぶんか説明が要るだろう。一見、存在についての言明が、主人の言説だとする認定は、見当はずれで、まったく間違っているように思える。主人の言説、つまり主人のシニフィアンは、ラカン自身の冒頭の引用にも示唆されているように、定義上、一種の命令文である。それは、主人からの命令という形式をとる。それに対して、存在論は、世界がどうであるか、世界に何があるかを語るものである。命令文は、主人が、世界に関して何を欲しているかを表現している。欲するのは、世界が、実際にはそうなっていないからである。したがって、存在論が、主人の言説の体裁を、すなわち命令文の形式をとるはずがない。

ところが、神の予言が、つまり神託が、主人の言説であるとすれば、それは同時に、まさに存在についての言説でもありうる。神の予言は、実際に、「的中」するからである。つまり、神の予言は、世界がどうであるかについて語っているのだ。たとえば、オイディプスの未来は、デルフォイの神託のかたちで、オイディプスの出生前に与えられたのだが、果たして、オイディプスの人生の歩みは、まさにその神託の通りになったのである。しかし、留意すべき重要なことは、予言は予想とは違う、ということである。予想は、予想する主体の、それを語る主体の意志からは独立した、未来の世界を記述している。それに対して、予言において、神は、そのように意志しているのだ。神は、「そのようになるほかない」ものとして、それを欲しているのである。予言通りにことが起きたとき、そこに、酷薄なものを感じざるをえないのは、そのためである。われわれは、そこに神の無情さを感じているのだ。また、予言を、主人の言説と、つまり広義の命令文と見なすことが正当化されるのも、そこには神（主人）の意志や欲望が表現されていると解しうるからである。

したがって、予言を念頭においた場合には、存在論が主人の言説の運動の中にあるというラカンの、それ自体託宣のような言明が、正確に妥当することになる。だが、そうだとすると、ラカンは、きわめて例外的な言説の様式においてだけ成り立つことを、一般論であるかのように提起しているのだろうか。そうではない。予言のようなタイプの言説を規準的なものと見なしうる根拠があるのだ。しかし、この点を示すためには、少しばかり、言語についての哲学を迂回する必要がある。

＊

主人の言説は、本性上、命令文に属する、と述べておいた。命令文は、ジョン・オースティンが創始した言語行為論でいうところの行為遂行文の典型例と見なされている。オースティンによれば、文には、大きく二つのタイプがある。事実確認文と行為遂行文である。[*9] オースティン以前には、言語哲学が視野に入れていたのは、事実確認文のみであった。事実確認文とは、世界の状態を記述する文である。だが、言語は、ただ世界を記述しているだけではない。たとえば、「窓が開いている」と言えば、確かに、これは事実確認文だが、「窓を開けてくれ」と依頼したり、命令したりする文は、窓が開いているという世界の状態を記述しているわけではない。そのように発話することにおいて、（他人の助けを借りて）窓を開けるという行為を遂行しているのである。このように、それを発話することが何らかの行為を遂行することになるような文のことを、行為遂行文という。

存在論は主人の言説に属するという主張は、文についてのこの二類型を用いるならば、確認文に対する遂行文の優位を含意している、ということになるだろう。だが、先に述べたように、この主張は、一見したときには、まったく誤ったものに思えるのだ。存在論は、確認文によって構成されていなくてはならないはずだからだ。

この問題を考察する上では、オースティンを継承した、ジョン・サールの議論が役にたつ。サールは、言葉と世界の間の「適合方向」なる概念を提起した[*10]。世界がまず固定されていて、言葉がそれに適合していく場合と、逆に、言葉の方に、世界を適合させる場合とがある、というわけである。確認文は、前者である。「窓が開いている」という発話が妥当かどうかは、この発話の内容が、世界の与えられた状態に一致しているかどうかで決まる。遂行文は、後者である。「窓を開けよ」という命令が満たされるかどうかは、世界の方がこの命令の目指すものへと変化するか否かで決まるのである。「適合方向」という概念が都合がよいのは、完全に二値的に区分されるほかない確認文／遂行文という類型とは異なり、適合方向の「強度」を問題にすることで、二つの類型の間を連続的に橋渡しすることができる点にある。たとえば「窓を開けよ」（命令）も「窓を開けてください」（依頼）も、言葉に合わせて世界を変化させるという適合方向は一致しているが、そのベクトルの強さは、前者の方が大きい。

さて、こうした概念を導入したときに、どう扱ったらよいか判断に困るようなめんどうなケースが一つある、とサールは言う。「宣言文」がそれである。宣言文においては、世界から言葉、言葉から世界という二つの対立的な適合方向のベクトルの大きさが完全に均衡してしまい、どちらとも言えなくなってしまうからだ。「これで会議は終了です」という宣言文をとりあげてみよう。一方で、この発話は、世界に新しい事態（会議の終了という事態）をもたらそうとしている、と解することができる。この限りでは、世界が言葉の方へと適合しようとしている。だが、他方で、こうした宣言文は、まさに会議が終了するときにのみ発せられる。つまり、それは、まるで、会議が終わったという事態を記述しているかのように発せられるのである。こちらの観点からとらえれば、言葉の方が世界に適合しようとしているとも見なすことができる。[*11]

つまり、宣言文は、確認文の外観をもった遂行文なのだ。存在論は主人の言説だというとき、念頭にあるのは、こうした文であろう。[*12] 主人の言説という遂行文が、存在論という確認文の形式を纏うのだ。オースティンに、寄生的な発話行為という捉え方がある。ある遂行文が、外観的には別のタイプの遂行文に寄生するようなケースを、そう呼ぶのだ。たとえば、「明日、お会いすることができませんか」という質問の形式に寄生する形で、「明日、会ってください」という依頼が成り立っているような例が、それにあたる。こうした捉え方を援用すれば、宣言文の場合には、遂行文の全体が確認文に寄生していると解釈することができるだろう[*13]。

予言もまた、宣言文と同じように考えればよい。つまり、予言も、未来を記述する確認文（予想）の外観をとった遂行文である。ただ宣言文は、現在の事実に限定されているのに対して、予言は、もっと長いタイムスパンをもっているのだ。予言は、時間的に拡大された宣言文だと言ってもよいだろう。

4　予言はなぜあたるのか

だが、なぜ予言はあたるのだろうか？　もし予言が必然的に的中するのであれば、予言は、存在の全領域を覆うことになる。このとき、存在論は主人の言説（神の予言）に属するという言明は、完全な正当性を得ることになるだろう。

予言されたことがそのまま実現するのは、予言者が、客観的な状勢や出来事の因果関係を正確に把握していたからではない。予言は、まさに予言されたことによって実現するのである。これが、「予言の自己成就」と呼ばれている現象にほかならない。それならば、予言がしばしば自己成就するのはなぜか。

予言の対象となった者が、予言する者、予言の主体と見なされた者——つまりは神——との間に、転移的な関係を形成するからである。私自身の用語によって言い換えれば、次のようになる。予言の対象になっている者が、予言の主体である神を、第三者の審級の位置に投射するからである、と。このとき、予言者の発話は、絶対的な妥当性を帯びたものとして現われ、他なる可能性は最初から抑圧されてしまうのだ。要するに、人は、予言されたことだけが、本来的に可能だったことであるかのようにふるまい、それに呪縛されることになるのである。

『オイディプス王』にもこの種の転移を認めることができる。この物語の場合には、オイディプスが父を殺し、母と交わったことに関しては、少なくとも、オイディプス自身の意志にかかわらず起きてしまった出来事として描かれている。ここで注目したいことは、テーバイの宮廷に呼ばれてきて、オイディプス王を不安に陥れた予言者のことである。オイディプス王は、なぜ、彼を無視し、黙殺しなかったのか？　予言者の一言がきっかけになって、オイディプス王は、不屈の執念で、己の素姓を根の根まで探り出そうとする。だが、予言者の言うことなど気にかけなければ、悲劇は起きなかったのである。オイディプス王が、自分自身の出生について強迫的に探究しているとき、彼は、すでに予言者との間に転移的な関係を形成してしまっているのだ。言い換えれば、予言者は、オイディプス王にとって第三者の審級の位置にいて、王を虜にしているのである。

しかし、予言は、究極的には、必ず挫折する。予言はしばしば外れる、ということを言いたいわけではない。予言が失敗を内在的に伴うのは、予言を真実として提示することが、述べてきたように、原初的な抑圧を伴っているからである。フロイトやラカンが述べているように、抑圧されたものは必ず回帰してくる。抑圧されたものとは何か、あらためて確認しておこう。予言は、確認文の外観をもつ遂行文である、と述べてきた。遂行文は、人に選択を強いる。それは、あれかこれかの選択を強制する。抑圧されたものとは、そのとき選択されなかった方の選択肢――あれかこれかの対立の中で捨てられた方の項――である。選択された方の項は、確認文の形式をとった遂行文なのだから、抑圧された項については、次のように言ってもよいかもしれない。それは、確認文の形式に転換しない遂行文、その意味では真に純粋な遂行文である、と。

したがって、予言が失敗した後に出現しうる、真理についての語りの様式は、さしあたっては、次の二つであるはずだ。第一に、それは、まさにその「純粋な遂行文」の形態を取るだろう。純粋な遂行文とは、世界の中に現実化することに――世界を自らに適合させることに――一切顧慮することのない遂行文のことである。もっと端的に言えば、それは、現実の世界において何を意味するか定かではない、謎めいた指令のような形態をとる。そのような「真理」は、無論、共同体の日常の生活には何らの有用性も有効性ももたないので、共同体から撤退した隠者のものとなるほかない。これこそ、「賢者」の有する「智恵」である。

第二にありうる様式は、世界についての全体的な知を断念し、プラクティカルで部分的な真理に限定する言説である。それは、教育可能な技術知の姿をとる。これは、個別の機能的な課題にとっては実用性があるという意味で真実だが、生や世界の全般にかかわる問い、たとえば善とは何かといった問いには、答えを用意するものではない。

＊

それならば、予言的な知において抑圧されていたものの回帰に対抗し、かつ賢者の智恵や職人の技術知の限界を超える、真理についての語りの様式は、いかなる形態をとるのか？　それは、次の二条件を満たす様式であるはずだ。第一に、それは、神の予言（神託）を反駁可能な「仮説」のようなものとして相対化する知のあり方でなくてはならない。つまり、それは、予言されたこととは別のこと——予言において最初から抑圧されていたこと——が事実かもしれない、という可能性を留保するものでなくてはならない。

こうした第一の条件を満たすためには、第二に、予言の発話主体となっている神や予言者への転移関係が解消されていなくてはならない。すなわち、予言の担い手である神の「第三者の審級」としての効力が否定されなくてはならない。が、しかし、転移関係が一切失われている状態であってもならない。世界を統括する第三者の審級をもたなければ、ローカルな実践知しか得ることができないからだ。それゆえ、第三者の審級が、予言を発していた具象的な神々の彼方に、つまり抽象的な水準に、あらためて措定されていなくてはならないだろう。

こうした二条件を満たす、真理についての語りの様式、それこそが、パレーシア、ソクラテスにおいて完成したパレーシアではないだろうか。以上の条件は、たとえば、ソクラテス―プラトンがなぜ真理についての想起説を採るのか、彼らにおいて想起説が可能になったのはどうしてなのか、を説明してくれる。第1節で述べたように、想起説は、異なる層位に属する二種類の知の担い手を前提にする。オブジェクト・レベルには、未だ真理を知らない、具体的な主体がいなくてはならず、メタ・レベルには、すでに真理を知っている、抽象的な主体が必要だ。具体的な〈私〉を超えた、後者の抽象的な主体こそが、予言する具象的な神の彼方に措定された、抽象的な第三者の審級にほかなるまい。その抽象的な第三者の審級が知っているはずのものを知ることこそが、真理を想起する、ということの意味なのである。

ソクラテスが、パレーシアを完成させるために、民主主義的な政治参加からは身を引かなくてはならなかったのは、どうしてなのか？　第2節の議論が示唆しているように、ポリスの民主主義の領域には、予言する神々を超えた、抽象的な第三者の審級の場所が、まだ用意されていなかったからである。民主主義的な政治参加の拒否は、それゆえ、ソクラテスにとって、消極的な逃避の態度を示すものではない。それは、ポリスや氏族の諸々の神々の彼方に、抽象的な神を投射する操作の、一つの表現であったはずだ。

ソクラテスが冤罪によって死刑の判決を受け、獄中にあったとき、彼の友人や弟子たちは、彼に脱走を勧めた。当時、脱獄は、まったく容易なことであった。しかし、よく知られているように、ソクラテスは、その勧めを拒否して、毒杯をあおるのである。どうしてか？　ソクラテスの言い分はこうであった。神々がすべての人々に配慮しているのと同様に、都市の法が市民たちに配慮しているからだ、と。彼の脱獄拒否は、彼の神々へのコミットメントの表現だったのである。こうした神の自分への配慮と同じものを、自分自身が自らに向けるならば、フーコーが注目した「自己への配慮」が成立する。

パレーシアをめぐる以上の考察は、ヘレニズムとヘブライズムの関係を説明する、すこぶる重要な鍵を提供してくれる。述べてきたように、パレーシアは、（予言の担い手になるような）具象的な神を否定し、抽象的な神を再投射する操作を前提にしている。この操作は、われわれが「キリスト殺害の①の効果」（第6章）と見なしたことと類比的ではないか。それは、具体的な男としてのイエスを殺害することによって、抽象的で普遍的な神として再投射する運動と、同じ形式的な構成をもっている。

ただし、ここで、われわれはいささか細かい事実を想起することで、ここまでの議論を微修正しておかなくてはならない。第1節で述べたように、ソクラテスは、「無知であることを知っている」と語ったのではなく、「無知であると思う」と述べたのみである。人の無知をそのものとして知るような抽象的な第三者の審級は、ここでは、まだ完成してはいない。それは、形成途上にあり、まだ安定した実定性をもってはいない。言い換えれば、ソクラテスに代表されるギリシアの哲学は、「キリスト殺害の①の効果」とわれわれが名づけた道程を歩みつつあるのであって、歩みきってはいない。[*14]

＊1　Jacques Lacan, *Encore: Le Séminaires, livre XX*, Paris: Seuil, 1975, p.33.
＊2　Michel Foucault, *Le courage de la vérité*, Paris: Gallimard, Seuil, 2009, pp.75-79.
＊3　熊野純彦『西洋哲学史——古代から中世へ』岩波新書、二〇〇六年、六九－七〇頁。
＊4　ただし、これは、第6章で述べた、キリスト殺害の①の効果に準拠した場合にのみ言えることである。②に関しては、この場面は、キリスト殺害の予型とは見なすことができない。
＊5　ここで、ヤコブが何のために旅をしていたのかを、想い起こしてみよう。彼は、仲違いしていた兄エサウと和解するために、カナンに帰還しようとしているのである。ヤボクの河は、カナンとその外とを分かつ境界線であった。したがって、カナンの地に入る直前でヤコブが謎の人物と闘い、その人物がヤコブに「イスラエル」という新しい名前を与えて去って行ったというエピソードは、イスラエルの諸部族間の和解を象徴している。ヤコブがイスラエルの全部族の共通の始祖であるということが強調されるのは、そのためである。これ

に対して、オリンピアの祝祭においては、都市国家を代表する英雄たちの間の競争・葛藤が強調されているのであって、その間の和解や統一が表現されるわけではない。

＊6　厳密には、状況は、もう少し複雑である。前章で、ギリシア的な宗教性を規定する感情は、畏怖と羞恥だと述べた。オリンピアの祝祭においては、競技者は、観客から畏敬の念をもって観られている。この点から見れば、神々に近いのは英雄的な競技者の方である。つまり、オリンピアの状況では、人間的な内在性と神的な超越性の関係が、ときに反転するのである。とはいえ、ヤコブが神と直接に対面して闘ったときのように両水準の繋がりが表現されることは、オリンピアではない。両水準は、常に区別されているのだ。

＊7　ハンナ・アレント『人間の条件』志水速雄訳、ちくま学芸文庫、一九九四年（原著一九五八年）。

＊8　Foucault, op.cit. pp.80-82.

＊9　ジョン・オースティン『言語と行為』坂本百大訳、大修館書店、一九七八年（原著一九六二年）。

＊10　John Searle. *Intentionality*, Cambridge: Cambridge University Press, 1983.

＊11　日本人には馴染みの最も極端な例は、「梅雨明け宣言」である。「これで会議は終わりました」という宣言と同じやり方で、梅雨がすでに明けているという事実が確認されるのだ。

＊12　この点に関しては、スラヴォイ・ジジェク『汝の症候を楽しめ』鈴木晶訳、筑摩書房、二〇〇一年（原著一九九二年）、一五七頁参照。

＊13　ジャック・デリダのオースティンや言語行為論への批判のポイントのひとつは、この「寄生的発話行為」（同じものをサールは「間接的発話行為」と呼んでいる）という概念に向けられている。「寄生的（間接

的）」という把握は、それが、本来的（直接的）な発話行為からの二次的な転態や派生であるということを含意している。デリダは、いつものデリダ的な身振りで「本来的（直接的）／寄生的（間接的）」という区分を脱構築してしまうのである（ジャック・デリダ『有限責任会社』高橋哲哉ほか訳、法政大学出版局、二〇〇二年《原著一九八八年》）。ここで、われわれは、デリダの議論をさらに、確認文と遂行文の区別にまで一般化しようとしているのだ。すなわち、本来的な「確認文」と寄生的な「宣言文」という関係を逆転してしまおう、というわけである。

＊14　ここに論じてきたように、古代ギリシアにおいて、第三者の審級は、「抽象性―具象性」という軸で測ったとき、中間的で、あいまいである。このことは、ギリシア神話の中でもとりわけ有名な「オルペウスとエウリュディケの物語」を通じても確認することができる。まず、ケレーニイに従って、「エウリュディケ」という名前は、「広く支配する女」という意味であり、彼女が冥界の女王であることを示唆している、という事実を指摘しておきたい（ケレーニイ『ギリシアの神話――英雄の時代』植田兼義訳、中公文庫、一九八五年《原著一九五八年》、三五〇頁）。つまり、エウリュディケは、第三者の審級の表象にふさわしい価値をもっている。さて、周知のように、オルペウスは、一度は死亡した妻エウリュディケを冥界から連れ帰ろうとしたが、帰路の途中で後ろを振り返って妻の姿を見てしまったために、彼女を冥界に送り返してしまう。しかし、この出来事によって、エウリュディケは、その名によって含意されている本来の地位を、すなわち冥界の女王としての地位を確立できたと解することができるだろう。この物語において、エウリュディケの身体は、可視的で具象的な対象性をもつと同時に、見るべきではないもの、見ることができないものでもあり、抽象性をも

指向している。この物語と、われわれが何度も参照してきた「創世記」の「ヤコブと謎の人物の取っ組み合い」のエピソードとを比較してみるとよい。後者においては、「神と顔と顔とを合わせる」というレベルと「神が立ち去って顔を見ることができない」というレベルとが――関係づけられると同時に――くっきりと対照させられている。それに対して前者の物語では、エウリュディケは見られることにおいて冥界へと立ち去るのであり、可視性（具象性）と不可視性（抽象性）とがあいまいに混合している。

第13章 調和の生と獣のごとき生

1 「私たちはアスクレピオスに雄鶏一羽の借りがある」

絶命の直前に吐かれた、ソクラテスの最後の言葉は、ともにいた弟子クリトンへの次の一言である。「クリトン、私たちはアスクレピオスに雄鶏一羽の借りがある。忘れずに、きっと返してくれるように」と。[*1] アスクレピオスは、治癒神（病気治しの神）である。アポロンの子とも言われるが、素姓ははっきりしない。テッサリアのトリッカで崇められていたものが、ペロポネソス半島のエピダウロスに伝わり、その後、アテナイを襲った疫病退治で、めざましい成功をおさめたという。この神が、アテナイのアクロポリスの丘に分祀されたのが紀元前四世紀中葉なので、ソクラテスが亡くなる頃は、急速に力を得ていた時期に重なっていただろう。ソクラテスは、新興の治癒神への供犠を依頼して、この世を去ったのである。ソクラテスは、なぜ、アスクレピオスへの供犠を必要としたのか。ソクラテスは、アスクレピオスに対してどんな負債があったというのか。

ソクラテスの今わの際のこの言葉は謎めいているので、古来、さまざまな解釈が試みられてきた。たとえば、ソクラテスが自らを「アポロンの奴隷」と呼んでいたこと、そしてアスクレピオスがアポロンの息子と見なされていたこと、この二つの事実をもとに、ソクラテスが、自身の守護神アポロンの息子に、死後の旅路のガイドを依頼しようとして、雄鶏を奉献しようとしたのではないか、と解釈されてきた。この解釈においては、ゾロアスター教の文脈で、アスクレピオスに捧げられた雄鶏は、死を超えて、悪を排する力を有するとされていたことが前提になっている。だが、この解釈は、明らかに不自然である。ソクラテスがゾロアスター教に傾倒していたとは考えられないからである。また、クリトンへの言葉では、ソクラテスは、死の時点ですでにアスクレピオスに負債があることになっているが、この解釈では、雄鶏はアスクレピオスへの前払いのようなものになる。つまり、死ぬときには、まだソクラテスはアスクレピオスに借りはないことになる。

今日、最も広く受け入れられているのは、ビザンチン帝国の新プラトン主義の哲学者オリュンピオドロスが提起した次のような解釈である。すなわち、死そのものが、病からの解放であり、ソクラテスは、このことを治癒神アスクレピオスに感謝しているのだ、と。この解釈は、生がそれ自体病気であった、という認識に立脚している。死への旅立ちこそは、生という病からの快復だというわけである。

しかし、シンプルで、いかにもありそうなこの解釈も間違っている。デュメジルが、そして、これを受けてフーコーが、そう異議を唱えている。[*2] 論拠は明快である。ソクラテスに、生そのものが病であるとする観念は見出せないからである。逆に、生は、それ自体としては、病でも悪でもない、ということが、ソクラテスによって明白に言われている。プラトンが記したソクラテスに関する他のテクストにおいてだけではなく、――ソクラテスの最後の言葉が記されている――ほかならぬ『パイドン』の中で、そう明言されているのだ。それならば、なぜソクラテスは、雄鶏をアスクレピオスに奉納しなくてはならなかったのか。それは、病からの快癒に対する感謝を示すものでなくてはならない。どんな病から、ソクラテスは快復したことになっているのだろうか。

この点を知る手掛かりは、『クリトン』に記されたクリトンとソクラテスの間の会話にある。アテナイ市民から死刑の判決を受けたソクラテスに、クリトンは、脱走を勧める。クリトンは、脱走すべきいくつかの理由を挙げるのだが、その中で最も重要な論点は、次のような主張である。もしソクラテスが逃亡せず、死を受け入れるようなことになれば、(クリトン自身を含む)ソクラテスの友人たちは、大衆から、あるいは世論から批判され、軽蔑されるだろう、というのだ。ソクラテスを救出するために手を尽くさなかったと見なされるからである。今日のわれわれは、プラトンが残したテクストのおかげで、ソクラテス自身が脱走を拒否したことを知っているので、彼の仲間を責めることはないが、当時としては、クリトンのこの懸念には十分な根拠がある。[*3] アテナイ市民は、多数決でソクラテスの死刑を決定してしまったが、のちになって、ソクラテスをひどく妬むごく一部の者たちに扇動されて極端に走ってしまったと後悔していたから、ソクラテスが首尾よく脱走して、刑を逃れることを密かに望んでいたに違いない。[*4]

われわれにとって参考になるのは、こうしたクリトンの要請に対するソクラテスの反論である。ソクラテスは、(クリトン等を非難することになる)多数派の意見など気にかける必要はない、と言う。このことを説明するのに、ソクラテスは、「運動術」の喩えを用いる。運動術を練習する者は、多数派の賞賛や非難や意見など顧慮するだろうか、と。運動術を身につけたい者は、医者や体育教師といった専門家の意見に従うのではないか。専門家だけが、身体にとって何が良く、何が悪いかを判別することができるからである。同じことは、魂についても言える、とソクラテスは言う。魂に関して何が善く、何が悪いかを区別することができる、魂の中のある特定部分に従うべきで、多数派の意見など無視すべきだ。ならば、運動術にとっての体育教師にあたるような部分とは何か。それこそ、パレーシアなる実践が、まさにそれについて語ろうとしているもの、すなわち「真理」である。

ここでソクラテスが身体の劣化と魂の堕落とを並行させて語っていることに、注目しよう。つまり、魂の堕落も、身体の劣化と同様に一種の病なのである。そこからの快癒に関してアスクレピオスに負っている、とソクラテスが見なしていた病とは、まさにこの魂の堕落である。大衆の無責任な意見や世論によって影響された魂の状態こそが、病と見なされていたのである。だから、クリトンも、ソクラテスとの討論を通じて、この病から快復していることになる。デュメジルによれば、身体の悪化と魂の悪化との間の類比は、古代ギリシアの他のテクストにも見出すことができ、この点からも、ここでの解釈は傍証を得る。ソフォクレスやエウリピデスに、誤った大衆的意見を「病」と呼んでいる例を認めることができるという。こうした諸事例の中に置いてみれば、魂の頽廃をソクラテスが病と呼んでいたということでの解釈は、決して不自然なものではないことがわかる。

病からの快復は、真理を知ることである。したがって、ソクラテスは、パレーシア（真理を語ること）なる言説的な実践を確立することを、病からの治療と見なしていたことになる。ソクラテスは、この「治療」を、アスクレピオスなる神に負っていたと解したのである。ここで、前章の考察を振り返っておこう。われわれは、そこで、パレーシア以外の——あるいはパレーシア以前の——真理についての語りの様式である「予言」「（隠者の）智恵」「技術知」とパレーシアを比較しながら、パレーシアが可能であるためには、予言や託宣の担い手と見なされる第三者の審級（神）よりも抽象度の高い第三者の審級が措定されていなくてはならない、と論じた。ソクラテスは、そのような抽象的な第三者の審級の位置に、新興の——勢いはあるが未だアクロポリスの丘に祀られてはいない——神を見出したのではないか。さらに、神々の系譜の中でアスクレピオスがアポロンの息子として位置づけられていたことを念頭におけば、次のように解釈することもできる。[*5] もともと、ソクラテスの死刑判決の原因となった彼の探究（一種の社会調査）は、アポロンの神託（「ソクラテス以上の知者はいない」）に刺戟されて始まったものであった。ソクラテスが、自身を「アポロンの奴隷」と見ていたのも、こうした事情と関係している。とすれば、神託や予言の神を超える神を、アポロンの子、アポロンの後継者に見るのはきわめて自然なことではないだろうか。

われわれは、前章の結末部分で、次のように論じた。古代ギリシアのパレーシアにおいて、「キリスト殺害の①の効果」とわれわれが呼んだ過程が、不十分なかたちで先取りされている、と。パレーシアを可能にした社会的関係性は、キリスト殺害の①の効果をもたらした機制を、言わば未完状態のままで、準備しているのである。

ここで、アスクレピオスの医師団こそはイエスの教団の先駆者であったとする、山形孝夫の説を参照しておいてもよいかもしれない。[*6] イエスのなした奇蹟の大半が、病の治療である。この点に注目すれば、イエスの教団は、遍歴する医療集団である。ところで、イエスが活動していた当時、ヘレニズム地域で、医療の神として圧倒的な人気をもっていたのは、アスクレピオスであった。アスクレピオス信仰は、ギリシア北辺のトリッカから始まり、アテナイに浸透していった後も、普及の範囲を拡げ、ローマ、ペルガモン、シドンなど、疫病の流行に苦しんだ大都市に受け入れられていった。一世紀から二世紀には、アスクレピオスは、当時すでに形骸化していたオリンポスの神々に代わって、ヘレニズム世界の諸都市の守護神になっていたという。

山形が特に注目するのは、アスクレピオスの名をかかげながら、病人を求めて各地を渡り歩いた治療集団があった、という事実である。とすれば、彼らは、まさにイエスの教団の原型である。[*7] イエスの教団は、あるいは——イエスの死後には——「イエス・キリスト」の名のもとにあった教団は、アスクレピオスの教団とライバル関係にたち、次第にそれに取って代わっていったのではないか。これが山形の仮説である。もしこの仮説が正しいのだとすれば、ソクラテスは、後にイエス・キリストにその座を奪われることになる神への奉献を依頼する言葉を、最後に残してこの世を去ったことになる。ソクラテスが確立したパレーシアの機制の論理的な含意の延長上に、キリスト殺害の物語があるとするわれわれの理解にとって、この事実は、たいへん象徴的なものではないだろうか。

＊

ソクラテスの死に際の言葉の解釈をめぐる議論の最後に、フーコーが指摘している細部に注目しておこう。ソクラテスは、「私たちはアスクレピオスに借りがある」と語っている。[*8] しかし、一見、この部分は、「私」もしくは「君」のいずれかでなくてはならないように思える。ソクラテス自身が、その人生を通じて、大衆の誤った見解という魂の病から快癒してきたことをアスクレピオスに感謝しているという意味であったならば、ここは「私」でなくてはならないし、また、クリトンが、ソクラテスとの対話によって大衆的な臆見から解放されたことへの感謝が主題となっていると考えれば、ここは「君」であるべきだ。どちらの解釈に立脚したとしても、ここは「私たち」という複数形になるべきではないように思える。どうして、ソクラテスは、ここで「私たち」としているのか。

フーコーの解釈は、こうである。ソクラテスとその弟子の間には、連帯あるいは友情があるのだ、と。ソクラテスの哲学においては、真理は、対話を通じて獲得される。そこでは、一般に、対話しあう者たち全員の間に連帯が構成され、彼らは単一の大きな主体を形成する。それゆえ、対話を媒介にして真理に到達し、魂の病が癒えたのだとすれば、アスクレピオスに借りがあるのは、対話の参加者の全員、つまり「私たち」でなくてはならない。ソクラテスの言葉はこうした事情を反映しているというのが、フーコーの解釈である。*9

ここで、もう一度、パレーシアは、一方では、民主主義のただ中から生まれてきたが、他方では、民主主義を否認することで確立した、という何度も強調してきた論点に立ち返っておこう。そもそも、アテナイで民主主義が発達したのはなぜだろうか。その最大の原因は、市場経済の浸透にあった。市場経済・貨幣経済の浸透は、どこにおいても、次の二つの結果をもたらす。第一に、市場は、個人を、氏族や家族のような共同体から解放する。市場では、人々は、氏族や家族といった所属とは無関係な、（労働力を含む）商品と貨幣の所有者としてのみ扱われるからである。そのようにして氏族・家族から解放された個人が「市民」と呼ばれた。しかし、第二に、個人化され、対等化された諸個人の間に、貧富の差が、つまり階級の分化があらためてもたらされる。ギリシアにおいては、とりわけ、市民の中で、債務奴隷に陥るものが続出して問題となった。市場経済によって、個人化し、また階級分化した都市国家に、あらためて連帯をもたらす方法として導入されたのが、民主政である。[*10]

このように、民主主義は、貨幣経済がもたらした、相克的・競争的な関係の内にある諸個人の間に連帯をもたらす手法であった。が、しかし、古代ギリシアにおいては、民主主義は、強い連帯をもたらすには至らなかった。その（すべてではないが）一つの重要な原因は、階級分化の底に沈んでしまった者（つまり奴隷化した者）、商業の中心的な担い手（寄留外国人）、そしてもちろん女性が、民主政の範囲から、初めから除外されていたことにある。階級分化に抗することが肝心であったとすれば、奴隷化した者たちにこそ連帯を呼びかける必要があったし、階級分化の原因を作った商人（寄留外国人）もまた民主主義の範囲に含まれるべきだったのだ。強い連帯の不在は、われわれがここまで使用してきた概念を用いて表現すれば、民主主義的な都市国家の全体に対して君臨する第三者の審級の未確立と言い換えることができる。具体的には、それは、ギリシアでは都市国家の経済を統制するような権力機構や官僚機構が生まれなかったという事実の中に端的に現われている。

要するに、古代ギリシアのポリスの政治の領域においては、民主主義的に討議しあう者たちの間に、強い連帯は生まれることはなく、それに対応した第三者の審級も機能してはいなかったのだ。だが、ソクラテスがもたらした倫理の領域では、討議しあう者たちの間に強い連帯が構成され、彼ら自身が、自らを単一の主体と感ずるほどの状態に達していたのである。言い換えれば、彼らは単一の主体（「私たち」）として、第三者の審級（アスクレピオス）に対する倫理的な債務を負ったのである。パレーシアを確立するために、政治の領域を離脱し、倫理の領域に入らなくてはならなかったのは、このためである。

2　一者の哲学

いかにしてパレーシアが可能だったのかを、ソクラテスに焦点を合わせて見てきた。パレーシアは第三者の審級の具象的な形態を否定し、抽象的な形態を再措定するまでの過程の中に生まれる。それは、第三者の審級の二つの形態の振幅の中に孕まれるのだ。

このことの論理的な帰結はどのようなものになるのか。このことを、とりあえず、「哲学」に関してだけ、大急ぎで概観してみよう。パレーシアは、述べてきたように、民主主義的な多数性を包括し、超越する抽象的な一者（第三者の審級）が措定されるまでの胎動の中から生まれる。この胎動の最終的な果実、存在論あるいは自然学の領域の中に現われる当然の産物は、一者についての思考、あらゆる存在は抽象的な一者からの流出の結果だとする哲学であろう。それこそ、新プラトン主義と名付けられた哲学である。プロティノス（三世紀）やプロクロス（五世紀）によれば、さながら太陽の光が森羅万象におよぶように、一者は万物へと溢れ出ていく。

一者、「一そのもの」とは何か。「一者」へと向かう諸原理の系列を考えてみればよい。プロティノスは、三つの原理を考えている。まずは「魂」という、生命についての原理がある。魂は、身体を「一つのもの」にする。ばらばらになりうる身体が一つでありうるのは、魂のおかげである。が、魂が与えるところの一者性は、魂そのものとは別物である。魂の上位には、知性がある。魂は、知性の不完全な似姿であり、逆に言えば、知性は、魂の魂たる所以を純化させたものである。もともと、パレーシアにおいて、抽象化された第三者の審級が、真理を知る主体として投射されていたことを思えば、この位置に、つまり魂の上位に知性があるのは当然であろう。知性そのものは未だ一者そのものではない。しかし「魂→知性」というベクトルの延長上に置かれる、純粋に抽象的な――つまりまったく「形相」をもたない――第三の真の原理が、一者である。それは、あらゆる存在者をまさに存在せしめる原理にほかならない。

「万物は一者から流出する」とその主張を要約すると、新プラトン主義は古色蒼然とした形而上学で、今日のわれわれには無縁な迷信の類に見えるかもしれないが、この主張には、相応の論理性が、とりわけ「存在者の存在を知る」ということに即した論理性がある。何かが存在するということ、何かが知られうるものとして存在するということは、それがまさに一つであるということではないだろうか。たとえば「家」があるということは、その家が一つであるということだ。むろん、その家には、何本もの柱があり、いくつもの窓があり、また扉があるだろう。しかし、それが「家」としてあるとするならば、柱や窓や扉やらに分解されることなく、まさに一つの家なのである。柱等々に分解されてしまえば、家としての存在は失われることになる。同様に、柱もまた、柱として存在している限りでは、一つである。存在しているものはすべて一つであるだけではなく、一つであるとされない限りは、存在者の存在は認められず、存在者となることができない。

このように、あらゆる存在者は一であることにおいて存在しているのだから、「一」を分有していると見なすことができる。と同時に、多は、論理的に一よりも後なるものである。多を構成する諸要素がそれぞれみな一であることで、多は多になるからである。こうしたことを、イメージ豊かに表現すれば、万物は一者からの流出の産物だということになるのであって、とりたてて非合理なことが主張されているわけではない。

以上、新プラトン主義の主張を存在論や自然学に即して概観してきたわけだが、この説に倫理的な含意はないのか。むろん、ある。至高の原理である一者とはまさに善そのものだからである。プロクロスは、このことを次のように説明する。一者とは、原初の原因、第一原因でなくてはならない。そう考えなければ、原因が不在になるか、因果関係が循環したり無限後退して、知が不可能になってしまうからである。その第一原因たる一者は、「善」である。第一原因は、善かもしくは善ではないかのいずれかであるはずで、しかも原因は結果よりも優れ、強度があるとすれば、結局、第一原因は善であるほかない。善よりもすぐれたものはないからである。

ここまで来れば、ギリシア的思考が、キリスト教のような一神教に親和性の高いものになっていることが、明らかであろう。[*11] 実際、中世のキリスト教神学の中には、アリストテレスの哲学とともに、新プラトン主義的な着想が深く浸透していた。あるいは、中世にまで至らなくても、新プラトン主義の前史として語られることが多いフィロンが、すでに、ユダヤ＝キリスト教に十分に接近している。

プラトン主義の哲学者フィロンは、旧約聖書（厳密にはモーセ五書）を寓意的に解釈することで、新プラトン主義的な流出説の原型とも見なしうる、二段階創造説を提起したことで知られている。『創世記』には、神による人間の創造の話が二回出てくる。第一章では、神は、自分の形に似せて人間を創ったと書かれており、第二章では、土の塵から人間を創ったと書かれているのだ。[*12] これを、フィロンは、神が一日目には、思考される世界、つまりイデアの世界を創り、二日目以降に、感覚される世界を創ったと解釈したのである。神の似姿こそが、人間のイデアだということになる。後のプロティノスの理説と対応づければ、一日目の真の最初の創造に対応しているのが知性の原理、その後の感覚された世界に対応しているのが魂の原理であると、おおよそ言うことができる。むろん、創造神こそは一者である。現実の人間は、神の似姿（人間のイデア）に似ている、ということになる。フィロンは、キリストやパウロと同じ時代を生きた。そして、彼ら二人と同じように、フィロンもまたユダヤ人であった。

フィロンの二段階創造説でも、また新プラトン主義の流出説でも、存在の領域は二重化していることがわかる。一方には、感覚によって捉えられる世界、つまり触れられたり、見られたりする存在者たちの世界がある。他方には、知性が捉える、真の実在の世界がある。こうした二重性は、ギリシア哲学の中にもともと孕まれていた、存在概念の両義性の最終的な帰結と解することができるのではないか。古代のギリシア人にとっては、本来は、触知したり、見たり（観たり）することができる具象物こそが、存在するものの原型であった。しかし、他方で、プラトンは、イデアは、見られえないものであることを強調した。だが同時に、そのイデアもまた、見られる具体物との類比によって概念化されている。「イデア」の原義は、「見られたもの」である。つまり、不可視の抽象的な存在すらも、見られうる具体物のイメージを引きずっているのだ（第10章）。

存在概念のこうした両義性や二重化は、次のように説明することができるのではないか。われわれは、パレーシアは、第三者の審級の具象的な形態を否定し、抽象的な形態を再措定する道行きの中で可能になる、と述べてきた。具象的な第三者の審級に相関してたち現われる世界、具象的な第三者の審級の視点に対して開かれる世界は、言うまでもなく、具象物の存在する領域である。知性によってのみ捉えられる抽象物の世界、つまり叡知界は、理想的な知性の担い手として想定される抽象的な第三者の審級が、具象的な第三者の審級を否定し、克服した独立の実定的な存在者として構成されたときに、はじめて可能になる。したがって、フィロンの二段階創造説や新プラトン主義の哲学は、第三者の審級の抽象的な形態が、具象的な形態からは真に独立した包括的な超越性として、分離されたことを示す指標として解釈することができるのである。[*13]

3　調和の生──ストア派

新プラトン主義にまで来てしまっては、ギリシア的な思考や倫理は、キリスト教に接近し過ぎている。フーコーならば、そう思うだろう。キリスト教は、フーコーが批判した、規律訓練型の権力や告白の実践の源流である。フーコーの眼から見ると、キリスト教的な倫理に基づくそれらの実践は、あまりに過激な自己放棄を——神への絶対的な服従を——要求する。自己の自己に対する配慮という自律性の論理を保持するためには、したがって、ギリシア的思考をキリスト教に収斂するところまで追い詰めてはならない。その直前で、つまり空手の寸止めのような状態で、ギリシア的な思考と倫理を捉えなくてはならないのだ。まさに、その寸止めの位置にフーコーが見出したのが、ストア派である。

ストア派の祖ゼノンは、アリストテレスが未だ存命中に生まれている。つまり、ゼノン、クレアンテス、クリュシッポスといった初期のストア派の哲学者の活動期は、紀元前三世紀である。しかし、セネカ、エピクテトス、マルクス・アウレリウスといった後期のストア派の哲学者が歴史の舞台に現われた頃は、すでに帝政ローマ期に入っている。新プラトン派が登場するのは、その後である。

新プラトン派などと比べると、ストア派の哲学は、あらゆる局面において、中間的・中庸的である。たとえば、今日の立場から見ると経験論的な傾向の強い、その認識論(彼ら自身の言葉では「論理学」)の中で、感覚は、外的な対象の印象を受け取っているだけではなく、むしろ「同意と把握」を伴っている、とされる。つまり、感覚の作用の中に、すでに知性に属する働きが含まれているのだ。存在論(自然学)においても、ストア派の説は、折衷的・混合的である。ストア派は、アリストテレスの質料と形相(プラトンのイデアに対応する)の区別を継承している。質料とは、作用を受ける受動的なものであり、形相は、逆に作用を及ぼす能動的なものだが、あらゆる物体は、この二重の側面をもっているとされ、純粋形相（自らは働きかけられることがなく、ただもっぱら働きかけるだけの存在）としての神を、ストア派は認めはしない。ストア派にとっての神とは、すべての質料につきまとっているロゴス（形相的な側面）に他ならない。新プラトン派のように、純粋形相を超える一者のようなものを、ストア派は思考することはないのだ。したがって、当然、新プラトン派が想定したような第一原因は、ストア派の自然学の中には現われない。すべての事象が互いに因果関係によって結びついている、仏教的とも見なせなくはない決定論的な世界観を、ストア派は謳うのだが、その中では、因果関係の連鎖は無限定にどこまでも拡がっており、究極の原因は存在しない。

こうした中庸的な性格は、倫理学にも影を落とさずにはおかない。先に述べたように、新プラトン派にとっては、第一原因としての一者は究極の善でもあったわけだが、ストア派には、そのような意味での善のための位置はない。その特徴は、一言で要約するならば、「自然本性との調和」にある。人間の自然本性と合致した生き方が奨励されるのだ。したがって、特定の国家や共同体の恣意的な法は、そのまま正義と見なされることはない。人間の本性と調和した自然の法は、国家や共同体を超えた普遍性をもっているはずだからだ。したがって、国家や共同体の特殊な法や規範は、重くは見られない。しかし、国家や共同体の法が、あえて否定されるわけでもない。ソクラテスがアテナイの国法に従ったのと似て、ストア派は、国家の法をそれとして認める。このようなところに、すなわち国家の法を唯一の――つまり普遍的な――正義とは見なしてはいないが、しかし、否定することなく承認もしている点に、この学派の中庸性がよく現われている。この中庸を文字通りに生きたのが、ローマ皇帝にして哲学者、マルクス・アウレリウスである。彼は、アントニヌスとしてはローマ（特殊性）に属し、[*14]人間としては宇宙（普遍性）に属す、と『自省録』に書きとめている。

こうした中庸の倫理が導く理想の心的な態度が、「無感動《アパテイア》」である。激情にも欲望にも翻弄されることがなく、泰然自若としていること、これがストア派的な理想であった。自然本性に調和するように、己を律するならば、このような心境が得られるはずだ。皇帝即位後の人生の大半を戦役に費やした、マルクス・アウレリウスにとっては、無感動からくる安らぎがどんなに重要だっただろうか、想像に難くない。晩年のフーコーを強く惹きつけたのも、このようなストア派の規律と調和の倫理学であった。

4　獣のごとき生――キュニコス派

だが、フーコーを魅了したのは、ストア派だけではない。結局、存命中に完成された著作の中ではほとんど論じられることがなかったが、フーコーの最後の講義、すなわち一九八四年の連続講義では、異様なまでの時間が、キュニコス派（犬儒派）についての考察に費やされているのである。キュニコス派の代表者とされる、アンティステネスやシノペのディオゲネスは、ソクラテス、プラトンとほぼ同時代人である。それにしても、最晩年のフーコーがキュニコス派に共感をよせたということ、これは奇妙なことである。というのも、ストア派とキュニコス派は対照的、あるいはむしろほとんど対立的だからである。

確かに、ストア派の創始者ゼノンが、シノペのディオゲネス（キュニコス派）を、最も影響を受けた先人であるとしているくらいだから、両派の間には、何らかのつながりがあるのかもしれない。だが、それぞれが実現した生の様式は、あまりにもかけ離れている。共通したところなど、およそ見出せないのだ。ストア派にとっては、語りや行為はきちんと統御され、あるべき秩序との間に照応関係を維持していることが肝要であった。キュニコス派にとっては、秩序とか節度とかを重んじるこのような生の美学は、軽蔑や否定の対象にしかならなかっただろう。現象面でキュニコス派を特徴づけているのは、次の二つの核である。第一に、独特の語りの用法、つまり歯に衣着せぬ、スキャンダラスな物言い、第二に、非常に独特で、誰もがそれとすぐに判別しうる生の様式、すなわち不作法な態度、放浪生活、極端な貧窮、すり切れた外套、頭陀袋、手入れされていない伸び放題の髭……で目立った生の様式である。ストア派の美学とは似ても似つかない。フーコーは、どうして、これほどまでに相貌を異にする二つの倫理に惹かれたのだろうか。しかも、彼の人生のほぼ同時期に。

ディオゲネスをめぐる有名なエピソードを手掛かりにしてみよう。アレクサンドロス大王とのやり取りを描いたあのエピソードである。ディオゲネスのもとを訪問したとき、王が彼に、何か希望がないかを尋ねると、ディオゲネスは、ただ「日陰になるからそこをどいて欲しい」とだけ答えたという。帰途、王は、「自分がアレクサンドロスでなかったならば、ディオゲネスでありたかった」と語ったとされている。ところで、ストア派の場合には、マルクス・アウレリウスが生きた実例であるように、王でありつつ哲学者であることが可能であった。王であることと哲学者であることとが両立できたのである。しかし、王（アレクサンドロス）でありかつ、キュニコス派の哲学者（ディオゲネス）であることは不可能なのだ。どうしてか。キュニコス派は、それ自身がすでに唯一の王であり、自らの内に他の王が共存することを許さないからである。この点を銘記した上で、フーコーが述べていることに耳を傾けてみよう。

パレーシアは、「真理を率直に語ること」だが、ところでその「真理」とは何であろうか。フーコーによれば、「真理」という語には四つの源泉がある。第一に、真理とは、隠されていないもの、隠蔽されていないもの、見えるようにされたものである。むろん、この場合、最初は隠されていたものが暴かれ、開示されるという含みがある。第二に、真理とは、純粋なもの、混じり気のないもの、劣化や変質を被ってはいないものという意味をもつ。第三に、真理とは、正則的なもの、正しいものである。第四に、真理は、不動なもの、恒久的に同一的なもの、決して朽ちることのないものという意味をもつ。問題は、しかし、「真理」の語源を探ることにあるわけではない。これら四つの意味での真理が、生に、つまり行為にどのように適用されるかが重要である。ギリシアの哲学者たちは、皆、そのような適用を試みたと解することができる。ソクラテスにしても、プラトンにしても、そしてストア派にしてもそうである。たとえば、不純で無駄な要素を取り除き、自他に対して公正で、状況の転変を意に介さないのが、哲学的な生活である等といった具合に。そして、真理の生への適用の極限的なケース、それこそがキュニコス派だとするのが、フーコーの解釈である。

だが、適用があまりに徹底しているときには、ある逆説が出現する。フーコーは、アポロンの神からディオゲネスに与えられた神託〝parakharakson to nomisma〟に対する解釈を通じて、その逆説を予示する。この神託こそは、キュニコス派の真髄を表現しているというのだ。この神託は、一般に流通しているもの（nomisma）、つまり「通貨」「慣習」等を、「変えること、変造すること」（parakharatto）を意味する。つまり、「通貨を変造せよ」とか「慣習を変えよ」といった意味になる。これをさらに、フーコーは、既成のすでに通用している価値を反転させることの要請として解釈する。真理が生に律儀に適用されたとき、それはスキャンダラスな反転を被るのである。それがキュニコス派が身をもって示したことだというのだ。

具体的には、どういうことか。第一に、真理とは、隠されていたものを暴くことだったが、キュニコス派にとって、そのような真理にかなった生とは、公然たる露出である。たとえば、ディオゲネスは、衆目にさらされるなかで食事をし、また自慰をした。クラテスは、人々の真っただ中で性交した。ほとんど厚顔無恥にまで至る生が、真理にかなった生とされる。第二に、純粋性という意味での真理が生に適用されたときには、キュニコス派においては、能動的・積極的な貧困という姿を取ることになる。純粋な生とは、所有物を一切拒否すること、無一文に自ら望んでなることだというわけである。それは、単に、物質的な財や富に関心をもたないというような意味での消極的な貧困ではない。富や財を、攻撃的なまでに能動的に拒否するのだ。その結果、人々に侮蔑されながら物乞いすることを当然引き受けなくてはならないし、それだけではなく、不潔であることは称賛さえされなくてはならない。つまるところ、純粋な哲学的生は、通常であればその反対物とされるような、最も卑しい乞食の生と一致してしまうのである。第三に、自然に適った正則性という意味での真理は、生の上にどのような姿を現わすのか。本来であれば、この点でこそ、キュニコス派とストア派は交わるはずだった。実際、ストア派の哲学者が、キュニコス派にときに賛意を示すのは、キュニコス派のこの点を、つまり自然に即した正しさへの志向を念頭においているからである。しかし、キュニコス派はまたしても、スキャンダラスな反転を提示する。キュニコス派にとっては、自然に適合した正しい生とは、獣の生、動物の生なのだ。自然法という高貴な規範が規定しているのは獣性である。第四の不動性という意味での真理に関しても、キュニコス派の生は徹底している。この世で最大の権力者であるアレクサンドロスのわざわざの申し出にもかかわらず、ディオゲネスの願いは、せいぜい「そこをどいてくれ」ということしかなかった。つまり、キュニコス派の生は、ほとんど誰にも依存してはいない、したがって誰にも振り回されることがないという意味での絶対的な不動性をもっているのである。倫理が、他者との調和を目指すものであったとすれば、これもまたひとつの逆説である。

したがって、キュニコス派は、パレーシアの最も誠実で徹底した実践化であると見ることができるのだ。フーコーのキュニコス派への愛着は、この点からくる。

＊

以上は、フーコー自身がキュニコス派について述べたことに即した展開である。しかし、われわれの疑問は、これで解けたわけではない。どうして、ストア派とキュニコス派という、まったく正反対の外観を有する二つの哲学が、同時にフーコーの共感の対象となりえたのか？　両者は、どのように関係しているのか？　対立的に見える両者が、同じ一つの好みの枠組みの中におさまるのは、どうしてなのか？

鍵は、パレーシアが、第三者の審級の具象的な形態と抽象的な形態との間の振幅の中に、つまり前者の後者への移行の中に生み出される、という点にある。抽象的な形態の方に突き詰めていくと、ギリシア的な思考や倫理は、キリスト教的な一神教への親和性を高めていく。そうしたベクトルを、キリスト教へと合流する直前のところで停止させたときに見出されたのが、先に述べたようにストア派である。それでは、この振幅を逆方向に、つまり第三者の審級の具象性に留まらせたときには、何が見出されるだろうか。それこそが、キュニコス派ではないか。説明しよう。

第三者の審級が、具象性をもって直接に現前しているということが、どういうことかを考えてみよう。とりわけ、それが、語ること、発話行為において何であるかを考えてみよう。結論的に言えば、それは、語るという行為と語られている内容との間の完全な一致、語っている主体と語られている主語の意味内容との間の一致ということである。「私とは、私が語るものである」「私は、私が語ることによって余すところなく表現されている」と宣言できる者こそ、具象的な第三者の審級なのである。

一般には、このような一致は得られない。つまり、語るという行為そのものと語られている内容との間には齟齬が生ずる。私が何かを話す。しかし、それを「話すということ」が別のことを意味してしまうのだ。たとえば、私が、正義のためにこれを主張している、と語ったとしよう。しかし、こんなところでこれ見よがしの大演説をわざわざ行うということは、正義の主張とは別のことを、たとえば、立派な人物と見なされたいといったような欲望を意味してしまう。この場合には、語られている意味内容（「正義のため」）と語っていることそのものの意味（「人権を配慮する立派な人物としての自己呈示」）との間には、差異が生じているのである。このような差異があるとき、語りを受け取った側は、必ず、次のような疑問をもつことになる。「あなたは私にいろいろと話してくれたけれども、それによって何をほんとうは言いたいの。ほんとうは何を欲しているの」と。

このような差異、語る行為と語られた内容との間のこうした差異は、原理的なものだと言ってよい。しかし、誰かの発話行為において、こうした差異が完全に無化しているとしたらどうであろうか。その誰かこそ、第三者の審級の具象的な形態である。もう少し解説しよう。私が語りうることを全部語ったとする。それでも、私の発話行為のすべてが意味していることが、私が語った意味内容の中には解消できなかったとする。ということは、私自身は、私が何をしていることになるのか、私がほんとうは何を欲しているのか、そのことを自覚できてはいない、ということになる。このとき、私の行為がほんとうのところ何を意味しているのか、私がその行為を通じて何を欲望し、意志したことになるのか、それを知っている者こそ、真の第三者の審級である。この場合、真の第三者の審級は、私自身からも、また私が語りかけている他者からも、直接には見えない抽象的な視点、抽象的な他者として想定されざるをえない。このように第三者の審級が抽象化するのは、「私」という主語を用いて語っている他者において、語る行為のレベルと語られた内容のレベルの間に差異があるときである。逆に言えば、二つのレベルの間にまったく齟齬がなく、両者が完全に一致しているとき、第三者の審級は具象的なままに留まるのだ。

ここで、キュニコス派のパレーシア（真理の語り）に立ち戻ってみるならば、それは、まさに述べてきたような、語ることと語られていることとの厳密な一致によってこそ特徴づけられることがわかる。キュニコス派は、語られているさまざまな意味での真理を、直接に行動（生）においてむき出しにしているのだ。キュニコス派において、四つのタイプの真理がいずれもスキャンダラスな反転を被るのは、本来は不可能なはずの一致を、あまりに律儀に追求したためである。ラカンは、「真理は虚構を通じて分節化される」と述べているが、真理が虚構ではなく、現実の行動において現前してしまった場合には、反真理の相貌をもつのである。

キュニコス派の哲学者が、唯一の至高の王のように振る舞うのは、彼が具象的な第三者の審級の位置を占めているからである。ストア派の場合は、これとは事情が異なる。たとえば、マルクス・アウレリウスは、戦場では荒々しい情熱を滾《たぎ》らせ、ローマという一国家のために戦っただろう。しかし、彼に関しては、表面上は「ローマのために戦え」と命令しながら、ほんとうのところは別のことを欲していた、ストア派的なコスモポリタンとしては実は別の――たとえば平和や安寧への――意志をもっていた、という余地がある。真の第三者の審級は、具象的な身体としてのアントニヌスその人とは別のところにいる（と想定されている）からである。しかし、キュニコス派にとっては、それは欺瞞である。彼自身がその具体的な身体において、すでに至高の第三者の審級であり、王だからである。

ミシェル・フーコーの分裂した偏愛の対象、つまりストア派とキュニコス派は、以上に述べてきたように、パレーシアという実践の両義性を反映している。それが、第三者の審級の具象的な形態と抽象的な形態への移行過程の中で生み出されたという両義性を、である。

だが、ここでわれわれはまたしてもある逆説にぶち当たる。古代ギリシアの思考を、ストア派の方へ、さらには新プラトン派の方へと追っていくと、それがキリスト教的な一神教と合流する地点を見る、と述べた。だが、逆にキュニコス派の方に遡ったときにも、われわれはキリスト的なものに出会ってはいないか。あらゆる富を拒否して、放浪する貧者としてのキュニコス派の哲学者たちは、罪人たちの間を渡り歩いて移動した、やはり貧しかったに違いないイエスとその教団とよく似ていないか。

＊1　プラトン『パイドン』岩田靖夫訳、岩波文庫、一九九八年。
＊2　Georges Dumézil, "...*Le moyne noir en gris dedans Varennes*", Paris: Gallimard, 1984. / Michel Foucault, *Le courage de la vérité*, Paris: Gallimard, Seuil, 2009.

＊3　イエスを救出することなく、逃げ出してしまったイエスの弟子たちは、今日でも、人間の弱さを示す例とされている。

＊4　出隆は、ソクラテスに死刑を言い渡したアテナイ市民が、彼の哲学の真の価値を理解せず、したがってたいした覚悟もなく死刑判決を出してしまったことに関して、次のように総括している。「ソクラテスの哲学はアテナイにとって真に畏るべきものを蔵していたにもかかわらず、現実のアテナイは、——彼を告訴したアテナイの『愛国者』も、またそれによって彼を有罪と決しさらに死刑を宣告したアテナイ陪審員の多数も、——実は彼の哲学を心から畏れていたのではなく、なおまた彼を死に価する者とまで強く憎み嫌っていたとも考えられない。それだけの真面目ささえ彼らには欠けていた。これを要するに、ソクラテスは、あの知恵の神アポロンからアテナイという名馬にくっつけられた一匹の虻として、だが今では老いてまどろみがちな嘗ての名馬アテナイの巨軀をちくちく刺激するうるさい一匹の虻として、この馬の上に育ち、働らき、そして遂にこの馬の尻尾で軽くはたきおとされたのである。この馬にとってはその惰眠を邪魔する虻であったからである。」（「ソクラテスの哲学とその死」『出隆著作集　第二巻』勁草書房、一九六三年）。

＊5　アポロンの子とは言っても、神話によれば、アスクレピオスの誕生にはたいへん不幸な事情がつきまとっている。アスクレピオスは、アポロンとコロニスの間に生まれた子である。アポロンは、二人の間のメッセンジャーとして使っていた烏の虚言によって、コロニスの浮気を疑い、彼女を弓矢で殺してしまう。そのとき、コロニスは、すでにアポロンの子を身ごもっていた。その子こそアスクレピオスである。アスクレピオスは、母の命との引き換えのようにして、そして父の過ちの結果として、生まれてきたのである。賢者ケイロー

ンによって育てられたアスクレピオスは、優れた医療の技術を身につけ、ついには死者をも蘇らせることができたという。ところで、すぐ後に述べるように、イエスはアスクレピオスの後継者とも解しうる。両者の間には、「神の子」であること、出生をめぐる特殊な事情、死者を蘇らせるものと死者から蘇った者という対照など、いくつもの興味深い比較の観点を設定することができる。

＊6　山形孝夫『レバノンの白い山』未來社、一九七六年。『治癒神イエスの誕生』小学館、一九八一年。

＊7　遍歴の集団であったという点では、両者は共通しているが、「治療の方法」に関しては、かなり異なっている。アスクレピオスの医師団の治療法は、外科手術のようなものだったらしい。それに対してイエスの治療は、病者の身体にただ触れることが中心である。

＊8　岩田靖夫訳（岩波文庫版）では、「私たち」という部分は省略されている。

＊9　Foucault, *op.cit.* pp.99-101.

＊10　貨幣経済の浸透にともなう弊害に対抗する方法が、もう一つある。交易を禁止して、貨幣経済の浸透自体を最小限に抑えてしまうのだ。その方法を取ったポリスが、スパルタである。つまり、アテナイ（民主主義）とスパルタ（自給自足的で軍国主義的な共同体）は、貨幣経済の浸透に対処する二つの代表的な方法だったのである。

＊11　哲学者の神とアブラハムの神という対照を用いれば、新プラトン派には哲学者の神しかいないのではあるが。

＊12　むろん、今日の実証的な聖書学は、こうした齟齬は両者が異なる資料を起源にしていることに因る、と

いうことを明らかにしている。第一章は「祭司資料」に、第二章は「ヤハウェ資料」に由来しており、後者の方が前者よりも古い。

＊13　古代のある時期、近代のデカルトの懐疑やフッサールの現象学を彷彿させなくもない懐疑論を唱える哲学者が次々と現われた。可能性概念を否定したメガラ学派（ディオドロス等）、ストア派認識論のアポリアを指摘したアカデメイア派（アルケシラオス等）、そして何よりピュロン主義と一括されるピュロン、ティモン等一群の哲学者たちが、それにあたる。われわれは、次節でストア派について論じるが、これら懐疑論者は、初期ストア派の哲学者とおおむね同時代人である。なぜこの時期に、突然、懐疑論が流行したのだろうか。徹底した懐疑は、逆に、強い（通常は意識されていない、暗默の）確信を背景にしないと生まれえない。当時の懐疑論は、一般に、見られ、感じられている世界が、そのまま真実というわけではない、という疑念をさまざまな形で表現している。たとえば、ピュロン主義者たちは、独断に陥らないためのいくつもの「トロポイ（言い回し）」を提起しているが、それらはすべて、感覚されたものをそのまま真実と同一視することに対する戒めである（現われは、動物や個人や状況によって異なるのだから、そのまま事物のあり様を示しているとは見なせない等々）。この種の疑念が出てくるのは、真理が、感覚された世界とは別のところにある、という確信を支えとしている。つまり古代の懐疑論は、感覚的世界と叡知的世界の明確な分離の予兆のようなものである。

＊14　マルクス・アウレリウスの正式名は、Imperator Caesar Marcus Aurelius Antoninus Augustus である。

第14章　ホモ・サケルの二つの形象

1　「生」の二つの概念

アリストテレスの『政治学』の中の次の一節は、西洋の政治の伝統にとって恒常的な参照点となってきた。この一節が、政治的な共同体の目的を定めているからである。すなわち、「(人は) 生きるために生まれたが、本質的には善く生きるために存在する」と。この一節は、古代ギリシアには、「生」についての二種類の概念とそれぞれに対応した二種類の語彙があったことを前提にして読まないと、理解できない。二種類とは、かつて(第9章) 述べたことがある「ゾーエー」と「ビオス」である。あらためて確認しておけば、前者が、「生きている」という事実そのもの、つまりは動物的な生を、後者は、形式化された生、人間的に様式化されている生を、それぞれ意味している。アリストテレスの一文は、両者を対照させている。前半で言われているのは、「ゾーエー」であり、後半で言及されているのは「ビオス」である。彼は、二つを比較した上で、都市国家における政治の目的を、「ビオス」にある、と述べているのだ。

ところで、われわれは、フーコーが、古典古代の倫理や哲学を踏査する中で、二つの学派に、特別に深い愛着を示したということを見てきた。二つの学派とは、ストア派とキュニコス派である。ストア派は、自然本性と調和した生を主張する。そこから帰結する理想が無感動《アパテイア》、すなわち激しい欲望や感情の変化に翻弄されない心的状態であった。マルクス・アウレリウスは、『自省録』で、無感動の状態を、波がそこで砕け散っていく岩に喩えている。「波が絶えず砕ける岩のようでなければならない。岩は立っている。そのまわりでやがて波は静かにやすらう」。こうした不動の岩のごとき心の状態をもたらす生が、規律され秩序だった態度や行動を要求することは言うまでもない。つまり、ここで追求されているのは、ビオスのあるべき様態である。

それならば、キュニコス派はどうなのか？　キュニコス派の生の理想は、あらゆる形式の放棄、つまりは反理想そのものであるように思える。言い換えれば、キュニコス派が求めているのは、ビオスの何らかのタイプではなく、ビオスそのものの否定、つまりはゾーエーであるように見えるのだ。というのも、キュニコス派の理想は、動物的な生、犬の生だからだ。してみれば、ストア派がビオスを志向し、キュニコス派はゾーエーへと向かう、と要約することができるのか。

しかし、そのように単純化するわけにはいかない。前章で述べたように、キュニコス派の動物的な生は、真理への志向の逆説的な結果にほかならないからである。善き生は、つまり望ましいビオスのあり方は、生に対する真理の適用によって得られる。キュニコス派の生もその種の適用の一種として、つまり短絡とも見なしうる直接の適用として見なすことができるのだ。キュニコス派の哲学者たちは、犬と同じように野外で生活する。これは、「隠されていないこと」という意味での真理が生に適用された結果である。犬（野良犬）は、どこにも縛りつけられずに、好きなように生きる。これは、「純粋性（混じり気がない）」という意味での真理に対応している。さらに、犬は、吠えることで、見知らぬ人と親しい人とを判別することができる。これは、「公正性」という意味での真理の適用と解することができる。最後に、犬は、番犬ともなりうることを思うと、恒常的な安全を保障することもできる。これは、「不朽性・不変性」という意味での真理を生の上に実現する。したがって、犬の生は、真理の四つの意味（前章）をすべて直接的に表現している。キュニコス派の獣のごとき生、ゾーエーの外観をもった行動と態度の総体は、それ自体、一種のビオスと解釈しなくてはならない。ストア派の無感動の生と同じように、キュニコス派の犬の生もまた、ビオスの一形態なのである。

とはいえ、繰り返せば、キュニコス派の哲学者たちは、善き生を追求した結果、すなわちゾーエーに形式を付与してビオスへと転換した結果、さながらメビウスの帯をたどるかのような反転の道をたどり、もう一度、事実上ゾーエーそのものと変わらないような生へと到達してしまったのである。この逆説がわれわれの注意を惹かずにはおかないのは、ここに出現した犬のような生は、イエスとその教団の行動様式を彷彿させるからである。第一に、イエスたちも、身を隠すべき住居をもたず、キュニコス派の哲学者と同様に、放浪していた。ディオゲネスやクラテスは、性行為まで露出させるのだが、イエスの場合には、人が最も隠したいもの、つまり自分自身の惨めな死せる身体すらも、公然と人前に曝すことになったのだ。第二に、キュニコス派は富を積極的に放棄したが、イエスたちも貧しかったに相違ない。キュニコス派の哲学者たちは施しに頼って生きていたわけだが、イエスとその弟子たちも各所で歓待されながら生活していたのである。第三に、キュニコス派が動物の生を手本にしていたとすれば、イエスたちは——動物のように扱われていた——罪人へと接近していった。そして、最後に、どちらも至高の真理を追求し、実現しようとしていたのではないか。要するに、貧しい姿で放浪していたイエスたちは、まるでキュニコス派のように見えるのである。

フーコーも、キュニコス派に見出されるこうした態度は、現在にまで至る西洋の超歴史的定数のごときものであるとして、キリスト教の伝統の中にも類似の運動を認めている。最も有名なのは、アッシジのフランシスコであろう。もっとも、フランシスコ会は、教皇庁からも承認され、最終的には、創設者の意志から離れて、大修道院をもつ修道会に発展したため、やがてキュニコス派的な風貌を失ってしまう。しかし、たとえば、フランシスコの運動よりも少し前にワルドーによって創始されたワルドー派は、最後まで、キュニコス派的な態度を維持していたと言ってよいだろう。ワルドーは、清貧を理想に掲げ、自らも全財産を放棄し、独特な巡回説教者の運動を始めた。ワルドー派は、教皇庁から異端と宣告され、弾圧を受けるが、後に、プロテスタント（の一部）からは自らの先駆者として評価されるようになる。このようにキリスト教にキュニコス派的な態度がつきまとうのは、もともとイエスの運動がその外観において、キュニコス派とよく似ていたからである。

だが、この類似は、われわれを当惑させずにはおかない。ここまでの考察の歩みを振り返ってみるとよい。われわれはソクラテスを起点にして、言ってみれば、二本のベクトルを引いたのである。一本のベクトルは、ストア派に向かい、さらにその延長上には、新プラトン主義に代表されるような「一者」についての思考がある。このベクトルを辿っていけば、ヘレニズムの伝統が、ユダヤ—キリスト教的な一神教の伝統と合流する地点を見定めることができる。このベクトルと反対方向に引かれたのが、ソクラテスからキュニコス派へと向かうベクトルであった。ところが、ここでまた、われわれは再びキリスト的なものに遭遇するのだ。逆方向に行ったのに、同じような地点に到達してしまうのは、どうしてなのだろうか。実は、この類似は、つまりキュニコス派とイエスの教団の間の表面上の類似は、まやかしなのである。ここでは、根本的な相違が隠されている。だが、その点を説明するためにも、もう少し「類似」の方を確認しておく方がよい。

2　ホモ・サケルとしてのイエス・キリスト

冒頭のアリストテレスの『政治学』の言葉も示唆しているように、西洋の法や政治の世界は、ゾーエーとしての生の領域を締め出すことで成立する。ジョルジョ・アガンベンは、政治が対象としているビオスの領域は、しかし、まさに「締め出し」という否定的なやり方においてゾーエーに依存しているのだと論ずる。アガンベンのこの理論の妥当性の検討は、とりあえずはおいておこう。ここでまず注目しておきたいのは、ゾーエーの水準を代表する、「ホモ・サケル」なる形象が、さまざまな具体的な像をまといながらまるで通奏低音のように西洋史を貫いて持続的に存在していたという事実、アガンベンが指摘してみせたこの事実である。[*1]

ホモ・サケル（訳せば「聖なる人間」）とは、一言で定義してしまえば、ゾーエーの次元を具現する身体、すなわちいかなる規範的な形式をも備給されてはいない「剝き出しの生」―「生そのもの」を具現する身体である。もう少していねいに定義し直しておこう。「ホモ・サケル」という語自体は、ローマ法の例外規定の中にある、人間の特殊なカテゴリーを指す用語である。次の二条件を満たしている身体が、ホモ・サケルとされた。第一に、その人物を殺しても罰せられないということ。ホモ・サケルと目された人物を殺したとしても、殺人罪に問われることがなかったのだ。第二に、その人物を供犠に用いることができないこと。ホモ・サケルを、公式の宗教的な儀式で、犠牲として用いることは禁止されていた。したがって、ホモ・サケルは、世俗の法（刑法）と宗教の法の両方から締め出されていることになる。つまり、それは、法の中で規定された身分、法的に正当化された形式をもたないという意味で、剝き出しの生、ビオス以前のゾーエーを直接に体現していると解釈することができる。通常、特殊な罪人などがホモ・サケルと宣せられたようだ。今述べたように、この用語自体はローマ法に由来するが、この定義に合致する例外的な人間は、それ以前から、つまり古代ギリシアの段階でも、すでに存在していた。アガンベンは、ケレーニイやバンヴェニストの研究に依りながら、このように推測している。

さて、ここで指摘しておきたいことは、次のことである。すなわち、「犬の生」をあえて引き受けたキュニコス派の哲学者たちは、一種のホモ・サケルではないか、すくなくともホモ・サケルによく似ているのではないか。厳密には、キュニコス派の理想に従って生きたとしても、彼らが、他者たちからホモ・サケルと見なされたわけではあるまい。たとえば、哲学者を殺《あや》めた者には、殺人の罪が問われたであろう。だが、「犬」として生きようとした、キュニコス派の哲学者自身の主観的な視点からすれば、彼らはまさしくホモ・サケル、自らホモ・サケルたらんとした人々である。

アガンベン自身は、ルドルフ・フォン・イェーリングに従って、中世の「狼男」をホモ・サケルの一例に数えている。[*2] 中世の古代ゲルマン法では、あるいはその起源となったゲルマンの祖法では、「平和を破る者」、もう少し具体的に言えば、寺院の略奪や死体の略奪など宗教的な犯罪、大逆罪、強姦、境界犯罪等々の重罪を犯した者は、「狼男」と宣せられ、共同体から締め出された。つまり、狼男は、家族や氏族の庇護の外に放逐された。狼男は、森の中を放浪するしかなく、人々は、まさに狼を狩り立てるのと同じやり方で、この罪人を追跡したのだ。[*3] むろん、彼(または彼女)を殺しても罪に問われることはなかった。だから、狼男は、ホモ・サケルである。したがって次のように言うことができるだろう。狼男(中世の平和攪乱者)は、主観的にはともかく、客観的に——つまり第三者の眼からみて——ホモ・サケルであり、そして犬男(キュニコス派)は、客観的にはともかく、主観的にホモ・サケルだったのだ、と。

だが、それにしても不可解なことは、アガンベンが、その著書の中で、歴史上最もあからさまなホモ・サケルに一言も言及していないことである。最も露骨なホモ・サケル、ホモ・サケルの至上の例ともみなすべきは、言うまでもなく、キリストと呼ばれたイエス、罪人たちと深く交わっていたイエスである。アガンベンは、ローマ法やゲルマン法には眼を向けているのに、どういうわけか、イエス・キリストをまったく無視している。

しかし、イエスは、ホモ・サケルの条件を厳密に満たしている。イエスの十字架上の死は、刑死のように扱われているが、しかし、以前に論じたように、彼が死刑に価するいかなる罪を犯したのかはまったく定かではない。というより、彼はそのような罪を犯してはいない。にもかかわらずイエスは殺されているのだから、これはただの殺人である。しかし、言うまでもなく、これによって、誰かが殺人罪に問われたわけではない。また、キリストの十字架上の死は、供犠ではない。何しろ、キリスト自身が神なのだから。とすれば、殺しても殺人罪は構成されず、また供犠としての意味づけも欠いている、というホモ・サケルの二条件がここでは満たされている。

それゆえ、われわれの目下の中心的な関心が向けられている二つの形象、すなわちキュニコス派とイエス・キリストは、ともにホモ・サケルの例である。両者はどう違うのか。あるいはどう同じなのか。

3　倫理預言者でも、模範預言者でもない

かつて、キルケゴールに従って、ソクラテスの真理とキリストの真理とを対照させたこ

とがあった（第8章）。ソクラテス（プラトン）にとって、真理は、常に、想起の形式で見出される。ソクラテスにとって、真理の発見とは、結局、すでに知っていたことをあらためて思い出すこと、したがって、時間を超えて存在し続けている永遠の過去へと回帰することにほかならない。だから、真理は時間の規定をもたない。もちろん、人が真理を知る（想起する）のは、人生の中のある瞬間であり、それは、特定の時間に特定の場所で生起した出来事である。しかし、真理自体は、そうした時間や場所に不関与である。したがって、真理に到達してしまったあかつきには、真理を想起（発見）した瞬間については、どうでもよいこととしてこれを無視してしまえばよい。だからこそ、ソクラテスは、自分は産婆に過ぎないと言ったのである。子（真理）が生まれてしまえば、産婆が誰であったかなどということは忘れてしまってもよいことになる。子の性格やアイデンティティに産婆はまったく影響しないからである。

キリストの真理は、これとは正反対である。キリストの真理も、真理なるものの本性上、永遠であり、普遍的である。しかし、だからといって、真理が語られた、その特異的な出来事を廃棄してもよい、ということにはならない。つまり、真理には、神（キリスト）がある特異的な瞬間に特異的な場所で人間として顕現したという出来事が、決して抹消できないものとして付着している。ここでは、特異性（出来事）と普遍性（真理）とが、両方とも極限にまで強められた上で短絡しているのである。

さて、ソクラテスとキリストとの対照の中で、キュニコス派の真理はどこに位置づけられるだろうか。一見、それは、キリストの側にあるように思える。というのも、キュニコス派は、真理を生において剝き出しにすることを目指しているからである。つまり、キュニコス派では、生の事実が、真理の前で無化されるわけではないからである。その意味で、イエスという男が二〇〇〇年ほど前にパレスチナ近辺を生きたという事実と真理とが不可分であったという、キリスト的真理とキュニコス派の真理は親和性が高いという印象を与える。

だが、これは間違った印象である。前章でフーコーに従いつつ論じたこと、すなわち、キュニコス派が、ソクラテス的な――あるいはギリシア的な――真理を否定しているわけではなく、むしろ、それを律儀すぎるほどに直接に生に適用するものであった、という論点を、ここで再び思い起こしてほしい。キュニコス派においては、真理の普遍性の規格の方に、生の事実を強引にでも適合させることが重要なのである。そこで、生の中の諸々の出来事の特異性が強調されることはない。むしろ、逆に、そうした刻印は、できるだけ小さくされなくてはならない。つまり、永遠の過去としての真理の方に、現在の生を適合させようとした結果が、キュニコス派の態度である。キュニコス派の生がスキャンダラスなものになってしまうのは、本来は不可能なこうした適合が目指されているからである。たとえば、真理は純粋であるとされる。このことは、現実の生においては無駄なものをすべて放棄することを意味すると解されて、富の攻撃的なまでの放棄が果たされることになる。キュニコス派の貧窮の中での物乞いはその結果である。

したがって、繰り返し確認しておけば、キュニコス派においては、現実の生の内に生起する出来事の固有性が重要なわけではない。むしろ、そうした固有性・特異性はできれば無であることが望ましいのである。そうであるとすれば、ソクラテスとキリストという対立において、キュニコス派はソクラテスの側にこそ立っていると解されなくてはならない。

*

キリスト／ソクラテス（キュニコス派）という差異を、別の角度から説明してみよう。そのためにはまず、マックス・ヴェーバーによって提案されたカリスマ的預言者の二類型を、ここで導入しておくと好都合である。ヴェーバーによれば、預言者には、二つのタイプがある。倫理預言者と模範預言者である。前者は、神の倫理的な言葉を伝えることを使命としている。後者は、信者に対して自ら模範となるような預言者、神の域に近づいていると見なされるような預言者である。ヴェーバーは、「道具」と「容器」という巧みな比喩によって、両者の違いを鮮明にしている。倫理預言者は、神の道具である。彼は、神の手足、神の声として働くのである。それに対して、模範預言者は、神を受け入れる容器である。模範預言者は、神を受け入れることで、神に近い者、神に類似した者と見なされる。

さて、この預言者の二類型の中で、キリストとソクラテスは、それぞれどこに場所をもっているだろうか。ソクラテスは、間違いなく模範預言者の一例である。ソクラテスは、神の道具となって、神々の言葉を伝えているわけではない。彼は、傑出した知恵において、神々のごとき者、神々に似た者、神々の域に――通常の人間よりも――一歩近づいた者である。それゆえに、ソクラテスは、一般の人々にとって模範であった。この点で、キュニコス派の哲学者たちも同じである。確かに、犬のように生きる彼らの姿は惨めで、神々とはほど遠いという印象をもつかもしれない。しかし、彼らの観点からすれば、それこそ、むしろ、神々の似姿なのである。人々は、キュニコス派の乞食のごとき生を模範とすべきである。実際、アレクサンドロス大王は、ディオゲネスのように生きたかった、と述べている。[*4]

それならば、キリストはどうか。キリストは、ソクラテスやキュニコス派とは逆に倫理預言者に含まれるのか。そうではない。キリストは、神の道具として、神の言葉を伝えているわけではないからだ。新約聖書には、キリストは権威ある者のごとく語った、とある。これは、キリストが、ただ「神の言葉を伝えた」ということではなく、直接に神として語ったということを意味している。したがって、キリストは倫理預言者ではない。ただし、宗教社会学的な観点から捉えるならば、キリストは倫理預言者の伝統の中から出てきたことは間違いない。倫理預言者の典型は、ユダヤ教の預言者たちだからである。以前にも述べたように、キリストは、それら預言者たちの最後に、言わば、彼らを完成させる者のように登場したのである。

キリストが倫理預言者ではないとすると、彼は模範預言者なのだろうか。これも間違っている。なぜならば、キリストは神に似ているわけではないからだ。キリストは神の類似品ではなく、神自身である。ゆえに、彼は神に似ることはできない。すでに自らが神である以上、彼は、ソクラテスやディオゲネスとは違って、神のようになろうと努力したりはしない。

こうした論述は詭弁に聞こえるかもしれない。つまり、キリストは、模範預言者の究極の例と見なすべきだ、と考える向きもあるだろう。「キリストが神だ」ということを次のように解したくなるだろう。「ソクラテスやディオゲネスは、知性や徳において卓越していたが、それでもまだあと一歩だった。しかし、キリストは、彼らよりもさらに知的で、さらに道徳的で、ついに神そのものの域に到達しているのだ」。通常、このように解釈されているのではないか。キリストは、ソクラテスやディオゲネスよりももっと偉い、というわけである。

だが、このように解釈したのでは、キリストは——あるいはむしろイエスは——神である、という命題の衝撃力は、一挙になくなってしまう。この命題の意味を理解するためには、イエス・キリストはそれでも一介の人間である、という前提を保持しておくことが死活的に重要である。キリストは神だ、と言われるとき、キリストは神のようだとか、キリストにはどこか神々しいところがある、という点に力点があるわけではない。なるほど、実際、キリストは、たいへん頭のよい、才能豊かな男だっただろう。彼は、徳においても、卓越していたのかもしれない。仮にそうしたことがすべて事実だったとしても（事実であろう）、「キリストは神だ」という命題の重心は、それらのポイント（キリストの賢さ、高潔さ等々）にあるわけではないのだ。この点に十分な注意を払っているのは、たとえばヘーゲルである。ヘーゲルは、『歴史哲学講義』の中で、次のような意味のことを言っている。もしわれわれが、キリストのことを、才能や性格や道徳性の点で師として優れていると見なすならば、あるいはキリストを、罪をまったく犯していない等の点で例外的に立派な人物だと捉えるならば、キリストについての絶対的な真理を根底から見失うことになるだろう、と。

イエス・キリストは神だという同一措定が意味していることは、トートロジー（あの神のような男は神である）ではなくて、まったく逆の究極の矛盾である。イエス・キリスト自身の中には、どこにも神的なものはない。彼に、一般の人間を絶した例外的なところがあるわけではない。その端的な証拠は、キリストが十字架の上であえなく殺されてしまった、という事実である。そのようなまったく普通の人間がまさに神であるということ、そのことこそが衝撃的なのである。確かに、イエスは、相対的に知的で、相対的に高潔な方だったのかもしれないが、人間的な欠陥や過ちから自由だったわけではない。「ヨハネによる福音書」の中の有名なシーンを取り上げてみよう。[*5]律法学者やファリサイ人は、姦淫の現場で捕らえた一人の女性をイエスの前に突き出して、イエスを試すべく、彼に問うのだった。「モーセの律法の中で、こういう女は石打ちの刑に処すべきだとありますが、あなたは何としますか」と。最初のうちは、イエスはこの問いを無視して、身をかがめたまま地面に何かを書き続けている。しかし、激昂した律法学者たちは、なおも同じ問いを発するので、イエスはおもむろに立ちあがり、決めの文句を吐く。「あなた方の中で罪のない者が最初に彼女に石を投げるがよい」と。誰も石を投げることができない。ここで注目しておきたいのは、イエスが、「誰も投げないならば私が投げよう」と言って、女に石をぶつけたりはせず、ただ静かに女を解放していることである。つまり、イエス自身もまた「罪のない者」ではないのだ。

ロシア・アヴァンギャルド芸術の研究家ボリス・グロイスは、スラヴォイ・ジジェクとの対話の中で、イエス・キリストは「レディ・メイドの神」である、という実にウィットの効いた警句を発しているという。むろん、ここで「レディ・メイド」という語は、マルセル・デュシャンの作品に代表される、レディ・メイドの芸術を念頭において、用いられている。たとえば、デュシャンの「泉」は、ただの便器である。便器が芸術作品として提示されたのだ。その便器は、それ自体としては、とりたてて優れた点があるわけではない。そこに、色が特別であるとか、形がすばらしいとかといった、他にない美的な特質があるわけではない。にもかかわらず、それが芸術であるということ、この点がデュシャンのレディ・メイドの芸術の衝撃であった。キリストも同じである。彼にとりたてて特別な長所があるわけではないが、神なのだ。

したがって、キリストは、倫理預言者でもなければ、模範預言者でもない。彼は、歴史的には、倫理預言者の系譜の終端にいるように見えるし、論理的には、模範預言者の極限にあるように見えるが、そのどちらにも含めることができないのだ。この重要な点を正確に理解しさえすれば、キリストとソクラテス―キュニコス派との相違がどこにあるかもおのずと明確になる。

神（超越）―人間（内在）という軸を設定したとき、それぞれにおいて逆方向の力線が機能しているのである。ソクラテス―キュニコス派においては、人間を神のごとき普遍的な模範へと上向させようとする力線が働いている。偶発的な個々の人間を、普遍的で永続的な真理の域に近づけようとする力が、ここでは支配的なのだ。しかし、イエス・キリストにおいては、逆である。神を一介の偶発的な個人へと下降させる力線が、働いているのである。

先に、キュニコス派もキリストも、ともにホモ・サケルの例である、と述べておいた。ところで、アガンベンは、ホモ・サケルを歴史学的な興味から考察の対象に選んだわけではない。つまり、彼は、ホモ・サケルのさまざまな例を収集する民族誌のようなものを目指したわけではない。アガンベンがホモ・サケルに注目したのは、そこに、法の論理を解き明かす秘密があると見たからである。ヨーロッパの法において、ホモ・サケルを共同体から締め出す所作が、いわゆる「主権」なるものを基礎づけている。これがアガンベンが提起しようとした命題である。主権者とは、政治の領域において神として振る舞うことができる者のことである。とすれば、ここまでの考察を、アガンベンの議論と関連づけてみることもできるだろう。

＊

アガンベンの直観は、次のことを考慮すると理解しやすいものとなる。ホモ・サケルの身体と主権者の身体とは、双対的な関係にあるということを、である。先に述べたように、ホモ・サケルとされた人物を勝手に殺害しても、罪に問われることがない。ということは、言い換えれば、主権者とは、彼にとっては全ての人が潜在的にはホモ・サケルであるような人物——つまり全ての人を自由に殺すことができるような人物——のことである。逆に言えば、ホモ・サケルとは、全ての人が彼との関係においては主権者となるような人物のことである。主権者とホモ・サケルとは表裏一体の関係にあるのだ。

実は、この表裏一体性に基づくアガンベンの論理には、まだ飛躍がある。後者（ホモ・サケルの原理）と前者（主権者の原理）とは同値ではないので、その間の移行がなお説明されなくてはならないからだ。[*6] しかし、今は、この点についての批判はおいておこう。

われわれが、キュニコス派とイエス・キリストとの比較を通じて確認しえたことは、主権者（神）との関係において、二種類のホモ・サケルがある、ということである。神へと上向するポテンシャルを孕んだホモ・サケル（キュニコス派）と、逆に神からの下降のポテンシャルを有するホモ・サケル（イエス・キリスト）があるのだ。静止した像として捉えれば、つまりbeingの観点で捉えれば、両者はほぼ同じものに見える。しかし、生成するダイナミズムの中において見れば、すなわちbecomingの観点から見れば、二つはまったく対照的である。

4　偶有性の必然性／必然性の偶有性

われわれの議論は、キルケゴールによる洞察を霊感の源泉としている。キルケゴールは、使徒と天才とを対照させているのだった。「使徒」や「天才」という用語は、キルケゴール特有の語法に基づくものだが、使徒がキリストに、天才がソクラテスに対応する。使徒の権威が何に基づいているのかを示すことによって、「下降のポテンシャルを有するホモ・サケル」のあり方を別の角度から照らし出すことができる。

天才の場合には、人々の彼への尊敬は、彼が語ったことの妥当性や説得力に基づいている。ソクラテスは、正しいことやよいことを言ったから尊敬されているのだ。ディオゲネス等のキュニコス派の場合も、基本的には変わらない。ただ、彼らは、その正しいことを、言葉だけではなく、行動によっても示そうという志向が非常に強かったというだけである。

しかし、使徒の場合には、状況は違う。使徒の権威は、彼が言ったことに何か真実味や説得力があったという事実に由来するわけではない。キリストの「永遠の生がある」という発話と、平凡な神学生の「永遠の生がある」という発話とは、同じ程度の思慮深さや説得力がある、というキルケゴールの言葉を、われわれはかつて確認した（第8章）。キリストの言葉の真理性を保証しているのは、その内容の深さではなく、それがまさにキリストによって発せられたという事実である。

以上のようなことを主張しつつ、他方で、キルケゴールは、一見これとまったく矛盾したことをも述べている。前に（第9章）指摘しておいたように、キルケゴールは、使徒を、メッセージの単なる運び手や外交官のようなものに喩えているのだ。手紙を携えて外国に遣わされた者は、その手紙に書かれている内容に対して、不関与である。重要なのは、メッセージの内容であって、彼がどのような人物かということではない。

さて、以上をまとめると、キルケゴールは、一方では、キリストが語ったことの真理性は、その内容にではなく、まさにキリストが語ったという事実にこそ由来すると述べ、他方では、使徒（キリスト）は、メッセージの内容の真理性に何らの責任もない、透明な代理人であると論じていることになる。この矛盾をどのように解けばよいのか。懸案にしておいたこの問いに向かい合うときがきた。

われわれが、キリストの例において見出したことは、神が一介の人間、どこにでもいるような惨めな人間（ホモ・サケル）でありうる、ということであった。イエスには、彼を神として聖別するような、突出した例外的な性質があったわけではない。彼の性質、彼がとった行動は、煎じ詰めれば、ことごとく凡庸なものである。「凡庸である」ということは、他の人でもよかった、ということである。あるいは、他の性質（を有するもの）でもよかった、ということである。さらに、別の行動でもよかった、ということでもある。たとえば、イエスは、二〇〇〇年ほど前にパレスチナの辺りを歩き回るのだが、その地域でなければならない理由も、その時期でなければならない理由もどこにもない。事象がこのように「他でありえた」という様相を帯びているとき、それを偶有的 contingent と形容する。それに対して、神が語ったこと、神が示したことは、神なるものの本性上、真理であり、必然的でなくてはならない。したがって、キリストが神であるということは、様相の論理に移せば、必然性（そうであるほかないこと）と偶有性（他でもありうるということ）との間の逆説的な一致と表現することができる。

こうした一致は、論理的な思弁の水準で捉えれば、眩暈を惹き起こすような不可解さをもっているが、しかし、経験的には納得できないものではない。偶有的なものが必然性へと、突如として転換するということを、われわれは、ときどき経験しているはずだ。たとえば、起きそうもなかった――あるいは起きないことも十分にありえた――、大きな出来事が実際に起きたとする。すると、その偶有的な出来事が、事後からの回顧的な眼差しの中で、起きるべくして起きたこととして、つまり必然的なこととして捉え直されるのである。ジャン゠ピエール・デュピュイは、次のように論じている。

破局的な出来事は未来の内に宿命として、確実なこととして書き込まれる。と同時に、それは偶有的な事件としても書き込まれる。それは、前未来 futur antérieur の中では〔事後からの眼差しの中では〕必然的なものとして現われているとしても、それでも、起きないことも可能だったのである。（中略）非常に目立った出来事が、たとえば破局が、起きてしまえば、それは、もはや生起しないことが不可能なものになる。にもかかわらず、それが生起しないでいた限りにおいては、それは、避けうることでもある。それゆえ、出来事の現実化――それが実際に生じたという事実――が、遡及的に、その必然性を創出するのだ。[*7]

たとえば、「9・11テロ」のような出来事を例にとってみよう。それが惹き起こされる前には、ニューヨークへのあのような自爆テロは、起きそうもないことであった。いや、このような表現はやや繊細さを欠くかもしれない。そのようなことがなされうることは多くの人が前から知っていたが――だからこそフィクションの中には何度も描かれたりしていたが――、同時に、実際には現実化しないこと、「起きないこと」が十分に可能なこと、と感じられていた。だが、一旦、惹き起こされてしまうと、それは、起きるべくして起きたこととして、必然的なこととして感じられるようになる。

状況をもう少し仔細に反省してみよう。こうした様相の転換、偶有性から必然性への転換が生ずるためには、様相の書き換えが終わった後でもなお、出来事の内に偶有性の刻印が残っていなくてはならない。たとえば、9・11テロが、アメリカのこれまでの外交政策の帰結であって、歴史の必然だったと強く自覚するのは、他方で、「それが起きないことも可能だったのに」という感覚が維持されているときである。毎日太陽が昇ることも必然だが、それは、真理性への深い感慨をもたらさない。そこには偶有性の感覚がすっかり失われてしまっているからである。[*8] こうしたことは、個人的な体験の中でもしばしば生ずる。たまたま旅先で出会った人と恋に落ちたとき、人は、その出会いは必然の運命だったと感ずるのだが、同時に、それがいかにありそうもなかったかということ、偶有的（偶然的）なことだったかということも知っている。しかし、毎日定時に通勤する会社の同僚に会っても、そこに必然性への思いが宿ることはない。

　このような偶有性から必然性への転換を、逆方向から捉えることもできる。すなわち、必然的な真理として現われていることも、実は偶有的なのだ、と見なすこともできるのである。「偶有性の必然性」は、「必然性の偶有性」として逆方向から見直すこともできるのだ。

　イエスという人間と神とが同一視されているときに機能している原理は、基本的には、ここで述べてきたような偶有性と必然性の間の相互転換の論理と同じものである。偶有的な個人としての偶有的な行動が、キリストの発話の真理性（必然性）を担保している。「永遠の生がある」という命題は、神学生ではなく他ならぬキリストが発話したという事実から真理としての権威を得ている、とキルケゴールが述べているとき念頭にあるのは、こうした機制である。と同時に、使徒（キリスト）のメッセージの内容は、使徒が何者であるかということと関係がない、とキルケゴールが論じているのは、使徒が「何者か」を同定する際に用いられるさまざまな性質や行動がまさに偶有的であったということにこそ肝心なポイントがあるからだ。すなわち、それらの性質や行動が何であったかが重要なのではなく、それらがすべて「他でもありえた」ということこそが重要なのだ。したがって、使徒が運ぶメッセージの真理性や権威は、使徒が何者であり、何をしたかということに肯定的にではなく、否定的に――他でもありえたという形式で――支えられていることになる。言い換えれば、キリストの教えの真理性は、キリストがキリスト以外の誰かだったかもしれないということに依存しているのだ。キルケゴールが、使徒が何者であるかはそのメッセージと関係がない、と主張したとき、彼は、前言を否定するようなことを主張していたわけではないのだ。

神が人間（イエス）であるとする同一措定は、必然性が偶有的であるとする論理と同じことである。アガンベンが見逃したタイプのホモ・サケル、神からの下降のポテンシャルによって特徴づけられるホモ・サケルの中に、この論理が純化されて具体化されているのだ。

＊1　ジョルジョ・アガンベン『ホモ・サケル』高桑和巳訳、以文社、二〇〇三年（原著一九九五年）。

＊2　フォン・イェーリングは、次のように書いている。「古代のゲルマニアとスカンディナヴィアに見られる締め出された者や無法者（warus, wargr、すなわち狼、そして宗教的な意味では、聖なる狼、すなわちwargr y veum）は、疑いの余地なく、ホモ・サケルの兄弟である」。Rudolf von Jhering, *L'esprit du droit romain* (Octave de Meulenaere, trad.), t. I, Paris: A. Marescq Ainé, 1880, p.282.

＊3　「狼男」と見なされた犯罪者を追跡することは、森の狼を追いかけるときと同じく、「狩り立てるjagen」という語が使われた（阿部謹也『刑吏の社会史』中公新書、一九七八年、一〇〇頁）。このような語彙は、狼男が、実際に、動物と同じ水準に置かれていたことを示している。

＊4　付け加えておけば、アレクサンドロス自身が、神々に近づいた者として崇敬の対象であった。アレクサンドロスは、その自分よりさらにディオゲネスが神に近いのではないか、と感じたのである。

＊5　たとえば、第1章で言及した、「マルタとマリア」のエピソードを想起せよ。

＊6　『資本論』の価値形態論と類比させれば、この移行は、「拡大された価値形態」から「一般的な価値形態」への移行に対応している。

＊7　Jean-Pierre Dupuy, *Petite métaphysique des tsunamis*, Paris: Seuil, 2005, p.19.

＊8　古代アステカの神官は、太陽が昇ることを祈って人を生贄に捧げたという。彼らにとっては、毎日の日の出は、最初から定められた必然ではなく、実現しないかもしれない偶有的なことだったのである。そして、日の出を見るたびに、彼らは、ほっとして、それが必然性へと転換したのを確認したのだ。

文芸文庫版あとがき

「キリストの死」を冒頭においた〈世界史〉を書く。これは、二十代の若い頃からずっとあたためていた構想であった。そう思いつつも、長い間、その仕事に着手できずにいた。が、五十歳になろうとする頃、突然、自分は永遠に生きるわけではないという当たり前の事実に、天啓のように思い至り、大洋への航海に発つような気持ちで書き始めたのが、「〈世界史〉の哲学」である。本書は、その最初の巻にあたる。

本書は、二〇一一年に出版された単行本の文庫版である。文庫化にあたって、「読書の天才」である山本貴光さんの解説を付けていただいた。期待以上に魅力的な解説を書いてくださった山本さんと、校正をはじめとする文庫化にともなうめんどうな作業を手際よくこなしてくださった、講談社文芸第一出版部の横山建城さんに心よりお礼を申し上げたい。

二〇二二年三月一一日

大澤真幸

世界史の謎に迫るためのアルゴリズム

解説　山本貴光

①進行中のライフワーク

数ある大澤真幸の著作のなかでも、『〈世界史〉の哲学』は特別な位置を占めている。二〇〇九年に『群像』で連載が始まって以来、一〇年以上にわたって書き継がれ、いまもなお進行中の仕事である。

本書「古代篇」を皮切りとして、「中世篇」「東洋篇」「イスラーム篇」「近世篇」「近代篇1」「近代篇2」と続き、目下は「現代篇」が連載中である。また、これまでも『身体の比較社会学』『〈自由〉の条件』『ナショナリズムの由来』、あるいは「社会性の起源」（連載中。二〇二二年三月現在）をはじめ、根源的な問いに取り組んできた著者だが、本書は従来探究してきた諸テーマを含み込むような、そうした諸問題が生じてくる母体でもある「世界史」に向き合っている。まさしくライフワークというべき書物だ。

本書「古代篇」はその口火を切る最初の巻で、はじめに『群像』二〇〇九年一月号から二〇一〇年四月号まで連載された後、二〇一一年に単行本として刊行され、このたび十余年の時を経て文庫になった。特に本篇は、『〈世界史〉の哲学』全体を貫き導く「問い」を提示し、探究の方針と方向を示すという点でシリーズの礎であり、羅針盤ともなる重要な巻だ。ここでは、本書読解のガイドとなることを目指して、いくつかのポイントについて述べてみる。

②根源的な問い

では『〈世界史〉の哲学』ではなにが問われるのか。これについては第一章で丁寧に説明されているが、本書にとってもシリーズ全体にとっても重要なポイントなので、重複を厭わずにその理路を確認しておこう。はじめに提示されるのは次のような問いである。

「特殊な歴史的コンテクストに深く規定された特異的な作品や思想が、普遍的な魅力、普遍的な妥当性を帯びて現われるのはなぜなのか？」（二〇ページ。本文では全体に傍点）

つまり、ある特定の時代、ある特定の場所で生まれたなにかが、なぜいかにして他の時代、他の場所でも受け入れられるのか、世界へと広がるのか。これがその問いだ。これを手短にこうまとめてみる。

問1　人間の社会において特異的なものはいかにして普遍的なものになるのか?

この問いに触れて、人によってはさまざまな例が思い浮かぶだろう。そのつもりで世界史を振り返ってみると、特定の時代や場所や集団で生じた事物や考え方が、世界規模で広がったケースが目に入る。例えば、時代や言語を超えて読み継がれる古今東西の古典、自然科学を典型とする学術やそのための組織である大学、あるいはコンピュータのような道具は分かりやすい例かもしれない。

著者は、なかでもその最たる例として「資本主義」に注目する。西欧に始まり、いまでは文化や地域の違いを超えて広がる考え方、行動のあり方だ。単純化していえば、貨幣経済を基礎として、利潤の最大化を目指す活動を中心とする仕組みであり、そこではあらゆる物やサーヴィスが貨幣と交換しうるものとして扱われる。現在のグローバル経済という言い方にも示されるように、地球規模で資本が動くことが常態となって久しい。だが、はじめからそうだったわけではない。

そこで著者は、先ほどの「問1」を次のように具体化する。

問2　西欧で生まれた特異な資本主義はいかにして普遍的なものになったのか?

これがシリーズを通じた根源的な問い、いわばファンダメンタル・クエスチョンである。『〈世界史〉の哲学』の全体は、この問いを巡って探究を進めてゆくだろう。

ついでながらここで述べておけば、本書を読み進めるコツのひとつは、このように折に触れて提示される問いが、このファンダメンタル・クエスチョンとどのような関係にあるかを確認・検討することにある。というのも、すでに通読した人ならお分かりのように、本書は随所でさまざまな問いを提示しながら思索を巡らせるというスタイルで論が進んでゆく。著者の論の運びはあくまで明晰だが、多様な話題が飛び交うなかで、ときとしていまなぜこの問いに取り組んでいるのかを見失うかもしれない。というわけで、この大目標としての問いがいかに変奏されるか、ここからどのような問いが派生するか、といった問いの構造をそのつど確認して念頭に置くとよい。

③世界史の「哲学」

では、探究はどのように進められるのか。

書名にそのことが示されている。本書は「世界史の歴史学」ではない。歴史学が、過去の痕跡を手がかりとして、それがいかなる出来事だったかという史実を推定・記述しようとする営みだとすれば、『〈世界史〉の哲学』では、そうした出来事そのものというよりは、その条件を問おうとしている。

ここで、「世界史の哲学」を講じたヘーゲルが、その導入部で「歴史の取り扱い方」を三つに分けていたのを思い出してもよい。要約すれば、一つめは歴史家自身の経験を通じて記された体験記としての同時代史（原初的な歴史）。二つめは体験を超えて書かれる通史や過去の出来事を現在に役立てるための実用の歴史（反省された歴史）。そして三つ目が哲学的な世界史である。ヘーゲルはこう説明している。

「哲学的な世界史とは、世界史についての普遍的な思想をともなう世界史、すなわち全体に関係するような思想をともなう世界史であって――個々の情勢や状況、個々の側面につ

いての反省などではない」（ヘーゲル『世界史の哲学講義』(上)、伊坂青司訳、講談社学術文庫、三九ページ）

いわゆる史実の記述ではなく、世界史の全体に関わるような、世界史全体を貫くという意味で普遍的な思想をともなった世界史というわけである。参考にしたいのはここまでで、実際にヘーゲルが世界史の哲学講義でどのような思想を扱ったのかは措いておこう。

『〈世界史〉の哲学』について言えば、ここでいう「哲学」をいったん古代ギリシアにおける伝統的な意味で捉えておくと見通しがよくなる。とりわけアリストテレスが『形而上学』で提示したような哲学のあり方、つまり、ある対象を成立させている条件、あるいは原因を捉えようとする営みのことである。

先ほどの「問2」を例にしてみよう。資本主義と呼ばれるあり方が具体的にどのように変遷してきたかという過去の事実を推定・記述するのが歴史学だとすれば、そもそも資本主義というあり方がいかにして成立しえたのか、それはなぜいかに普遍化したのか、という条件を明らかにしようとするのが『〈世界史〉の哲学』の目標である。別の言い方をすれば、現象や経験を手がかりとしながらも、そうした現象や経験には必ずしも直には現れない条理を見てとろうとする試みである。もちろん歴史学においても同様の試みは行われる。ただ、歴史学での重心はあくまでも過去の事実のほうにあるのに対して、『〈世界史〉の哲学』では理論的な把握のほうにあると区別できるだろう。

そんなことをしてなんになるのかと思う向きもあるかもしれない。著者も述べているように、そのように資本主義の条件を問い尋ねることには、実践的な意味もある。つまり、資本主義の条件を知ることによって、人間や社会について他のあり方を探る手がかりを期待できるだろう。例えば、資本主義の世界で生じる戦争や紛争、経済格差の拡大、地球環境問題などの深刻な脅威を解決・解消する道を探るには、他なるあり方の模索も重要になる。資本主義の条件を問うことは、そうした試みの一助にもなりうるのだ。例えば、カール・マルクスが経済の哲学ともいうべき『資本論』によって当時の資本主義のメカニズムを分析してみせ、この認識によって資本家による一方的な搾取とは異なるあり方を模索する道がよりよく目に入るようになる、という前例を思い出してもよい（その応用がうまくいくかどうかはまた別問題である）。喩えるなら、風邪の症状を抑える対症療法だけでなく、風邪が生じるそもそもの条件を見極めて、それを基礎として生活の仕方や心身のあり方を変える根本治療の可能性をもたらす、というわけである。

④問いの変奏

では、本巻はどのようにして、この根源的な問いに迫るのか。

先の「問2」に答えるためには、その前に資本主義の前史を見ておく必要がある、と著者はいう。資本主義登場以前の世界に目を向ければ、資本主義だけでなく他のあり方も含めて潜在している状態があるはずだ。ちょうど胎児には、将来どのような人物になるかについて複数の可能性が潜んでいるように。

資本主義の前史として世界史のどこに注意を向けるのか。著者は、マックス・ヴェーバーが西洋で資本主義が発生した原因としてプロテスタンティズムを重視した点を手がかりとして、その大本であるキリスト教を最初の対象に選ぶ。とりわけその始まり前後の出来事に注意が向けられることになる。資本主義を生み出した西欧を特徴づける価値観の源泉として、キリスト教という信仰がいかに生じ、特定の民族や地域を超えて広がるにいたったのかを見ようというわけである。解説者なりにその問いを要約すればこうなる。

問3　キリスト教で生じた特異な神の観念はいかにして普遍化したのか？

ここは少し注意が必要かもしれない。つまり、特に本巻の前半はこの問3を探究するわけだが、これは資本主義の探究（問2）とどのように関わるのか、問2と問3はどのような関係にあるのかを把握しておく必要がある。

当然のことながら、資本主義の発生以前の世界を対象とする探究では、問2の対象である資本主義そのものが扱われるわけではない。それはまだ存在しないからだ。このとき、素朴に考えるなら、資本主義発生以前の世界において、いまでいう経済活動のようなもの、貨幣の仕組みや人びとのあいだでの交換がどのように行われていたのかを探るというやり方がありえる。つまり経済の歴史を確認するという探り方だ。これは先ほど見ておいた区別でいえば、歴史学の方法に当たる。

だが著者は、経済の歴史という時間軸を資本主義以前に遡って貨幣や経済の前史を尋ねるという手をとらない。その代わり、キリスト教という信仰、神という観念のほうへと向かう。言い換えれば、人がなにを信じたのか、人が世界をどのようなものとして認識したのかという、認識のあり方に目を向けている。とりわけキリスト教の源となった出来事、イエスの死に焦点が当てられるわけだが、これは言うなれば、信仰の条件を検討することに外ならない。

こうして大目標である「問1」とその具体例である「問2」に加えて、当面の中目標である「問3」が提示された。「問3」もまた、「問1」で示された「特殊から普遍が生じる」という謎のヴァリエーションと位置づけられる。私たち読者としては、「古代篇」における「問3」の探究の過程と結果が、根源的な問いである「問2」の探究（資本主義の普遍化）にどう接続されるのかを念頭に置きながら、シリーズの展開を追うとよい。

⑤メビウスの環をめぐる

さて、「古代篇」の前半では「問3」がさまざまに変奏されてゆく。なかでも重要なのは、著者が世界史のミステリー中のミステリーと呼ぶキリスト殺害の謎だ。キリストはなぜ殺されたのか。その惨めな死がなぜ崇高なものと解釈されたのか。こうした出来事はなぜその後、キリスト教というかたちで普遍化したのか。

その中心にあるのは、次のような論である。キリストは殺された後に甦る。死ぬことで具体的な身体を失う代わりに、甦ることで抽象的な存在へと変化する。具体的な身体は、私たちがそうであるように、常にどこか特定の場所だけにある。局在している。それに対して抽象的な存在となったイエスは遍在する。普遍的なものとなる。

加えてイエスは人間であるとともに神であるという二重の存在だった。これ自体は『新約聖書』が示唆することだが、同様に、まるで異なるようにしか思えない二つのものが、実はひとつのものに重なりあっている、という見方は、本書のそこかしこに見つかるだろう。具体的な検討は本文にあたっていただくとして、いくつか例を挙げてみよう。

・人／神
・苦難／救済
・失敗／成功
・荒野／沃野
・喜劇／悲劇
・悲惨な死／崇高な死
・無知／知
・偶然／必然
・特殊／普遍

表だと思っていたらいつの間にか裏にいたというメビウスの環のような構造といっても

よい。著者の論はこうした二重のなにものかが、なぜいかにして一方から他方へと転換するのか、というそのメカニズムの解明に向かって、そのつどさまざまな例と理論の道具を使いながら、あたかも螺旋のように幾重にも環を描いてゆく。ヘーゲルによる否定を介した弁証法や、カントによる美と崇高の概念などはその一例である。

こうした二重性について、こんなふうに捉え直してもよいかもしれない。それは変化する現象や、本来多様である対象を、言語という固定した有限の意味をもつ記号で表すことの限界のあらわれであり、そうした言語を使ってものを考える私たち人間の認識の限界のあらわれでもある。だが、そのような言語と認識の限界を弁えたうえで、しかしそのほかならぬ言語を用いて認識を進めるわけである。

ところでこれは、本書後半の主人公であるソクラテスの問答法とも重なることでもあった。というのも、プラトンによるソクラテスの対話篇では、ある問い、例えば「知識とはなにか」といった問いを巡って、それを知っていると自任する識者とソクラテスが対話する。ソクラテスはそのことについて知らない立場から識者に問う。識者が答える。その答えを受けて、ソクラテスがさらに問う。こうした問答を重ねてゆくうちに、ついには識者が「知識とはなにか」について、本当は知らなかったことが露呈する。「知」が「無知」

であったことが判明する。逆に「無知」である相手にソクラテスが問うことで、実際には「無知」ではないことが判明する場合もある。

⑥二つの真理

さて、いまさらながら恐縮だが、「古代篇」は全部で一四の章から成る。そして明示こそされていないが、この全体はちょうど半分ずつ、前後二つのパートに分かれている。仮に第一章から第七章を「第一部」、第八章から第一四章を「第二部」と呼ぶことにすれば、第一部の主題はイエス・キリストであり、第二部はソクラテスである。なぜソクラテスが登場するのか。

第二部の冒頭にあたる第八章では、改めて「西洋とは何であろうか？」と問い直されている。その源流は二つある。一つは第一部で検討されたキリスト教、あるいはヘブライズムであり、もう一つはヘレニズム、古代ギリシア文化であった。そこで著者が触れているパウロは、ヘレニズム文化の教養を備え、熱心なユダヤ教徒から回心してキリスト教で重要な役割を担うことになる人物だった（ヘブライ名はサウロ、ギリシア語名はパウロス）。ヘブライズムとヘレニズムの融合という点では象徴的である。

パウロのような個人の場合はまだしも、西洋文化がヘブライズムとヘレニズムを源流とするという場合、「まったく出自を異にする二つの文化的伝統（略）が、なぜかくも見事に調和的に融合し、一つの文明を形成することができたのか？」（本書、二〇七ページ）――これが第二部を主導する問いである。両者がまったく相容れないものであればそもそも融合のしようもない。互いに共通点をもちながら、違いがあるからこそ引きあう。ジグソーパズルの隣りあうピースが、互いに違う形をしていながらぴたりとはまり合うように。そうだとすれば、両者の共通点と違いはどこにあるのか。

そこで注意が向けられるのが古代ギリシアの哲学者ソクラテスだった。ソクラテスはアテナイの市民から訴えられ、最終的には死刑の宣告を受け毒杯をあおって死んだ。真理を求めて市民たちと対話を重ねるうちに、どうしたわけか「国家の認める神々を認めない」という罪状で訴えられたのだった。キリストの場合、曖昧だが瀆神罪あるいは政治的煽動者として告発されている。いずれも著者が指摘するように冤罪というべきものだが、どちらも自らが正しいと考える言動をとり続けた結果生じたことだった。著者は、こうしたキリストとソクラテスという二つの刑死を、ヘブライズムとヘレニズムの特徴を探るための出来事として対比させている。

そこで展開される議論の過程は省かざるを得ないが、その中心に置かれるのはキリストとソクラテスそれぞれにおける「真理」のあり方だ。キリストにおいては、その死と復活という出来事、人間にして神であるという存在を信じることを条件として、彼が語ることが真理とされる。語り手の特異性に保証される真理だ。

これに対してソクラテスのほうは、問答を通じて対話相手がもともと知っているはずでありながら、自覚していないために自分では思いつけない真理を引き出すというかたちをとる。この場合、ソクラテスは自らが言うように産婆役であり、対話相手が真理を思い出した後は不要の存在となる。この場合、語り手であるソクラテスは一種の媒介のような働きをする。

これを本書の繊細で周到な議論とは別に、極めて大まかな理解で捉えるなら、キリストにおける真理は信仰というかたちの真理であり、ソクラテスにおける真理は学問というかたちの真理に相当する。前者は聖典に記されたキリストの事蹟が真理として扱われるのに対して、後者はむしろ誰が論じているかにかかわらず妥当すると思われることが真理として扱われる。

そしてこれは「古代篇」の範囲を離れるが、ヨーロッパの長い中世を通じて、信仰と学問という真理の関係がさまざまに展開してゆく。例えば、一方ではプラトンや、とりわけアリストテレスのギリシア哲学が、キリスト教神学の必要と論理にあわせて取り入れられ手を加えられる。他方では教会とは別に、真理探究の場としての大学が現れ発展してゆくことになる。当事者たちがそれぞれどのような理屈をつけていたかは別として、極端にいえば真理は一つなのか、「啓示の真理」と「理性の真理」からなる「二重真理」なのか（とは一二世紀のイスラーム哲学者イブン・ルシュド〔ラテン名アヴェロエス〕による説で、後にキリスト教哲学にも影響を与える）、といったかたちでもつれ合う糸のように歴史のタペストリーの一端を編み上げてゆく。いま述べたことは『〈世界史〉の哲学』では「中世篇」「イスラーム篇」で取り上げられるはずである。

改めて言えば、真理とは、世界についての認識、つまりこの世界の構造やそこで生じる諸現象に通底した真《まこと》の理《ことわり》であり、先ほどのキリストとソクラテスを典型とする真理は、その認識の妥当性がどのように保証されるのかという二つのタイプであった。ここから西洋文明の始まりのほうへ、さらには資本主義の謎のほうへ、議論はどのように進んでゆくのか。それは次巻「中世篇」以降の課題である。

＊

以上、誠にささやかながら『〈世界史〉の哲学』という試みにおいて、なにがなされようとしているのかに注目してみた。例えば世界史の教科書を典型として、なにごともなければ滑らかな因果の連鎖として記述され自明視される歴史に対して、著者は数々の問いを投げかけ、そこになおも探究すべき亀裂があることを指し示す（思えばこれはソクラテスの問答法のようでもある）。また、その問いを変奏し、仮説を立て、推論を進めてゆく様子の一端を垣間見てみた。

ミステリーに限らず、人を夢中にさせる小説や物語では、はじめに不可解な謎が提示され、話が進むにつれて物事が明らかになる一方で、さらなる謎が増えるという構造をもっていることが少なくない。『〈世界史〉の哲学』はまさに謎が謎を呼び、分かれば分かるほど分からなくなるという仕掛けに満ちている。ここでは、著者がそのつどの課題に向かってさまざまな概念のパーツからアルゴリズム（問題解決の手順）を組み立て、その作動を検討している様子をいささかなりともお示ししてみたつもりである。本書をいっそう楽しむための一助になれば幸いだ。

本書は、『〈世界史〉の哲学　古代篇』（二〇一一年九月、小社刊）を底本とし、ルビ等を多少調整しました。

また、文庫化にあたり、「〈世界史〉の哲学」シリーズとして通巻番号を付しています。

なお、初出は『群像』二〇〇九年二月号～二〇一〇年四月号（二〇〇九年四月号をのぞく）です。

〈世界史《せかいし》〉の哲学《てつがく》 1 古代篇《こだいへん》

大澤真幸《おおさわまさち》

二〇二二年四月 八 日第一刷発行
二〇二四年八月二〇日第二刷発行

発行者——森田浩章
発行所——株式会社 講談社
東京都文京区音羽2・12・21 〒112-8001
電話 編集（03）5395・3513
販売（03）5395・5817
業務（03）5395・3615

デザイン——菊地信義
印刷——株式会社KPSプロダクツ
製本——株式会社国宝社
本文データ制作——講談社デジタル製作

定価はカバーに表示してあります。

ISBN978-4-06-527683-9

講談社文芸文庫

講談社文芸文庫

大江健三郎-懐かしい年への手紙　小森陽一――解／黒古一夫――案
大江健三郎-静かな生活　伊丹十三――解／栗坪良樹――案
大江健三郎-僕が本当に若かった頃　井口時男――解／中島国彦――案
大江健三郎-新しい人よ眼ざめよ　リービ英雄-解／編集部――年
大岡昇平――中原中也　粟津則雄――解／佐々木幹郎-案
大岡昇平――花影　小谷野 敦――解／吉田凞生――年
大岡 信――私の万葉集一　東 直子――解
大岡 信――私の万葉集二　丸谷才一――解
大岡 信――私の万葉集三　嵐山光三郎-解
大岡 信――私の万葉集四　正岡子規――附
大岡 信――私の万葉集五　高橋順子――解
大岡 信――現代詩試論｜詩人の設計図　三浦雅士――解
大澤真幸――〈自由〉の条件
大澤真幸――〈世界史〉の哲学 1　古代篇　山本貴光――解
大澤真幸――〈世界史〉の哲学 2　中世篇　熊野純彦――解
大澤真幸――〈世界史〉の哲学 3　東洋篇　橋爪大三郎-解
大澤真幸――〈世界史〉の哲学 4　イスラーム篇　吉川浩満――解
大西巨人――春秋の花　城戸朱理――解／齋藤秀昭――年
大原富枝――婉という女｜正妻　高橋英夫――解／福江泰太――年
岡田 睦――明日なき身　富岡幸一郎-解／編集部――年
岡本かの子-食魔 岡本かの子食文学傑作選 大久保喬樹編　大久保喬樹-解／小松邦宏――年
岡本太郎――原色の呪文 現代の芸術精神　安藤礼二――解／岡本太郎記念館-年
小川国夫――アポロンの島　森川達也――解／山本恵一郎-年
小川国夫――試みの岸　長谷川郁夫-解／山本恵一郎-年
奥泉 光――石の来歴｜浪漫的な行軍の記録　前田 塁――解／著者――年
奥泉 光 群像編集部 編-戦後文学を読む
大佛次郎――旅の誘い 大佛次郎随筆集　福島行一――解／福島行一――年
織田作之助-夫婦善哉　種村季弘――解／矢島道弘――年
織田作之助-世相｜競馬　稲垣眞美――解／矢島道弘――年
小田 実――オモニ太平記　金 石 範――解／編集部――年
小沼 丹――懐中時計　秋山 駿――解／中村 明――案
小沼 丹――小さな手袋　中村 明――人／中村 明――年
小沼 丹――村のエトランジェ　長谷川郁夫-解／中村 明――年

▶解=解説　案=作家案内　人=人と作品　年=年譜を示す。　2024年7月現在